JN005173

最近のあなたはどうですか？
「YES！」と笑えていますか？
「NO」とうつむいてしまっていますか？
どちらでも大丈夫です。

自己肯定感が一番高いのは赤ちゃん、そう**自己肯定感は誰にも生まれもって備わっています。**

自己肯定感の特徴はときと場合によって、高くなったり、低くなったり、揺れ動くものです。

そして、安心してくださいね。**今この瞬間から、何歳からでもいい状態へと変えていくことができるもの**なのです。

そこで、まずは「あなたの自己肯定感が今どうなっているのか」、簡単なテストをしたいと思います。

下の図をよく見てください。
パッとイメージを目に焼きつけたら、次のページに進みましょう！

あなたの自己肯定感を10秒で診断します

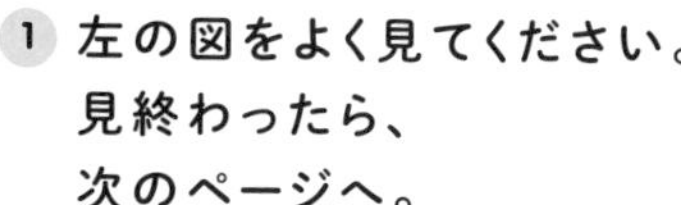

下の図を見て、直感でどちらと似ているかを選んでみましょう。

結果はどうでしたか？ どちらを選んだとしても大丈夫です。

あなたは、もうこの本を手にしました。だから、**365日いつでも、自己肯定感を高めることができる**のです。

パッと開いた項目であったり、一番ワクワクする項目から、決して無理しないで、楽しそう！ と思うところから始めてください。それだけで、もうすでに備わっている、自分に「YES！」と言える自己肯定感がぐんぐん高まっていきます。

もし、あなたの心のなかで「なんか生きづらさを感じるな」「最近、なんとなくうまくいっていないな」「モヤモヤした気もちが消えないな」という変化が起きているとしたら、それは一時的に自己肯定感が低くなっているだけです。

本書は、こうしたネガティブな状況を変えていくものごとの考え方、捉え方、感情のもち方、心理テクニックを365日分紹介している自己肯定感の決定版です。

自己肯定感は少しずつ貯めながら、ゆっくりと高めていくことができます。ただ、貯金と同じように１日で急に貯まったりはしません。

2 前のページの図と似ている図はどっちですか？

毎日積み重ねていくことで、確実に自己肯定感は育まれていくのです。たとえば、「ありがとう」の回数を増やしたり、笑顔で人と接することを意識したりするだけでも、自己肯定感は高まっていきます。

そして、私たちの脳は、同じことを繰り返すと潜在意識レベルで繰り返しを重んじてくれるという性質をもっています。つまり、**毎日コツコツと自己肯定感を高める行動を積み重ねると、あなたの脳は自分に「YES！」と言える素敵な場面を勝手に探してくるようになり、無理せずにいつのまにかポジティブになり、人生がうまくいき、幸福感に満ちあふれてくる**のです。

『自己肯定感365日BOOK』はあなたの自己肯定感を高め、最高の人生に導いてくれます。明日の天気を心配して今から傘をさす必要なんてありません。

大丈夫。この本を手にしたあなたの未来は、そのあまりの明るさに目がくらみそうになるほど輝きます。

あなたの人生は100%うまくいきます。そして、あなたのご家族にも、あなたの大切な人にも、自己肯定感という幸福の連鎖がつながっていきます。さあ、ワクワクするところから始めてみましょう！

Ⓐを選んだあなた

あなたは今比較的、自己肯定感の低いネガティブな感情を抱えています。小さな視点（1つ1つのひし形）に意識が向かうのは、視野が狭まっているから。ぜひ本書で高めていきましょう。

Ⓑを選んだあなた

あなたは今比較的、自己肯定感の高いポジティブな感情に満ちています。大きな視点（全体で三角）でものごとを捉えることができ、心にゆとりがあります。この状態をキープしていきましょう。

はじめに　自己肯定感は一瞬で高まる 自己肯定感は貯められる …… 02

序章　人生を変える「自己肯定感」っていったい何?

自己肯定感が高まるとなぜいいの? …… 16
自己肯定感が低いとどうなるの? …… 17
自己肯定感が365日毎日高まる! …… 18
自己肯定感はどんどん貯められる …… 19
あなたの自己肯定感はどれくらい?[自己肯定感チェックシート] …… 20
自己肯定感を構成する"6つの感"とは? …… 22
自己肯定感を木にたとえて"6つの感"を解説します …… 23
1 自尊感情(根)　自分には価値があると思える感覚 …… 24
2 自己受容感(幹) ありのままの自分を認める感覚 …… 25
3 自己効力感(枝) 自分にはできると思える感覚 …… 26
4 自己信頼感(葉) 自分を信じられる感覚 …… 27
5 自己決定感(花) 自分で決められるという感覚 …… 28
6 自己有用感(実) 自分は何かの役に立っているという感覚 …… 29
自己肯定感の"6つの感"のどこが下がっている? …… 30
「自己肯定感365日BOOK」のつかい方 …… 32

第1章　「自尊感情」を高める・貯める

001 | 自己肯定感は上下するということを知っておく …… 35
002 | 一喜一憂しない …… 36
003 | 「大丈夫、大丈夫、大丈夫」と自分に伝える …… 37
004 | 鏡のなかの自分にポジティブな言葉をかける …… 38
005 | 8秒間、セルフハグをする …… 39
006 | 太陽の光を浴びる …… 40
007 | 「自分に○!」を口ぐせにする …… 41
008 | 朝起きたらまずカーテンを開ける …… 42
009 | 8時間以上ぐっすり眠る …… 43
010 | したいことを100個書く[Wishリスト] …… 44
011 | いいことがあったら付箋に書いてノートに貼る[1行メモ] …… 45
012 | 「自分にグッジョブ」を言う …… 46
013 | 洗面台をピカピカにする …… 47
014 | 自分が安心できる「ホーム」を確認する[心理的安全性] …… 48
015 | 「すべては必ずもっとよくなる」── 赤を選んだあなたへ …… 49
016 | 「あなたはあなた。そのままでいい」── 黄色を選んだあなたへ …… 50
017 | 「大丈夫。ありのままのあなたでいい」── 青を選んだあなたへ …… 51
018 | 「大丈夫。この先の心配は何もない」── 緑を選んだあなたへ …… 52
019 | 嫌なことは、イメージのなかでゴミ箱に入れる[スイッシュパターン] …… 53
020 | つま先で床をトントンする …… 54
021 | 足の裏をしっかり感じて立つ[グラウンディング] …… 55
022 | 体育座りをする …… 56

023 丹田に両手を当てて温める 57
024 葉っぱのにおいをかぐ 58
025 寝る前はいいことだけ考える 59
026 歯をていねいに磨く 60
027 自分のために花を買う 61
028 1ヵ月に1回、使ってないものを捨てる日をつくる 62
029 小さなことでもいいから「NO!」と言ってみる 63
030 誰かのために予定を空けておかない 64
031 理想の生活をリスト化しておく 65
032 バスタイムにこだわる 66
033 ファーストインプレッションが半年続くことを知っておく 67
034 口角を上げて話す。たとえマスクをしてても 68
035 ときには人に弱みを見せる 69
036 つねに肯定的な言葉を使う［リフレーミング］ 70
037 すでに願いが叶った状態からすべてを考える 71
038 足りないものではなく引き寄せたいものを考える 72
039 「こうあらねばならない」と思う自分から逃げる 73
040 毛布やぬいぐるみやクッションをギュッと抱きしめる 74
041 1日1個、いいことをしてみる 75
042 まとまった休暇をとって長期の旅行に行く 76
043 39〜40℃のお湯に15分浸かる 77
044 顔を両手で包み込む 78
045 朝起きたらおふとんをきちんと整える 79
046 玄関をきれいにする 80
047 お気に入りの本の好きな一文を声に出して読む 81
048 スキップをする 82
049 お気に入りの日記帳を買って、毎日開く 83
050 批判や悪口が多い人とは距離を置く 84
051 人を妬む自分が出たら、自分のいいところを3つ唱える 85
052 失恋したら「自由になった！ もっと楽しいことがいっぱいある！」と思う 86
053 自分を高めてくれるハイブランドを“ごほうび買い”する 87
054 やりたいことをやって自己満足する 88
055 お財布はいつも整理整頓しておく、お札はそろえて入れる 89
056 自分が身につけているアクセサリーをピカピカにする 90
057 好きなタイミングで好きな友だちと会う 91
058 がんばった日は自分へのごほうびにお気に入りのスイーツをテイクアウトする 92
059 どんなときでも年齢を気にしない 93
060 春夏秋冬の目標をそれぞれ1字で表現してみる［フォーシーズンズ・メモ］ 94
061 5年後の未来の視点で考えてみる［ライフチェンジノート］ 95

第2章 「自己受容感」を高める・貯める

062 「安心、楽しい、大丈夫」を口ぐせにする 99
063 「これが私！」(This Is Me!)と思う 100
064 「I’m OK, I’m not OK」 101
065 他人と比べない。比べるなら過去の自分 102

066 | 負の感情をひたすら書き出す[エクスプレッシブ・ライティング] 103
067 | デスクの上に好きな小物を置く 104
068 | 「認めてもらいたい気もちがない?」と自分に質問する 105
069 | おやつを食べる 106
070 | トイレで手のツボを押す 107
071 | 指先をもみながら「よくがんばってる私!」と自分をほめる 108
072 | 1年後、3年後、5年後の理想の自分を考える[タイムライン] 109
073 | 負の感情を数値化する[エモーショナル・スケーリング] 110
074 | 変えられない過去には悩まない 111
075 | 首と腰にカイロを当てる 112
076 | 嫌なことがあったら紙に書いてクシャクシャポイ[嫌なことリリース] 113
077 | すべてに「オールOK!」を出す 114
078 | コンプレックスの長所を考えてみる 115
079 | ストレスを解消するためのリストをつくる[コーピングリスト] 116
080 | 手のひらを胸の上に当て軽く押す[スージングタッチ] 117
081 | 意見が違っても「そのやり方もいいね!」と言う 118
082 | 白黒つけない。グレーな部分があってもいい 119
083 | ボーッとする時間をもつ 120
084 | 足先と指先をぬくっと温める 121
085 | 嫌なことがあった日は「こんな日もあるよね!」と思う 122
086 | 近所の神社にお参りに行く 123
087 | 自分の心に「なぜ?」と聞いてみる 124
088 | ネガティブな出来事に出たり入ったりするイメージをもってみる 125
089 | 「自分は○○が苦手だって知っている」と口にしてみる 126
090 | 自分の感情を上げたり下げたりチューニングしてあげる[ステートアップダウン] 127
091 | 手のひらをひらく 128
092 | 利き手じゃないほうで自分の頭をなでる 129
093 | おでこを5本指で軽くたたく[フォアヘッド・タッピング] 130
094 | 足のツボを押す 131
095 | 心がザワザワする日は、単調なリズムの音楽を聴く 132
096 | 前髪を切るだけでいいので美容院に行く 133
097 | 1人カラオケをする 134
098 | ミュージアムに行ってアートを鑑賞する 135
099 | いつも乗らない電車に乗る 136
100 | 「1人って最高!」と言ってみる 137
101 | 目標はコロコロ修正してOK 138
102 | ネガティブな感情に名前をつけてみる[ラベリング] 139
103 | マイナス感情を風船のなかに入れて、「バイバイ!」と空にリリースする 140
104 | 「ほかの方法もあるんじゃない?」とひと呼吸置く 141
105 | 「今感じていること、考えていること」を書き出す 142
106 | 30分以上外を歩いてセロトニンとアドレナリンをチャージする 143
107 | 寒い日は大きめのマフラーをふわりと巻く 144
108 | 世界地図を眺める 145
109 | リラックスしたい日は緑を身につける 146
110 | SNSを見た後は「人は人、自分は自分」と言い聞かせる 147
111 | 雨の日の休日は心身ともにリラックスしてとことんだらだらする 148

112 オーソドックスでベタなレジャーをする 149
113 次々と仕事がくるときは「仕事！ 仕事！ がんばれ私！」と鏡に向かって言う 150
114 床にペタッとあおむけになって大の字になる 151
115 ひとり言を言う［セルフトーク］ 152
116 好きな香水、アロマオイルの香りを嗅ぐ 153
117 嫌いな人、苦手な人は「違う言語の人」と思う 154
118 空気を読んでばかりで本音が言えないときは、本音をノートに書きまくって眺める 155
119 自分へのごほうびにホテルに泊まる 156
120 1人で映画館に行ってゆったりと1人時間を楽しむ 157
121 夜、洗顔しながら「よくがんばったよ！」と伝える 158
122 皿洗いをしながら好きな歌を口ずさむ 159

第3章 「自己効力感」を高める・貯める

123 小さなことから始める［スモールステップの原理］ 163
124 拳を上に突き上げ「ヤッター！」のポーズをする 164
125 自分の「いまここ」を確認する［ライフチャート］ 165
126 1日3ついいことを書く［スリーグッドシングス］ 166
127 「もし○○したら△△する」と決めておく［If-then プランニング］ 167
128 続けられないのは意志が弱いからじゃない 168
129 「思ったようにはいかない」と思っておく 169
130 明日、着る服を決めておく 170
131 散歩をする 171
132 プレッシャーを感じたら、自分の強みを1分間思い浮かべる 172
133 ジャンプをする 173
134 「なんとかなる！」を口ぐせにする 174
135 理想の未来を描き出す［ライフビジョンチャート］ 175
136 おせんべいをバリバリ食べる 176
137 肩甲骨をぐるぐる回す 177
138 冷たい水で顔を洗う 178
139 嫌な人の嫌な部分を書き出してみる 179
140 ラッキーポーズを決めておく［アンカリング］ 180
141 オレンジ色のものを身につける 181
142 こめかみをぐるぐるマッサージする 182
143 食後にコーヒーを飲む 183
144 いらない紙をビリビリ破る 184
145 心から楽しめるマンガを読む 185
146 「私って天才！」を口ぐせにする 186
147 毎日体重計に乗って体重を測る 187
148 サングラスをかけて出かける 188
149 自分への「ごほうびリスト」をつくっておく 189
150 人の話を前のめりになって聞く 190
151 ちょっとおおげさにリアクションする 191
152 「期待しているよ！」と言ってみる［ピグマリオン効果］ 192
153 「病気になったら…」と不安になったら
「ここちよいライフスタイルは？」と自分に質問する 193

154 ｜ ふさわしい人は自分の人生の準備が整ったときにやってくる。焦ると失敗する …… 194
155 ｜ 午後3時から午後4時に筋トレをする …… 195
156 ｜ 不安に思っていることをコップの水のなかに入れてぐるぐるかき回し
「さよなら！」と言って流す …… 196
157 ｜ ネガティブな感情になったら「今トンネルに入っている！」と考え、
トンネルを抜けるイメージをもつ …… 197
158 ｜ 緑のなかを歩く［森林浴効果］ …… 198
159 ｜ いつも使うリップの色を変えてみる …… 199
160 ｜ お気に入りのお弁当箱を買う …… 200
161 ｜ いつも使うキッチンをキレイにする …… 201
162 ｜ お気に入りの本の好きなフレーズをノートに書き出す …… 202
163 ｜ 目のエクササイズをする …… 203
164 ｜ 引き出しを1つだけ片づけてみる …… 204
165 ｜ 手帳の予定を色ペンを使って書く …… 205
166 ｜ おりこうさんに見せたい日はブルーを着る …… 206
167 ｜ 毎月1回、旬のお花を買って家に飾る …… 207
168 ｜ 仕事終わり、お気に入りのカフェで1時間だけボーッとする［マインドワンダリング］ …… 208
169 ｜ 仕事が一区切りしたら、カフェでドリンクを買って帰る［マインドセット］ …… 209
170 ｜ いつもと違う道を歩いてみて違った景色を楽しむ …… 210
171 ｜ 会社帰りにサクッと友だちと会いサクッと30分で解散する …… 211
172 ｜ あれこれ考えずにとにかく始めてしまう …… 212
173 ｜ 月に1回ウィンドウショッピングをする …… 213
174 ｜ 「イライラ」したらニーッと口角を上げてみる …… 214
175 ｜ マイナス思考に陥ったら「ついてる！ ついてる！ ついてる！」と
自分に言い聞かせる …… 215
176 ｜ 朝、洗顔しながら「今日を楽しもう！」と伝える …… 216
177 ｜ あいさつは相手よりワントーン高くする …… 217
178 ｜ でんぐり返しをしてみる …… 218
179 ｜ 砂遊びをする［箱庭療法効果］ …… 219
180 ｜ スイッチONでポジティブなイメージに切り替え、
スイッチOFFでネガティブなイメージを消す［ヴィジュアルスカッシュ］ …… 220
181 ｜ 夢や目標を書き出し、いつも見えるところに貼っておく …… 221
182 ｜ 「もしかしたら別の理由があるかも」と違う見方をつくってみる …… 222
183 ｜ コップに水が「半分しかない」と考えるのではなく、まだ「半分ある」と考える …… 223

第4章 「自己信頼感」を高める・貯める

184 ｜ ていねいに手を洗う …… 227
185 ｜ 「できる、できる、できる」と自分に暗示をかける …… 228
186 ｜ 「根拠のない自信」を大切にする …… 229
187 ｜ ネガティブ思考は思い込み …… 230
188 ｜ 「もう、や～めた！」と言ってみる［脱フュージョン］ …… 231
189 ｜ それはあなたの課題？ ほかのだれかの課題？［課題の分離］ …… 232
190 ｜ 目を隠して10秒瞑想 …… 233
191 ｜ 好きなポスターや写真や絵を玄関に飾る …… 234
192 ｜ 目を温める …… 235

193 「パン!」と手をたたく 236
194 スマホ・PCから離れる時間をつくる 237
195 仮眠をとる 238
196 胸を張る 239
197 部屋の空気を入れ替える 240
198 カレンダーに○をつける[習慣トラッカー] 241
199 SNSから距離を置く 242
200 ルーティンをつくってみる 243
201 空を見上げる 244
202 自分と相手のあいだにゆるやかに線を引く 245
203 目標を達成するためのビジョンとノウハウを明らかにする[イメトレ文章完成法] 246
204 「自分は絶対運がいい」と思い込む 247
205 直感を信じる 248
206 疲れたらとにかく休む 249
207 「とりあえず2分」やってみる 250
208 夢がかなったときの風景、風、香りをありありとイメージしてみる[サブモダリティ] 251
209 成功したらどんな暮らしをしているか成功の先をイメージする[メタアウトカム] 252
210 二の腕を手のひらでなでる 253
211 1日1回足裏をさわる 254
212 香水を買いにいく 255
213 いつもは選ばないものを買ってみる 256
214 朝起きたら、布団のなかで伸びをする 257
215 「できるようになったね、すごい!」と過去と比べてできたことをほめる 258
216 「応援しているね!」と言葉に出す 259
217 「○○さんが、あなたのことほめてたよ」と伝える[ウィンザー効果] 260
218 今を変えれば未来が変わるので過去はスルーする 261
219 幸運は不運という出来事の姿でやってくると知る 262
220 出会いたい人をイメージしながら生きる 263
221 「これがすべての終わりじゃないよ!」と自分に言ってあげる 264
222 「ちょっとバイバイ!」と不安・心配事を横においておく 265
223 1週間に1回、何も気にせず好きなものを食べる 266
224 自分の能力ではなく、自分の可能性を信じる 267
225 朝起きたら、お気に入りのコップで白湯を飲む 268
226 ハンカチにアイロンをかける 269
227 わたしは体がやわらかいと言いながら前屈する 270
228 今年の夏は思い切ってノースリーブを着てみる 271
229 「今日は目立ちたい!」という日は赤を着る 272
230 悩みごとを抱えて不安になったら「ファイト!」と自分に言う 273
231 規則正しい生活をすることが一番のキレイの土台 274
232 いろいろあった日は花屋さんか本屋さんへ寄って気分転換してから帰る 275
233 月2回はランチで贅沢をして1人時間を楽しむ 276
234 週1回、平日18時以降の予定を空けておく日をつくる 277
235 溜まりまくった仕事を全部片づける日を月1日予定に入れておく 278
236 「私なんて」ではなく「私だからこそ」と思う 279
237 1日3回「幸せだな」と言って口ぐせにする 280
238 ちょっとしたことでイライラしたら「ちまちま考えない!」と鏡に向かって3回唱える 281

239 | 年齢を重ねれば重ねるほど、楽しいことをしてたくさん遊ぶ時間を満喫する 282
240 | 「すみません。」ではなく、「ありがとう。」 283
241 | 近所のお出かけにも、1つだけおしゃれして出かけることを心がける 284
242 | 人がいないところで思いっきり大きな声をだす［シャウト効果］ 285
243 | 自撮りをする 286
244 | お墓参りにいく 287
245 | 体をぶらぶらさせる 288

第5章 「自己決定感」を高める・貯める

246 | サイコロで決める 291
247 | 「私ってイイ人！」と思ってあいさつをする 292
248 | 「ま、いっか」と口にしてみる 293
249 | 寄り道をする 294
250 | 「私が決めた！」「私はコレがいい！」 295
251 | 迷ったとき、決められないときは、憧れの人になりきる 296
252 | 尊敬する人だったらどうするか？ を考える［レファレント・パーソン］ 297
253 | 優先順位を決める 298
254 | 好きなものだけを見る時間をつくる 299
255 | 立ち上がってみる 300
256 | 休日は何もしないでダラダラすると決定して楽しく実行する 301
257 | ガムを噛む 302
258 | フカフカのところで寝る 303
259 | 緊急で重要なことは何か確認する［タイムマネジメント］ 304
260 | 手伝ってくれそうな人リストをつくる 305
261 | まわりの人の力を借りて問題を解決する［解決ノート］ 306
262 | 青、赤、緑の色をとり入れる 307
263 | 目標を紙に書く 308
264 | 一駅歩く 309
265 | やる気が出るまで待ってみる 310
266 | 明日やろうでOK 311
267 | 寝室には嫌なものを置かない 312
268 | 自分の「推しメン」をつくる 313
269 | あえて高いところに上ってみる 314
270 | 簡単なパズルを解いてみる 315
271 | 行ったことのない街に行ってみる 316
272 | ルームウェアにこだわる 317
273 | 人の印象は3回で10割決まることを知っておく［スリーセット理論］ 318
274 | 二者択一で提案する［ダブルバインド効果］ 319
275 | ストレスを感じたら、迷わず自分のためになることをする 320
276 | 「決めつけなくっていいよ！」とほかの視点を探してみる 321
277 | 「明日のゴールはこれ！」と毎日のゴール設定をしてみる 322
278 | 「これをやれば必ずこうなっちゃった」と楽しい未来を自分で予言しておく 323
279 | やることが見つからないなら、まずはお金を稼ぐことを考える 324
280 | 今やっていることから、いったん完全に離れてみる 325
281 | 勝負服をあらかじめ決めておく 326

282 | 食材の色と味をしっかり意識して食べる 327
283 | 両手の親指と小指を交互に立てるエクササイズをする 328
284 | 手を真横に伸ばして、首を回して中指の先を見る 329
285 | トイレをピッカピカにする 330
286 | 単調な作業を5分間してみる 331
287 | 自分の感覚で選んだ好きなアートを飾る 332
288 | 気分が落ちた日は黄色を身につけて出かける 333
289 | 自分の嫌いなところをリスト化してその理由を書いてみる 334
290 | 「自分の気もちはこう！ けれども仕事は仕事！」と割り切る 335
291 | トリプトファンを食事にとり入れる 336
292 | 週1回、好きなことにどっぷりつかる 337
293 | 両親との関係がこじれたら「見守っていてほしい」と伝える 338
294 | 本のジャケ買い・タイトル買いをしてみる 339
295 | 連休中は食べすぎてもOK！ 連休明けからエクササイズの時間を増やす 340
296 | たまには有休をとって、芝生でゴロゴロしたりゆっくり過ごす 341
297 | 大事な会議やプレゼンの日はカチッとジャケットで気合を入れてみる 342
298 | テレワークに最適なスペースを2つ見つけておく 343
299 | リモートDayはルーティンを用意する 344
300 | 祝日は本屋さんに行って次のレジャーの予定を立てる 345
301 | ネガティブになったら「今のはなし！」と自分で邪気払いする 346
302 | なんでもいいから、毎日新しい1個を積み重ねる 347
303 | 悔しいときは「悔しい！」と言う、つらいときは「つらい！」と言う 348
304 | 月に1回は盛り上がるイベントに参加する 349
305 | 食事日記を書いてみる 350
306 | ラッキーだったことをノートに貯めていく[ラッキーメモ] 351
307 | 「1人戦略会議」をする 352

第6章 「自己有用感」を高める・貯める

308 | 「ありがとう」を1日3回言って口ぐせにする 355
309 | 休日だからこそ早起きする 356
310 | 鏡の前に花を飾る 357
311 | ペンにネガティブな思いを込めて、ギュッと握って、離す[ペンワーク] 358
312 | もし5年後死ぬとしたらこれだけはしたいということを5つ書く[バケットリスト] 359
313 | いいことをしたら日記に書く[いいことした日記] 360
314 | 「ねば、べき思考」に気づく 361
315 | スケジュールは埋めない 362
316 | ほかの人の立場で考えてみる[ポジション・チェンジ] 363
317 | 夕暮れどきは明るいところへ行く 364
318 | 趣味の仲間をつくる 365
319 | 誰かのいいところを探してみる[誰かのいいとこ探しノート] 366
320 | 自分から歩みよる 367
321 | 「ギブ＆テイク」ではなく「ギブ＆ギブ」 368
322 | 実際に手紙を書くように感謝の手紙を書いてみる[グレイトフルメッセージ] 369
323 | 週に1回、「一日五善」をこころがける 370
324 | 1人時間を楽しむ 371

325 | 自分に「いつもありがとう」 372
326 | 相手の心を読みすぎない 373
327 | 模様替えをしてみる 374
328 | 良好な関係の人と話をする 375
329 | 遠慮なく頼んで、受けとる 376
330 | 自分にみんなに「お疲れさま」 377
331 | 温かい飲みものを飲みながら話し合う 378
332 | 怒っていたらそっとする、笑っていたら一緒に笑う 379
333 | 仕事の人間関係はうまくいかないことが前提だと思う 380
334 | 怒りが湧いたらとりあえず6秒待つ 381
335 | 「〇〇さん、こんにちは！」と名前を呼ぶ［ネームコーリング］ 382
336 | 相手の持ちものをほめる 383
337 | 相手の得意なことにアドバイスを求める 384
338 | 相手の考えに「いいですね！」と同意する［ミラーリング］ 385
339 | 公園でブランコに乗る 386
340 | 帰るときはさわやかな笑顔で［ピーク・エンド効果］ 387
341 | 見返りを考えず、どんな親切ができるかを考える 388
342 | 競争と協力のバランスを大切にする 389
343 | 1日1回感謝する 390
344 | 「そうだ、やってみよう！」と自分の背中をポンと押す 391
345 | 手をつなぐ 392
346 | 動物の動画を観る 393
347 | 日曜日の朝、靴を磨く 394
348 | 観葉植物に声をかけながら水をあげる 395
349 | 寝る前に今日のポジティブな出来事を3つ書く 396
350 | 自分のやりたいことにあれこれ言う人の話はスルーする 397
351 | その時期たくさん出回っている旬のものを食べる 398
352 | ベランダでミニ菜園を楽しむ 399
353 | 毎月1回、お気に入りの文房具とお気に入りの葉書で感謝の言葉を贈る 400
354 | 季節ごとに、玄関とトイレの模様替えをする 401
355 | だれかに手みやげをあげることを想像しながらデパ地下を回る 402
356 | どんな小さなことでもいいので寄付をしてみる 403
357 | たまには差し入れを買って会社に行く 404
358 | 近くにいる人を1日1回思いっきりほめる 405
359 | 1人だけでいいので職場に心を許せる人をつくっておく 406
360 | 誰かにお花をプレゼントする 407
361 | 親に電話をして「いつもありがとう」と言う 408
362 | しばらく連絡していなかった友だちに連絡する 409
363 | 近所の人にあいさつをする 410
364 | 何かのプロジェクトを応援する 411
365 | 自分が住んでいる地域のイベントに参加する 412

お悩み別・索引 413

序章

人生を変える「自己肯定感」っていったい何？

自己肯定感が高くなるとなぜいいの？ 低くなるのはどうして？ など自己肯定感の基本から、本書『自己肯定感365日BOOK』のすごい効果まで解説。自己肯定感になぜ人生を変えるほどの威力があるのか納得できる章です。

自己肯定感が高まると
なぜいいの？

自己肯定感とは、自分が自分であることに満足し、価値ある存在として受け入れられる感覚です。言い換えるなら、**自己肯定感は生きるエネルギーそのもの**だと言えます。

ところが、自己肯定感は人生の軸となるエネルギーにもかかわらず、高くなる時期もあれば、低くなったまましばらく停滞してしまうこともあります。しかも、この高低がダイレクトにあなたの感情、考え方、ものごとの捉え方に影響を与え、判断力や行動力を大きく左右するのです。

心理学の世界では、**自己肯定感の高まっている状態を「自分にYESと言える状態」と定義**する研究者もいます。

「私は私のままで生きることができる」

「自分には幸せになる価値がある」

そんなふうに**自分や他人の未来を信じることができるのは、自己肯定感がその思いを根底で支えているから**です。つねに「自分にYESと言える状態」であれば、私たちはどんな困難に直面しても、人生には必ずいいことがあると思えて、乗り越えていくことができます。つまり、自己肯定感が高まる方法を知っている人は、人生が100%うまくいくのです。

本書を手にとったあなたへ。もう安心してください。自己肯定感は何歳からでも高められます。そして、私は断言します。

「あなたはもう大丈夫。人生のすべてがうまくいきます！」

自己肯定感を高めれば、自分にYESと言える。人生100%うまくいく。

自己肯定感が低いと
どうなるの？

自己肯定感は、ときと場合によって高くもなり、低くもなります。そして、自己肯定感の強い人、弱い人（総量が多い人、少ない人）がいます。

この仕組みをイメージとしてつかむには、23ページに載せている1本の木のイラストが役立ちます。**強くたくましく育まれている自己肯定感は、地面に深く根を張り、幹の太い木のようなもの。**枝はしなやかにしなり、大きく伸び、風雨にさらされても折れることなく（自分軸の確立）、葉はイキイキと茂ります（折れない心：レジリエンス）。

そして、鮮やかな花を咲かせ（やり抜く力：グリッド）、たくさんの実がなり、種となって次の世代につながっていくのです（何度も挑戦する力、人を思いやる心）。

自己肯定感を高く強く保てていると、失敗しても、周囲から批判を受けても、軸がブレることなく、自分の人生を歩んでいくことができます。

逆に自己肯定感が低く、弱ってしまっているとき、私たちは「自分はダメ」「今日もうまくいかない」「明日がくるのが憂うつ」といったネガティブな思考の罠にはまり、負のループに陥ってしまいます。

この『自己肯定感365日BOOK』には、その苦しい状況から抜け出すためのヒントがたくさんちりばめてあります。**あなたの自己肯定感を地面に深く根を張り、太い幹とやわらかくしなる枝をもつ木に、育てていきましょう。**あなたらしい生き方をワクワクしながら楽しみましょう！

ネガティブ思考が続くのは、自己肯定感が低くなっているから。

自己肯定感が
365日毎日高まる！

私はよくクライアントや講座の受講生、友人、知人に「一喜一憂しなさんな」というフレーズを投げかけます。これは相手にフラットな状態を意識してもらうための言葉です。

喜びすぎたり、落ち込みすぎたりを繰り返していると心が疲れてしまいます。そして、人に振り回される時間をすごし、いつのまにか誰かに認めてもらえないと安心しない人生を送ってしまいます。

そうならないための「一喜一憂しなさんな」です。

「今、自分はどんな状態かな？」と自分を知る時間をつくり、心のバランスがとれている、いつもの自分を思い出しましょう。

でも、私たちは自分の内面で起きていることを客観視するのが苦手です。なにか調子が悪いけど、なんでだろう？　とモヤモヤしながらやり過ごしてしまいます。

そこで、『自己肯定感365日BOOK』です。ここには**自己肯定感を高めるためのコツが１年365日に１つずつ、つまり365個つまっています。**それは365の「一喜一憂しなさんな」のメッセージでもあります。

どこのページからでもいい、いつも近くにおいて、**１日１回パッと開いて出た項目をやってみてください。毎日、自己肯定感を高めていきましょう。**いつのまにか、あなたは、あなたが望んだ人生を手に入れることができるはずです。気が向いたものをやるだけで、もう大丈夫です！

どんなに落ち込んだ日も、自己肯定感を高める習慣があれば大丈夫。

自己肯定感は
どんどん貯められる

自己肯定感を少しずつ高めていくことがすごく大切です。ただし、貯金と同じように1日で急には貯まりません。毎日、コツコツ積み重ねていきましょう。自己肯定感は貯められます。そのしくみを解説します。

私たちの脳の脳幹には「網様体賦活系（もうようたいふかつけい）（RAS）」と呼ばれる部位があります。この**RASは脳がさまざまな情報を処理するとき、あなたが積極的に注意を向けているものを一番重用視するというフィルター**です。『自己肯定感365日BOOK』を読んで自己肯定感の高まる方法に注意を向けることは、RASを刺激することになります。

すると、RASはものごとの考え方、捉え方、感情のもち方を司る**大脳皮質に「目覚めろ。注意を払え。細かいところまで見逃すな」と自己肯定感を高める要素に注目するよう伝えてくれる**のです。

簡単に言えば、脳が「いいこと」を勝手に探すようになります。

つまり、自己肯定感を高めるためのとり組みを続けると、脳はますますそれをあなたに深く認識させようとして、絶えず応援してくれるようになるのです。その結果、ものごとの捉え方、感情のもち方が変わっていき、私たちは自分に「YES！」と言える場面が増えていきます。

最初のきっかけとなるとり組みは、小さなものでOK。パッと開いて、「やってみよう！」と思えたことにチャレンジしてみましょう。そこからちょっとずつ積み立てて、自己肯定感を高めていきましょう。

毎日ページをめくれば、脳がどんどんあなたの味方をしてくれる。

あなたの自己肯定感は
どれくらい？
［自己肯定感チェックシート］

どんなに自己肯定感が高い人でも大切なパートナーと大げんかになったり、大事な仕事でミスをしてしまったときなど、自己肯定感は揺れ動くもの。一時的にネガティブな感情になり落ち込んでしまいます。

逆に、うれしいことがあれば自己肯定感が勝手に高くなり、ポジティブな感情になります。**大切なのは、今、自分の自己肯定感がポジティブに動いているか、ネガティブに動いているか、どちらに揺れ動いているかに気づくこと**（自己肯定感が高まれば、簡単に気づけるようになります）。そこで、あなたの今の自己肯定感の状態を確認してみましょう。

ここに簡単にできる「自己肯定感チェックシート」を用意しました。次の12個の質問に答えることで、あなたの自己肯定感の現在の状態がわかります。このチェックシートにどう答えたかは、後ほどもう一度使いますので可能なら、本に○×を書き込むか、メモをとるなどして、記録してみてください。12個の質問のうち、10個以上「○」がついたら、あなたの自己肯定感は低い状態。逆に「○」が5個以下の方は今、自己肯定感が比較的高まった状態だと言えるでしょう。

ここでの**ポイントは、この回答結果に一喜一憂しないこと。そして、今の自分の現状のありのままを受け容れること。**低くても大丈夫。本書を開いていくうちにいつのまにか、プラス思考のあなたがそこにいますよ！

自己肯定感が低くても大丈夫。大切なのは気づくこと。

自己肯定感チェックシート

あなたの自己肯定感は今どうなってる?

以下の12個の質問の答えを○×を書き込むか、メモをとるなどして、記録してみましょう。12個の質問のうち、○が10個以上の場合、あなたの自己肯定感は今、低い状態になっていると言えます。

		○ or ×
1	朝、鏡を見て自分の嫌なところを探してしまっている	
2	SNSを開くたび、 人からの「いいね」を待っている自分がいる	
3	職場や学校、家庭でちょっと注意されると、 深く落ち込んでしまう。立ち直るまでに時間がかかってしまう	
4	自分のペースを乱されると、 些細なことでもイラッとしてしまうことがある	
5	ふとしたときに「無理」「忙しい」「疲れた」「どうしよう」「嫌だ」 「つらい」といったネガティブな言葉がこぼれている	
6	「ねば」「べき」と考えてしまい、行動を起こせない	
7	上司から言われた何気ないひと言が気になって、 こだわってしまう	
8	やるぞと決めたけど、まわりの人の目が気になり、 躊躇してしまうことがある	
9	出かける前に、1日を過ごす服選びで悩んでしまう	
10	一度決めたことなのに、 本当にこれでいいのかなと悩むことがある	
11	新しいことに挑戦したいなと思っても、 「どうせ」「自分ではね」と、勝手に限界を決めてしまっている	
12	電車から降りるときやエレベーターに乗るとき、 ノロノロしている人にイライラしてしまう	

自己肯定感を構成する“6つの感”とは?

なぜ自己肯定感は簡単に上下動してしまうのでしょうか。その理由は、自己肯定感が次の“6つ感”によって支えられていることにあります。

1. **自尊感情（自分には価値があると思える感覚）**
2. **自己受容感（ありのままの自分を認める感覚）**
3. **自己効力感（自分にはできると思える感覚）**
4. **自己信頼感（自分を信じられる感覚）**
5. **自己決定感（自分で決められるという感覚）**
6. **自己有用感（自分は何かの役に立っているという感覚）**

“6つ感”のどれか1つが大きく揺さぶられると、その影響から自己肯定感が下がります。たとえば、仕事のプロジェクトから外されるなど「どうして、私が？」と感じる出来事で自尊感情が傷つけられると、ほかの“5つの感”も低空飛行に。逆に“6つの感”はお互いを支え合うプラスの影響力も発揮します。自尊感情が傷ついても、友人の励ましで「このままでもいいんだ！」と自己受容感が満たされ、自己肯定感が高まるのです。**“6つの感”は密接につながり、影響しながら自己肯定感を形づくっています。**まずはそのしくみを知ること。自己肯定感の低下がどの“感”によって引き起こされたのかを知ると、正確に対処できるようになります。

自己肯定感が上下しても、しくみを知れば正確に対処できる。

自己肯定感を木にたとえて
“6つの感”を解説します

自己肯定感の木は“6つの感”で大きく育ち、開花し、実を結びます。あなたの自己肯定感の「種」は、次の世代へ渡ります。それはあなたの子どもかもしれませんし、まわりの誰かかもしれません。

1 自尊感情（根）

自尊感情は、木の「根」のようなもの。根っこが深くなければ、木は簡単に倒れてしまいます。根っこが深くなれば、折れない自分軸が手に入ります。

2 自己受容感（幹）

自己受容感は、木の「幹」のようなもの。軸がしっかりしていなければまっすぐに伸びません。強く伸びれば折れない心が手に入ります。

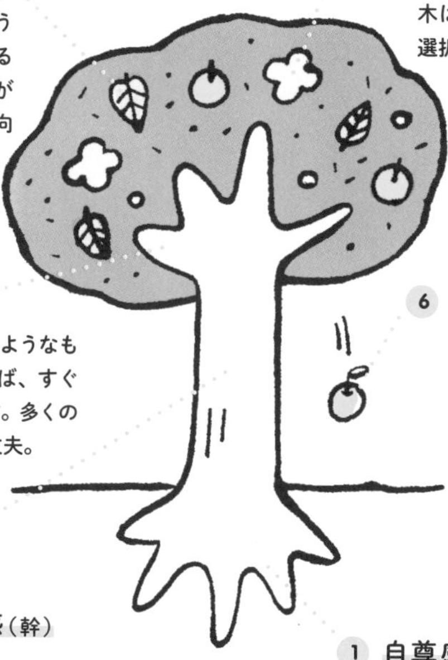

3 自己効力感（枝）

自己効力感は、木の「枝」のようなもの。しなやかに伸びなければ、すぐにポキッと折れてしまいます。多くの枝があれば少し折れても大丈夫。

4 自己信頼感（葉）

自己信頼感は、木の「葉」のようなもの。信頼という養分がなければ、生い茂ることはできません。養分が多くなればどんどん次に向かえます。

5 自己決定感（花）

自己決定感は、木の「花」のようなもの。花は主体的に自分で決めることで、開きます。主体的になれば、木は花という多くの人生の選択肢を咲かせます。

6 自己有用感（実）

自己有用感は、木の「実」のようなもの。誰かの役に立てること。それが甘いご褒美です。実が多ければ人生の収穫（幸せ/成功）も多いのです。

① 自尊感情（根）
自分には価値があると思える感覚

自尊感情は、あなたが自らのパーソナリティ（その人の持ち味。個性。人柄）を自分で評価し、価値を認識し、大切にする感情です。私は、自尊感情が「自己肯定感の木」の根っこの部分に当たると考えています。

自尊感情が安定していると、「自分っていいよね」と自分を尊ぶことができ、ものごとを肯定的に捉えることができます。自尊感情が高くなれば、どんな状況でもそこにやりがいを見つけられるようになります。

「自分の価値を認めてもらいたい」と願う承認欲求は誰しもがもっている欲求ですが、じつは自己承認と他者承認の２段階に分かれています。

自己承認と他者承認の双方がバランスよく満たされる状態が理想的ですが、自尊感情が低下しているとき、私たちは「自分に○（マル）」と言えません。つまり、自己承認ができない状態になっているのです。

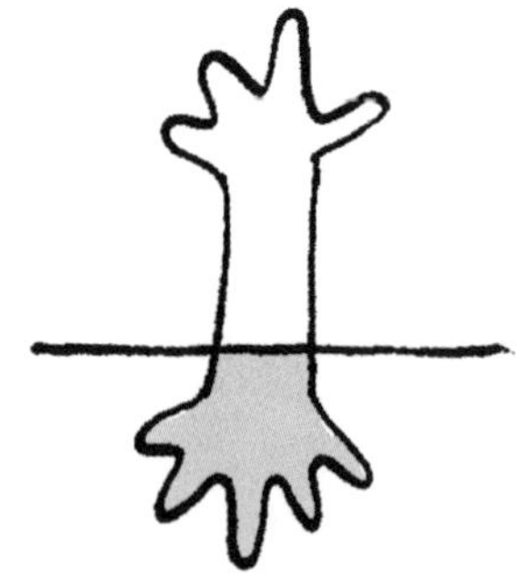

すると、満たされない思いをどうにかしようと他者承認を強く求めるようになっていきます。自尊感情を回復させるには、「自分はできる」という小さな成功体験が有効です。すると、**誰かに認められる人生ではなく自分が納得する人生を生きることができるようになります。**

② 自己受容感（幹）
ありのままの自分を認める感覚

自己受容感は、**ポジティブな面もネガティブな面もあるがままに認められる感覚**です。妬みや恨みを抱えてしまう自分も「そういう気もちもあるよね」と認めつつ、大丈夫、前向きな状態に変わっていくことができる、と。**アドラー心理学で言う「I'm OK, I'm not OK」の状態**です。

自己受容感は「自己肯定感の木」で言うと、幹の部分。あなたらしくしなやかに生きるために不可欠な感覚であり、自己肯定感を高めるために大きな役割を担っています。自己受容感が高まれば、不完全な自分を知り、**「これが私！ 私は私」と思えます。そして、ほかの人のことも「それがあなた！ あなたはあなた」と受け容れることができる**のです。

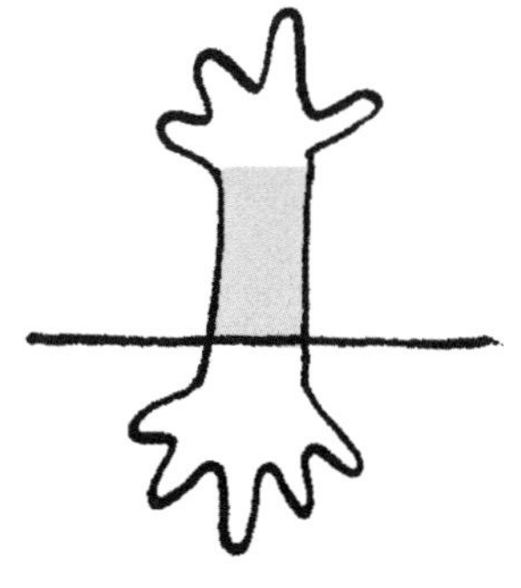

どんな自分、どんな他人にも「OK」を出せる人は何が起きてもしっかりと地に足をつけて、立ち直ることができます。つまり、折れない心が手に入るわけです。そして、共感力が磨かれ、信頼され、愛される存在となります。逆に自己受容感が低下すると、小さなミスが気になり、行動に移すことができなくなります。**他人に振り回されるのは、あなたや相手が悪いのではなく自己受容感が低くなっているだけ**なのです。

❸ 自己効力感（枝）
自分にはできると思える感覚

自己効力感が高まると、人生は何度も何度も挑戦できるし、何回も何回もやり直せる。つまり、**「失敗は挑戦の証！」と思えるように**なります。自分は何かを必ず成し遂げることができ、あきらめなければ目標を達成できると信じられる状態になり、**勇気をもてるようになる**のです。

また、困難に直面したときにそのプレッシャーにどれだけ耐えられるか、挫けたときに挑戦を再開することができるかといったレジリエンス力に自己効力感は直結しています。

自己効力感は「自己肯定感の木」の枝に当たる部分。幹から多くの枝が伸びていくように、**自己効力感はあなたの世界を大きく広げていってくれます。**

自己効力感が安定していれば、私たちは何度でも挑戦する力が得られ、人生はいつからでも再起動可能だと信じることができます。一方で、自己効力感が低下してしまうと、行動する気力が湧いてきません。失敗を次への成長の種とポジティブに捉えられず、何かのせいにしてもう無理だと思ってしまいます。これも理由は自己効力感が低いだけなのです。

4 自己信頼感（葉）
自分を信じられる感覚

アメリカの思想家ラルフ・ウォルドー・エマソンは**「根拠のない自信こそが、絶対的な自信である」**という言葉を残しています。私たちは自分を信じることで、どんな困難な状況でも人生を切り開いていくことができる。**「私には自信がある！」と思うそれこそが確固たるエビデンスとなります。つまり、自信をつくることができるのです。**

挫折感に打ちひしがれたときも自己信頼感があれば、自分自身で回復させることができ、再び立ち上がることができます。また、**自己信頼感が高まると、自分の選択に自信がもてるので直感力が鋭くなります。**

自己信頼感は、「自己肯定感の木」の葉の部分。葉が光合成を行って木の成長を促すように、自分を信じ、自信をもつことはあなたの人生を豊かなものにしてくれます。自分の可能性は無限大であると感じられ、次から次へと新しい人生の扉を探すことも容易になってきます。

逆に自己信頼感が損なわれると、自分で勝手に制限を設け、可能性を閉じてしまいます。するとそれが連鎖し、自己肯定感全体が下がります。ただしこの逆も然り。1つの感を高めれば、全体をすぐに高められるのです。

5 自己決定感（花）
自分で決められるという感覚

自己決定感は自分で主体的に決定できるという感覚。十分にあると、やる気が高まった状態を維持できます。自分らしい人生を切り開き花を咲かせるには、ものごとを自分で決め歩んでいくことが欠かせません。

自己決定感が高まると自分で選択肢を広げることができます。そしてそのなかから主体的にこれ！ と選択することができるようになります。

自己決定感は、「自己肯定感の木」の花に当たります。自己決定感が高まれば、１つの木にたくさんの花を咲かせてくれます。たくさんの花が咲けば、たくさんの実がなります。人生も次のステージへと進むのです。

逆に自己決定感が低下すると周囲への依存度が増します。依存的な態度が定着すると、「誰かに聞かなきゃ」と他人の決定に従うのが当たり前になり、いざ何かを決断しなければいけない局面に向き合ったとき、同じところで足踏みを続けることに。**誰かの指図がないと不安になったり、人と比較してばかりで優柔不断になったりするのは自己決定感が下がっている証拠。**人生を楽しむためには、「私が決めた！」「ワクワクするからやる！」という自己決定感が必要なのです。

❻ 自己有用感（実）

自分は何かの役に立っているという感覚

自己有用感とは、周囲の人や社会とのつながりのなかで自分は役に立っていると思える感覚です。

自己有用感が高まると、自分は多くの人によって支えられているという安心感を得ることできます。すると、自然と誰かの役に立ちたいと思えて行動に移すことができるのです。行動に移して、相手から「ありがとう」と言ってもらえると、もっと役に立ちたいという幸福感が生まれます。これを心理学的用語で**「心理的安全性」**と言います。**自己有用感を高めれば、自ら、心理的安全性を確保できる**のです。

自己有用感は、「自己肯定感の木」の実の部分に当たります。自己有用感があると、気もちに余裕ができ、「相手にもYES」を出せます。すると、相手も喜び、さらに自己有用感が得られ、自己肯定感が高まっていきます。まるで、**おいしい実がなり、それをバトンすることで新たな芽が出て育っていく。**そんなイメージを描くことができます。あなたも自己肯定感を高め、あなたらしい大きな果実を実らせましょう！ そして、次の世代には、豊富な実のなる世界で過ごしてもらいましょう！

自己肯定感の“6つの感”の どこが下がっている？

じつは21ページで紹介した「自己肯定感チェックシート」で投げかけた12の質問は、“６つの感”の状態を測る問いにもなっています。あなたが「○」をつけた問いに対応する“感”が低くなっているのです。

あなたはどの“感”が下がっていましたか？

『自己肯定感365日BOOK』では、“１つの感”を高めるのに約２ヵ月間を目安とし、それぞれの感を高めるきっかけとなるものごとの考え方、捉え方、感情のもち方、心理テクニックなどを12ヵ月ぶん、365個、紹介しています。

１つ１つ順番に試していくのもいいですし、「これは楽しそう」「試してみたい」と思えるものをパッと選んで、実践してみるのもいいでしょう。もちろん、下がっている“感”から読み始めるのもオススメです。

といっても、毎日必ず読まなきゃいけないというものでもありません。今日は読めなかった……と自己肯定感が低くなってしまっては本末転倒です。少しくらいなまけても大丈夫。大切なのは、自己肯定感の低下が“６つの感”のどの“感”によって引き起こされたのかを意識すること。すると、感情の変化に対処できるようになります。そして、感情をコントロールする能力が身につき、自己肯定感の強い人になることができるのです。

どこから始めても、少しくらいなまけても大丈夫。まずは試してみよう！

自己肯定感チェックシート

６つの感のどれが下がっている？

先程あなたに行ってもらった「自己肯定感チェックシート」の結果を再度、確認してください。じつは12の質問は、“６つの感”の状態を測る問いにもなっています。つまり、○がついた項目の感覚が低くなっているということです。

		○ or ×
1	朝、鏡を見て自分の嫌なところを探してしまっている	自尊感情
2	SNSを開くたび、人からの「いいね」を待っている自分がいる	自尊感情
3	職場や学校、家庭でちょっと注意されると、深く落ち込んでしまう。立ち直るまでに時間がかかってしまう	自己受容感
4	自分のペースを乱されると、些細なことでもイラッとしてしまうことがある	自己受容感
5	ふとしたときに「無理」「忙しい」「疲れた」「どうしよう」「嫌だ」「つらい」といったネガティブな言葉がこぼれている	自己効力感
6	「ねば」「べき」と考えてしまい、行動を起こせない	自己効力感
7	上司から言われた何気ないひと言が気になって、こだわってしまう	自己信頼感
8	やるぞと決めたけど、まわりの人の目が気になり、躊躇してしまうことがある	自己信頼感
9	出かける前に、1日を過ごす服選びで悩むんでしまう	自己決定感
10	一度決めたことなのに、本当にこれでいいのかなと悩むことがある	自己決定感
11	新しいことに挑戦したいなと思っても、「どうせ」「自分ではね」と、勝手に限界を決めてしまっている	自己有用感
12	電車から降りるときやエレベーターに乗るとき、ノロノロしている人にイライラしてしまう	自己有用感

「自己肯定感365日BOOK」の
つかい方

本書では自己肯定感が高まる言葉や絵、考え方などを365項目、収録しました。順番に読んでも、気になるところから眺めてもOK。おっくうな日はページを開くだけでも効果があります。少しずつでも習慣づけることが大きな変化を呼ぶのです。

1 001から365までの番号です。順番に始めても、気になる項目からでも、パッと開いたページからでもOK！

2 自己肯定感を高めるアクションや言葉などその日のテーマが書かれています。文字を眺めるだけでも効果的。

005

8秒間、
セルフハグをする

これから「初めまして」の人と会う場に行くのに、嫌われてしまったらどうしようと先の不安を考えてしまう……。

そんなふうに、ちょっと自信がないなと感じているときは、右手で左肩を、左手で右肩をぎゅーっと抱きしめるセルフハグです。

自分で自分を8秒間セルフハグ。ギュッと抱きしめながら、「大丈夫。大丈夫。」と声をかけましょう。

すると、幸福感をもたらす3大神経伝達物質であるセロトニン（心の安らぎに関与）、エンドルフィン（一種の脳内モルヒネ）、オキシトシン（愛情や精神的安心感を伝えるホルモン）が分泌されます。

そして、8秒にも意味があります。深く息を吐き、深く息を吸う。私たち大人が深呼吸すると、だいたい8秒。深呼吸と同じ秒数、セルフハグをしましょう。ほんのちょっとでできる瞬発型の自己肯定感を高める方法です。

それだけで自分に優しくなれます。自分に余裕があれば、人にも優しくなれるのです。

自尊感情

効果

幸福感アップ。心に余裕が生まれる。自分にも、人にも優しくなれる。

3 なぜ自己肯定感が高まるのか、エビデンスを交えて解説。理由がわかると自己肯定感がさらに高まります。

4 “6つの感”のうちどの“感”が高まるのかがすぐにわかるインデックスです。

5 この日のテーマを象徴する絵です。見るだけで自己肯定感が高まります。時間がないときは絵だけでも見て！

6 どんな心の状態に効果的かを端的に表現。巻末の索引から逆引きもできますので、ぜひ活用してください。

第 1 章

「自尊感情」を高める・貯める

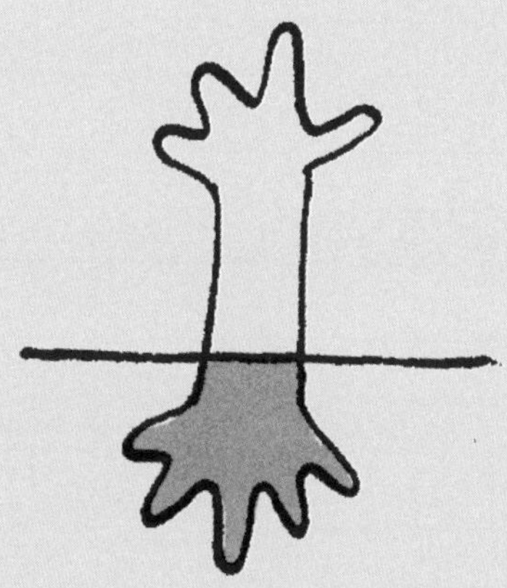

自尊感情とは、自分には価値があると思える感覚。自尊感情が高まれば、生きがいを感じ、どんな場所でもそのなかにやりがいを見つけられるようになります。自分軸がしなやかになり、「自分に〇」と言えるようになります。

毎日みたらチェックしよう！
［習慣トラッカー］

自尊感情の項目は001から061まで。順番に読んでも、気になるところからでも、パッと開いたページからでもOK。読んだらその番号のマスをぬりつぶしましょう。自尊感情がどんどん貯まり、達成感もアップします。

［ チェック方法の例 ］

■ ぬりつぶす　▨ 斜線でぬりつぶす　◺ 斜線を引く　◯ 丸をつける

001	002	003	004	005	006	007	008	009	010	011	012	013	014	015

016	017	018	019	020	021	022	023	024	025	026	027	028	029	030

031	032	033	034	035	036	037	038	039	040	041	042	043	044	045

046	047	048	049	050	051	052	053	054	055	056	057	058	059	060

061

よくできました！

自己肯定感は上下するということを知っておく

自己肯定感とは、「自分が自分であることに満足でき、自分を価値ある存在だと受け入れられること」です。

言い換えるなら、**自己肯定感は生きるエネルギー**であり、これが高い状態にあればあるほど毎日は楽しくなり、気もちが安定し、前向きな行動力が湧いてきます。

「私は私のままで生きることができる」
「人にやさしくありたい、思いやりをもって接したい」
「人生には、きっといいことがある」

私たちがそんなふうに自分や他人や未来を信じることができるのは、自己肯定感がその思いを根底で支えているからです。

ただ、自己肯定感は人生の軸となるエネルギーにもかかわらず、**高くなる日もあれば、低くなったまましばらく停滞してしまうことも**あります。しかも、その高低がダイレクトにあなたのものごとの考え方や行動力、判断力に強い影響を与えるのです。

「最近は毎日楽しいな」「この頃、少し落ち込み気味かも」と、そんなふうに異なる自分が顔を出すのは、自己肯定感が上がり下がりするものだから。自分の心が安定しない、と悩む必要はありません。それはとても自然な反応です。

効果

不安、イライラ、落ち込みの緩和。未来を信じられる。行動できる。

002

一喜一憂しない

自己肯定感はあなたをとり巻く環境によって高くもなり、低くもなります。大切なのは、「自己肯定感が上下動するものだと知ること」と「今、自分の自己肯定感がどういう状態になっているかに気づくこと」です。

自分を客観視することを心理学の世界では、**「自己認知」**と呼びます。

この自己認知がうまくできていると、調子がいいときも「今は自己肯定感が高い状態だから、小さな失敗があってもすぐに切り替えられるのだな」と客観視することができます。

また、調子が悪いときも「些細な問題が大事のように感じて仕方ないのは、自己肯定感が落ちているからだな」とわかっていれば、消極的なマインドが続く「自動思考の罠」に陥りにくくなります。

そこで、私はよくクライアントや講座の受講生、友人、知人に**「一喜一憂しなさんな」**というフレーズを投げかけます。

これはフラットな状態を意識してもらうための言葉です。

うれしいことがあって大いに喜ぶのもいい。つらいことがあって、ずんと落ち込むのもいい。でも、喜びすぎたり、落ち込みすぎたりを繰り返していると心が疲れてしまいます。

大きく心を上下動させて、そのギャップで消耗しないための「一喜一憂しなさんな」です。あなたもぜひ自分に「一喜一憂しなさんな」と声をかけ自己認知をし、フラットな状態を思い出してみましょう。

効果

気分の浮き沈みの緩和。客観視できる。フラットな状態を保つ。

「大丈夫、大丈夫、大丈夫」と自分に伝える

「大丈夫、大丈夫、大丈夫」
自分にポジティブな肯定語を伝えることで、あなたの潜在意識が書き換わります。これは**「アファメーション」**と呼ばれる脳科学のテクニック。一瞬で気分が「快」になり、自己肯定感がスーッと高まります。自己否定、自己嫌悪に陥りかけたとき、**自分で自分に「大丈夫」と伝えて**いきましょう。

大丈夫

自尊感情

効果

自分を励ます。自己否定・自己嫌悪の緩和。

004

鏡のなかの自分に ポジティブな言葉をかける

鏡に映る自分を見て、どう感じるかによって自己肯定感の変化を知ることができます。

たとえば、朝、顔を洗うとき、鏡を見て「シワが増えたかも」「くすんでる」「むくんでる」など、嫌なところを探して気にしているときは、自己肯定感が下がり気味かもしれません。

逆に「今日もいい感じ」「肌にはりがあるかも」など、ポジティブな部分に目が行くときは自己肯定感が上がっている証拠です。

できれば、自己肯定感を高めて1日のスタートを切りたいもの。そこで、**鏡の前に立つとき、自分にポジティブな言葉を**かけましょう。

「私ってツイている」「今日も朝からいい笑顔」と、そんなふうにアファメーションを行い、「快」の気分で自分の顔と向き合うと、ネガティブな面よりもポジティブな面に注意が向くようになります。

すると、「うん。今日もがんばれそう！」と自尊感情や自己受容感を満たした状態で、新しい1日を始めることができるのです。

効果

1日を気もちよく始められる。ポジティブになる。

8秒間、セルフハグをする

これから「初めまして」の人と会う場に行くのに、嫌われてしまったらどうしようと先の不安を考えてしまう……。

そんなふうに、ちょっと自信がないなと感じているときは、右手で左肩を、左手で右肩をぎゅーっと抱きしめるセルフハグです。

自分で自分を8秒間セルフハグ。ギュッと抱きしめながら、「大丈夫。大丈夫」と声をかけましょう。

すると、幸福感をもたらす3大神経伝達物質であるセロトニン（心の安らぎに関与）、エンドルフィン（一種の脳内モルヒネ）、オキシトシン（愛情や精神的安心感を伝えるホルモン）が分泌されます。

そして、8秒にも意味があります。深く息を吐き、深く息を吸う。私たち大人が深呼吸すると、だいたい8秒です。深呼吸と同じ秒数、セルフハグをしましょう。ほんのちょっとでできる瞬発型の自己肯定感を高める方法です。

それだけで自分に優しくなれます。自分に余裕があれば、人にも優しくなれるのです。

効果

幸福感アップ。心に余裕が生まれる。自分にも、人にも優しくなれる。

太陽の光を浴びる

私たち人間は、**体の機能をサーカディアンリズムという内なる時計でコントロール**しています。太陽の光を浴びると、私たちの体は自然と活発になり、幸福ホルモンと言われるセロトニンも生成されます。

セロトニンは、覚醒、気分、意欲と関連した脳内物質。活性化すると清々しい気分になり、意欲もアップし、集中力も高くものごとにとり組むことができます。

このセロトニンは、「太陽の光を浴びる」「リズム運動」「咀嚼（そしゃく）」などで活性化すると言われていて、前者２つを兼ねている「散歩」がオススメです。とくに午前中につくられたセロトニンは、夕方から分泌される睡眠物質のメラトニンの材料にもなります。

睡眠は、ストレスを軽減し、脳の疲れを癒やしてくれる大切な時間です。**太陽の光を浴びることで寝つきがよくなる**わけですから、これは大きなメリット。つまり、午前中に散歩をすると、夜の睡眠も深まる好循環が生まれるのです。

そのほか、15〜30分、太陽の光を浴びることで１日に必要なビタミンＤの生成が行われるという効果もあります。

ポジティブな心と体で１日を過ごすためにも、朝、起きた後、外を歩く習慣をもちましょう。自尊感情が満たされます。

効果

1日のリズムが整う。幸福感がアップする。意欲、集中力アップ。

007

「自分に〇！」を口ぐせにする

「自分に◯（マル）をつけましょう！」

これは私が講座や講演で必ず口にするキーフレーズです。

というのも、真面目な人、生きることに一生懸命な人ほど、どうしても自分に対してつらい評価をしてしまいがちだからです。

「自分のここが、◯。ここは、×。というところはありますか？」と聞くと、多くの人がたくさんの×ポイントをあげた後、なんとか◯なところを探し出します。

でも、本当にそうでしょうか？

明石家さんまさんがよく「生きてるだけで丸儲け」と言われていますが、私もまさにそのとおりだと思っています。

今ここにいるあなたは、間違いなく◯。心から「自分に◯」と言えるだけの魅力をもっています。

自尊感情は、自分には価値があると思える感覚です。

自尊感情が安定しているとき、私たちは自分の個性、人柄を認め、大切にしていくことができ、**「私ってなかなかいいよね」**と自分を尊ぶことができます。つまり、自尊感情は「自分に◯」と言える感覚の土台であり、「自分に◯」と言うたびに自尊感情は高まっていくのです。

今日からあなたも自分への称賛のフレーズである「自分に◯」を口ぐせにしてください。

「自分に◯」「今も◯」「未来も◯」です！

効果

自分を認められる。自分を好きになる。

朝起きたら
まずカーテンを開ける

真夏でも真冬でも、朝、起きたらまずはカーテンを開けます。

これは私が実際に行っている朝のルーティンの１つです。できれば、バーっと勢いよく開けましょう。

晴れ、曇り、雨、台風、雪。

その日がどんな天気だったとしても、カーテンを開けるというアクションが１日の始まりを実感させてくれます。

それも自ら動くことで自尊感情が刺激され、いいスタートを切ることができるのです。

また、これは住宅事情によってさまざまだと思いますが、窓から太陽の光が射し込むなら、その光は幸福ホルモンと言われるセロトニンの分泌を促してくれます。

自分の手で１日を始める。私が人生の主導権を握っている。そんな感覚を呼び起こしてくれるルーティンです。

自尊感情

効果

爽快な1日をつくる。幸福感アップ。自分を信じられる。

8時間以上
ぐっすり眠る

自己肯定感は脳の状態と密接に関連しています。

そして、脳のコンディションを左右するのが睡眠の質です。

睡眠には、成長ホルモンを分泌して心身を修復したり、日中に経験・学習したことを脳に定着させて記憶の整理をしたりする働きがあります。

睡眠不足になると自己肯定感は低下し、ものごとのネガティブな面に目が向きやすくなっていくのです。

では、どのくらいの睡眠をとれば自己肯定感が高まっていくのでしょうか。脳神経科学の研究では**7、8時間の睡眠がもっとも効果的**だとされ、心身ともに疲れを感じているときは、普段より少し長めの眠りをと

ることが推奨されています。

ただ、適切な睡眠時間は人それぞれ。朝起きたときに自分が「いちばん爽快だと感じられる睡眠時間」を知っておきましょう。私はショートスリーパーなので、4時間睡眠＋日中の仮眠で自己肯定感高く日々を過ごしています。

効果

頭がスッキリする。ポジティブになる。集中力アップ。

したいことを100個書く
［Wishリスト］

いくつかリストを書いてみましょう

1.

2.

3.

4.

5.

6.

7.

8.

9.

10.

「Wishリスト」は、あなたのもつ**願い（Wish）をノートに箇条書きで書き出していくワーク**です。

自分のやりたいこと、興味のあること、実現したいこと、楽しみたいこと、望んでいることなど、思いつくままにどんどん書き出していきます。

Wishリストは夢や願いを3つ4つ書くノートではありません。50個、60個、できれば100個を1つの目標に書き出していきましょう。それも「20分以内に、できるだけたくさん！」という書き方で。この条件をつけることで、**大人になって忘れてしまっていた昔の夢や子どものころの願望もよみがえってくる**はずです。

自尊感情

効果

ワクワクしてくる。エネルギー、希望が湧いてくる。

いいことがあったら付箋に書いてノートに貼る
［1行メモ］

いいこと、楽しいこと、うれしいことがあったら、パッと付箋（ふせん）に書き、ノートに貼っていく「1行メモ」。いつでも付箋をカバンやペンケースに入れて、もち歩きましょう。

そして、いいことがあったら、すぐに付箋をとり出し、日付と時間と内容を簡潔に書き、メモ帳や手帳にペタリ。1日の終わりに、ノートに貼って整理します。このワークによって、**いいことを探すクセが身につくだけでなく、ノートを見返したとき、いいことがたくさん起きる自分に気づき、**自尊感情が高まります。

また、貯まっていく1行メモを眺めながら、いいこと、楽しいこと、うれしいことを整理したり、カテゴリー分けしたりすることでワクワクし、自己肯定感も高まっていくのです。

自尊感情

効果

笑顔が増える。ポジティブ思考になる。運がよくなる。

012

「自分にグッジョブ」を言う

「自分にグッジョブ」は、アファメーションのフレーズとしてオススメしている肯定語の１つです。歯切れのいい言葉なので、何かいいことがあったとき、とり組んでいることがうまくいったとき、パッと口にしてみてください。
成功体験にプラスして、自分をほめることでさらなるモチベーションアップが期待できます。

自尊感情

効果

モチベーションアップ。やりがい、生きがいが生まれる。

洗面台を ピカピカにする

日常の生活のなかで、どうしてもやる気が出ないとき、動きたくないときがあります。そういうときは感情が、マイナスのギアに入ってしまっていることが多いのです。

これをプラスの状態に戻すのはなかなかパワーのいること。しかも、せっかくプラスの感情になったのに、そこに新たな問題が出てくると、またマイナスの状態になってしまいます。

だからこそ、身につけたいのが自分で自分の自尊感情を高めていくテクニックです。

その1つが、洗面台をピカピカに磨くというアクション。

自宅はもちろん、オフィスや公共のトイレなどを使ったとき、備えつけのペーパーで洗面台の水はねを拭き、気になる汚れをきれいにしましょう。

時間にすれば2、3分で済む行動ですが、**その場がきれいになることで感情がプラスに変わっていきます。**

効果

気分転換。ネガティブな感情をポジティブな感情に切り替える。

自分が安心できる「ホーム」を確認する

［心理的安全性］

大人になると自己肯定感は下がりやすくなります。

それは、「過去の失敗へのこだわりやトラウマ」が強く影響するからです。失敗した経験というのは、強く印象に残ります。そして、同じ失敗を繰り返したくないという意識も高まります。これが自己肯定感を低くするトリガーとなっていくのです。

私たちは過去に失敗体験をしたことに対して、苦手意識をもつようになります。

会議で発言するのを避けたくなったり、プレゼンが恐怖になったり、パートナーのご機嫌を過度にうかがうようになったりします。そして、プレゼンが恐怖になった人は、上司から「来月の取引先でのプレゼン、よろしく」と言われたら、その日から確実に憂うつな気分になって自己肯定感も低空飛行を始めます。

そんな状況を乗り切るには、**自分が安心できる「ホーム」をもつこと**です。それは自宅の寝室でもいいですし、“推し”の出るライブでもいいですし、お気に入りのスポーツを応援できる場でもいいですし、趣味に没頭できる遊び場でもかまいません。

とにかくあなたが**自分らしくいられるホームをもち、そこでリラックスすることが失敗を怖がる心理を消してくれます。**

私たちの脳は「ま、いいか」「なんとかなる」と区切りをつけたことに関しては、自然と忘れていくようにできているからです。

自尊感情

効果

不安、イライラ、ネガティブな考えの緩和。気もちの切り替え。

「すべては必ずもっとよくなる」

── 赤を選んだあなたへ（※オビ裏参照）

本書のオビの裏を見てください。「赤」「黄色」「青」「緑」のなかから0.1秒で気になる色を選びましょう。

さて、あなたはどの色を選びましたか？

赤を選んだあなたは、**「クラッシュタイプ」**です。

情熱的で、エネルギッシュ、決断力があり、人生で追い求めるものは情熱。目標を立て、目的を達成することに情熱を注ぎ、行動する人生を歩みます。

社会に出ると、強い意志をもち、地に足のついた努力ができ、しっかりとした行動力を発揮して、周囲を引っ張っていくリーダーとして振る舞うことができます。

ただ、自己肯定感が下がってしまうと、「失敗してしまうのではないか」「思い描いているような成功がつかめるか」と不安を感じ、持ち前の行動力が発揮できなくなってしまいます。

また、対人関係では自分の思うように動かない人に対して批判的になってしまう傾向も。

そんなときは**「すべては必ずもっとよくなる」**とアファメーションし、気もちを切り替えましょう。不安や怒りはすぐに消え、力強い自分をとり戻すことができるはずです。

効果

自分の今を知る。自分軸がわかる。人生のグレードアップができる。

016

「あなたはあなた。そのままでいい」

―― 黄色を選んだあなたへ（※オビ裏参照）

本書のオビの裏を見てください。「赤」「黄色」「青」「緑」のなかから0.1秒で気になる色を選びましょう。

さて、あなたはどの色を選びましたか？

黄色を選んだあなたは、**「アクセルタイプ」**です。

好奇心旺盛で探究心があり、「楽しい！」と感じることが好き。興味があるものがたくさんあり、また次々と新しいものに目を向けるため、周囲からは飽きっぽい人と思われることもあるかもしれません。

しかし、あなたのもつ探究心、追求心は、力強い行動力の源となっていて、人間的な成長を支えているのです。

ただ、自己肯定感が低空飛行を始めると、「私はこのままでいいのかな？」「目移りするばかりで、じっくりものごとに向き合う能力がないのかも……」といった不安が顔を出すことでしょう。

でも、安心してください。そんなときは**「あなたはあなた。そのままでいい」**という言葉を思い出し、気もちを切り替えましょう。

あなたには、目まぐるしい変化のなかを創意工夫しながら進んでいくような刺激的な生き方が似合っています。

周囲の人をほめて巻き込みながら、過去の慣習やおかしな常識に縛られることなく歩んでいきましょう。

効果

自分の今を知る。自分軸がわかる。人生のグレードアップができる。

017

「大丈夫。ありのままのあなたでいい」
── 青を選んだあなたへ（※オビ裏参照）

本書のオビの裏を見てください。「赤」「黄色」「青」「緑」のなかから0.1秒で気になる色を選びましょう。

さて、あなたはどの色を選びましたか？

青を選んだあなたは、**「ニュートラルタイプ」**です。

穏やかで、周囲の人に安心感を与え、愛情深い。思いやりと優しさに価値を感じ、人とのつながりを大切にしていきます。

友人や恋人、職場の仲間たちは、あなたを頼りにし、よき相談相手、頼れる存在として慕ってくれているはずです。

ただ、自己肯定感が低い状態が続くと、大切にしてきた周囲の人たちとの関係を重たく感じることがあります。また、自分が与えている思いやりや優しさに応えてくれない相手に対して「あの人は許せない」「同じ場所にいたくない」と感じることも。

そして、そう感じた自分を「愛が足りないのではないか」「あの人に冷たくしてしまったのではないか」と責めてしまいます。

でも、それはあなたが愛情深いから。私からは**「大丈夫。ありのままのあなたでいい」**という言葉を贈ります。よく眠り、体を休めれば、優しさにあふれたいつものあなたが戻ってくるはずです。

効果

自分の今を知る。自分軸がわかる。人生のグレードアップができる。

「大丈夫。この先の心配は何もない」

── 緑を選んだあなたへ（※オビ裏参照）

本書のオビの裏を見てください。「赤」「黄色」「青」「緑」のなかから0.1秒で気になる色を選びましょう。

さて、あなたはどの色を選びましたか？

緑を選んだあなたは、**「ブレーキタイプ」**です。

気配り上手で、和を重んじる性格。自分の属するグループや組織で役立ち、仲間とともに調和しながら生きることに幸せを感じます。

コミュニケーションでも大切にしているのは協調で、あなたは周囲の人たちを結びつけ、橋渡しする存在です。職場でも趣味のコミュニティでも、その場を円滑にするために欠かせないキーパーソン。少々の自己犠牲を払ってもチームワークを重視します。

ただ、自己肯定感が下がっているときは、「自分は属するグループや組織の役に立っているのだろうか？」と自分の立ち位置や役割に不安を感じやすくなります。

また、時間や規則にルーズだったり、場の雰囲気を乱したりする人に対して「ふざけるな」「どうしてわからないかな」「場をわきまえろ」と攻撃的になってしまうことも。

これは人生に求めるものとして、平和や調和を重んじているからこそ。本来の温厚さをとり戻すためにも、不安が高まったときは**「大丈夫。この先の心配は何もない」**と鏡に向かってアファメーションしましょう。

あなたが笑顔でいるだけで、周囲の人には大きな助けとなります。

効果

自分の今を知る。自分軸がわかる。人生のグレードアップができる。

嫌なことは、イメージのなかでゴミ箱に入れる
［スイッシュパターン］

あなたには今、忘れたい嫌なことがありますか？

でも、忘れたいと思うほど、なかなか手放せずに困っていませんか。

一日中「嫌なこと」を考えていると、どうしても気もちが暗くなり、自己肯定感も低下してしまいます。

そんなとき役立つのが**「スイッシュパターン」**。これはNLP(神経言語プログラミング）の世界で使われている技法で、嫌なことをイメージのなかでゴミ箱に捨て、気もちをすっきりさせる心理テクニックです。

❶ 忘れたい「嫌なこと」を明確にして、それを強く思い浮かべます

❷ 次に「嫌なこと」を忘れられた理想の状態を思い浮かべます

❸ ２つのイメージを、想像上のモニターの上に並べてみます。このとき、忘れたい「嫌なこと」を大きくイメージして、理想の状態をモニターの右下に小さくイメージします

❹ 続いて、画面の右下の小さな理想の状態のイメージが、大きな「嫌なこと」のイメージを吹き飛ばすようにして、一瞬で大きく明るく変わるシーンを思い描きましょう。その際、できるかぎり勢いよく「シュッ」と声を出します。❶〜❹を３回繰り返します

これで忘れたい「嫌なこと」を吹き飛ばした理想の状態が強く心に残り、すっきり新たな一歩を踏み出せるようになります。

効果

気もちを切り替える。嫌なことを忘れる。幸福感が高まる。

つま先で床をトントンする

デスクワークで長く座っていると、心身ともに疲れを感じるものです。立ち上がってグーッと大きく体を伸ばせる状況ならいいですが、会議中やオンラインミーティングの最中はなかなかそうもいきません。

そんなとき、**わずかな動きで気もちをリラックスさせ、血流を改善させることができるのが、つま先での床のトントン**です。

イスに座りながら、つま先で床をトントンと叩くとふくらはぎの筋肉が大きく伸び縮みします。

ふくらはぎには、足腰に停滞しやすい血液をポンプのように心臓へ送り返す働きがあり、この筋肉が伸び縮みすることで全身の血流がよくなるのです。

すると、手足の冷えやむくみが解消されるだけでなく、じっと座っているストレスで一時的に下がってきた自己肯定感を改善することができます。

モヤモヤ、イライラしたら、つま先で床をトントン。試してみてください。

効果

気もちのリフレッシュ。ストレス緩和。冷え・むくみの解消。

021

足の裏をしっかり感じて立つ
［グラウンディング］

ここで言う**「グラウンディング」は、両足をしっかり大地につけて立った状態のこと。**私は瞑想を行うとき、グラウンディングを心がけています。

❶ 目を閉じ、足を肩幅に開き、大地をしっかり踏みしめて立ちます
❷ おへその下にある“丹田”（57ページ）に手のひらを当て、ゆっくりと息を吸い、長く細く吐きます
❸ 鼻からゆっくり大きく息を吸います
❹ ゆっくりお腹を凹ませながら、息を吐ききります

瞑想には、脳のアイドリング作業を鎮める働きがあり、ストレスを受けたときに出るホルモンのコルチゾールを減少させ、幸せホルモンといわれるオキシトシンを分泌する効果があります。

この瞑想を１日１回１分、２週間ほど続けると、体、感情、思考、呼吸が整い、自己肯定感が高まります。とくに心が動揺したときに行うと、効果が実感できるはずです。

効果

心が落ち着く。不安、ストレスの緩和。自律神経を整える。

022

体育座りをする

なんとなく自信がもてない。やる気が出ない。漠然と不安を感じている。そんなふうにひどく落ち込んではいないけど、**なんだかモヤモヤして、落ち着かないときは、体育座りをしてみて**ください。
胎児の姿勢にも似た体育座りで、ひざを抱えて座りながらゆっくり呼吸をすると、セルフハグと同じような効果が得られ、ゆったりとリラックスした気もちになっていきます。

効果

リラックス効果。不安、モヤモヤの緩和。安心感が得られる。自律神経が整う。

023

丹田に両手を当てて温める

季節の変わり目で少し体が重いとき、心配事があってなんだか食欲が出ないとき、とくに理由はないはずなのに元気が出ないとき、ちょっと試してもらいたいのが、**丹田を両手で温めるワーク**です。

丹田は、おヘソに親指を当てて、ちょうど小指の下あたりにあるツボ。55ページの瞑想法でも出てきた丹田は、私たちの体のほぼ中心にあり、古代中国の医学では健康と勇気を司るとされています。

なんだか**スッキリしない気分のときは、丹田に両手を当てて温めてみて**ください。すると、次のような効果が得られます。

- 内臓の動きが活発になる
- エネルギー消費を高める
- 冷え症や生理痛などの症状に効果が期待できる

内臓の動きが活発になり、エネルギー消費が高まるので、痩せやすい体になるという効果も。寒い季節だけでなく、エアコンで冷える夏にも試してみましょう。

効果

食欲増進。モチベーションアップ。ホルモンバランスアップ。

024

葉っぱの
においをかぐ

気分をリフレッシュしたいとき、私はよく緑の多い公園のなかを歩き、葉っぱのにおいをかいでいます。これは植物から発散される**「フィトンチッド」**の効果で気分を変えるためです。

フィトンチッドはロシア語で、「フィトン」は植物、「チッド」は殺すという意味。少し物騒ですが、植物がもつ揮発成分のことで、森林の香りの成分をイメージするとわかりやすいのではないでしょうか。

このフィトンチッドには、殺菌力があり微生物の活動を抑制する作用があることが知られています。また、副交感神経を刺激して解放感を与えたり、ストレスホルモンであるコルチゾールの分泌を抑えるなど、精神的な癒やしの効果があることも科学的な実験によって証明されています。

つまり、**香りによる清涼効果によってストレスを解消し、気分をリフレッシュ**してくれるのです。

そのほか、生理機能の促進、二日酔い、体調不良時の頭痛や吐き気の軽減など、数多くの効果がわかっています。

研究では、遠くの森林に行かなくても、**近くにある公園の樹木でも森林浴（198ページ）と同様の効果が得られる**ことがわかりました。5分程度の公園浴で、十分なストレス軽減効果が期待できます。

疲れたら、公園を散歩し、葉っぱのにおいでリフレッシュしましょう。

効果

ストレス緩和。リフレッシュ、リラックス効果。気分転換できる。

025

寝る前は いいことだけ考える

私は寝る前にベッドの上で、YouTubeを見る習慣があります。楽しんでいるのはお笑いや動物、飯テロ系の動画です。スマホで動画を見るなんて安眠を妨げる行為のようですが、私は笑うこと、笑顔になることを大事にしています。

その日１日を「あー、今日もおもしろかった」「楽しかった」と締めくくることで、いい気分のまま眠れるからです。

実際、イリノイ大学アーバナ・シャンペーン校のロザリバ・エルナンデス教授らの研究によると、「楽観主義者は悲観主義者に比べ、睡眠に満足している割合が31％多く、また楽観主義者は今後の睡眠改善のチャンスが32％多いことがわかった」とされています。

つまり、**１日を楽しく過ごし、「あーよかった！」と眠れる楽観主義者の人は結果的にいい睡眠をとっている**のです。

眠りは唯一、脳の疲れを回復させることのできる時間。ですから、睡眠の質を高めることは、すなわち自己肯定感を高めることにつながっていくのです。

また、**寝る直前というのは脳がリラックスした状態なので、潜在意識にイメージが記憶されやすい**とも言われています。脳は１日の最後を強く記憶するので、寝る直前に自分の成功した姿、楽しく生きている姿をイメージすると、眠っているあいだに、脳のなかでそれが繰り返し再生され、自己肯定感が高まります。

効果

質のいい睡眠がとれる。ポジティブになる。プラス思考になる。

026

歯を
ていねいに磨く

自分のやりたいことがわからない……。
今のままでいいのかわからなくなってしまった……。

生きていると、ついつい深刻に考え込んでしまいそうな難題がもち上がることがあります。でも、考えても答えが出ない深い悩みほど、深刻に向き合っていても結論は出ません。

そんなときは「なんでもやってみよう！」の精神で、好奇心に任せて、直感に従いましょう。本当にやりたいことは、頭で考えるものではなく、ハートで感じるものです。

直感やひらめきは、無心になっているときのほうが下りてきます。そこで、オススメしたいのが、歯をていねいに磨くこと。歯ブラシでゴシゴシ、歯間ブラシやデンタルフロスで歯間もきれいにしていると、余計なことは考えられなくなっていきます。

無心で手を動かしている状態になったとき、ふっといいアイデアがやってくるのです。

脳科学の研究によれば、直感はその人が過去に学んできたこと、経験してきたことの膨大なデータベースから脳が導き出した答えだとする説があります。

深い悩みにぶつかったときほど、直感を大切にしましょう。

効果

直感が冴える。悩みが解決する。プラス思考になる。前向きになる。

027

自分のために花を買う

なんとなく元気が出ない日、うまくいかないことがあって気分が落ち込んだ日は、帰り道に自分のための生花を買ってみましょう。

生花には見る人のストレスを軽くする効果があります。

これは千葉大学環境健康フィールド科学センターの研究ですが、生花のある部屋では緊張やストレスを感じる交感神経活動が25%低下し、逆に休息やリラックスを司る副交感神経活動が29%上昇することが認められました。

つまり、生花は部屋に彩りを与えてくれるだけでなく、そこにいる人のストレスを軽減。リラックスさせ、心安らぐ時間をプレゼントしてくれるのです。

しんどいときは、大好きな花を買って部屋に飾りましょう。そして、美しいものを眺め、楽しみましょう。それだけで自分を肯定的に捉えることができるようになります。

効果

リラックス効果。ストレスの緩和。ポジティブになる。幸福感が高まる。

028

1ヵ月に1回、使ってないものを捨てる日をつくる

あなたの家にも、ほとんど使わないのに捨てられず、残してあるモノがありませんか？ あるいは、財布のなかに一度行ったきりのお店のポイントカードが残っていたりしないでしょうか？

そして、ある日、そうやって残しているモノに気づき、「あームダだな」とがっかり。自尊感情が小さく傷つきます。

私たちがよく考えるとムダなモノを、それでももち続けてしまうのは、**「保有効果」**と呼ばれる心理が働くからです。

自尊感情

これは「自分が保有したものについては価値を高く見積もるようになり、手放したくなくなる」という心理効果。つい「いつか使うかも」「捨てるのは、もったないかも」と考えてしまうのです。

でも、モノが増えると必要なモノがすぐにみつからない場面が増えていきます。仮に1日5分、探しものをするとしたら年間で30時間がモノ探しに消えていくことに……。

これはもったいないことですし、メンタルにも悪影響です。

そこで、1ヵ月に1回、使っていないモノを捨てる日をつくりましょう。

すると、探しものをする時間が減り、**自分の価値観を見つめ直すことができ、頭が整理され、思考がシンプルに**なります。

効果

価値観の再発見。ムダな時間が減る。思考の整理。やりがいが増える。

029

小さなことでもいいから「NO!」と言ってみる

周囲の意見に押されて、「本当は気乗りしないのに……」と渋々つき合うことが多かったり、流行っていると聞くと「乗り遅れちゃまずいかも」と手を出しては「そんなに好きじゃなかった」と反省したり……。

そんなふうに**流されがちな自分に悩んでいる人は、小さなことでもいいから「NO！」と言って**みましょう。

みんなと一緒のほうがいいのでは？

まわりが行くと言っているから私も……。

そういった大きな流れに従ってしまう心理は、**「バンドワゴン効果」**と呼ばれています。

これはアメリカの経済学者ハーヴェイ・ライベンシュタインが提唱したもので、多数の人が支持しているものごとに対して、よりいっそう支持が集まる現象。バンドワゴンは、パレードの先頭を行く楽隊車のことで、その後を行列がついていくように、私たちは「みんなのいい」に引っ張られてしまうのです。

でも、そんな自分の心理にストレスや疑問を感じているなら、小さな「NO！」を。私はやらない。私は行かない。私はそう思わない。自らの意志でブレーキをかけることで、自分らしさ、自尊感情をとり戻すことができます。

そして、小さな「NO！」を周囲が認めることを知ると、**次により大きな「NO！」を表明する自信にもなる**のです。

効果

流されなくなる。自信が回復する。自分らしさを発揮できる。希望が生まれる。

誰かのために予定を空けておかない

つき合って１年になる恋人のことで、「最近、冷たい。こっちは予定を空けているのに、『忙しい』ばっかり。でも、つき合うまでの時間や思い出を考えると別れるのはなぁ」と、迷ってしまう。

街を歩いていて、「あ、テレビでやっていた話題のお店だ」と人気店の行列に並んだものの、「まだかな……、でも今離れたら、待っていた15分が損になるな」と、並び続けてしまう。

仕事を次々と振ってくる上司に対して、「仕方なく引き受けているけど、終わっても『ありがとう』もない。いつ残業が入るかわからなくて、自分の時間がとれなくなっている」と不満に思いつつも、「仕事だから」と踏ん張ってしまう。

このように、「誰か」や「何か」のために我慢を続けると、自尊感情が低下していきます。それでも耐えてしまうのは、そこに時間を費やしたことを惜しむ**「コンコルド効果」**という心理が働くからです。

この状態から脱するには、あらかじめ自分にとって大切なスケジュールの時間をとってしまうことが有効です。誰かのために予定を空けておくのではなく、自分事を優先に。１ヵ月でもこのリズムでスケジュールを組み立ててみると、自尊感情が回復するのを感じられるはずです。

効果

人に振り回されなくなる。自分を大切にできる。

理想の生活を リスト化しておく

実際にリスト化してみましょう

1.

2.

3.

4.

5.

6.

7.

8.

9.

10.

ハーバード大学の研究では、具体的な目標を立て、それを書き出している人は、そうではない人に比べて10倍近い成功を手にできることがわかっています。

夢や目標があるなら、箇条書きでリスト化していきましょう。

ちなみに、夢や目標がはっきりしない人は、

- あなたにとっての理想の生活は？
- どんな人間関係を求めている？
- 快適な暮らし方は？

こうした問いに対する答えを書き出してみてください。潜在意識にある思いが浮かび上がってくるはずです。

効果

目標が明確になる。夢が実現する力が強くなる。

032

バスタイムにこだわる

帰宅後のバスタイムにはリラックス効果があります。

浴室内は完全にプライベートな空間です。ここでキャンドルを灯すと、炎のゆらぎが緊張と弛緩のバランスを整えるライティング効果を発揮。自己肯定感を高めてくれます。

入浴中にヨガの「パーミング」（78ページ）を行うのもオススメです。ほんわかリラックスできて、イライラや不安が解消されます。

そして、バスソルトを使ってのマッサージも効果的。清涼感と引き締め効果によって自律神経のバランスを整え、ストレスを緩和してくれます。

また、ぜひバスタオルにもこだわって、フワフワのバスタオルを用意してみましょう。皮膚は「第3の脳」と言われていて、皮膚が心地よいものを感じると、ストレスホルモンが軽減することがわかっています。

実験では、毛足の長いやわらかなものをなでたとき、皮膚がもっとも心地よいと感じることがわかりました。つまり毛足の長いフワッフワのタオルで顔や体をなでると、効率よくストレス軽減できるのです。

いずれにしろ、バスタイムにこだわる意識をもち、1つ1つ実践してみること。それが日常のなかのごほうびタイムとなるのです。

効果

リラックスできる。ストレスや不安の解消。自律神経が整う。

ファーストインプレッションが半年続くことを知っておく

初対面のとき、私たちは相手と会ってからほんの数秒で、第一印象をきめています。逆に言えば、相手はあなたのことを数秒で「感じのいい人」「そうでもない人」と見極めてしまうのです。

しかも、**初対面の印象は半年間持続する**とも言われています。

たとえば、「明るくて話しやすい人だな」という印象を抱いてもらえれば、商談がスムーズに進むかもしれませんし、プライベートで仲よくなれるかもしれません。

逆に「暗くてとっつきにくい人」という印象を与えてしまったら、2度目のアポイントはとれないこともあるでしょう。

どちらにしても第一印象がいいに越したことはありません。

そのためには、**「この人にもう一度会いたいな」と思ってもらえるコミュニケーションを心がけること**です。

大切なのは、話し手ではなく、聞き役に回ること。話す量は相手8、あなた2が理想的。相手の話した内容を広げるような質問を投げかけていきましょう。

もちろん初対面で、なにもかもうまくいくことはほとんどありません。しかし、何度か会うことができれば、お互いのことを知り、信頼関係を築くことができるのです。

自尊感情

効果

第一印象がよくなる。人間関係がよくなる。

口角を上げて話す。たとえマスクをしてても

私たちには第一印象で感じた印象を定着させてしまう性質があり、一度、描いたイメージや人物像はなかなか覆すことができません。そして、その印象は大きなきっかけがなければ、半年近く継続してしまいます。

だからこそ、人と会うときは笑顔が大切です。

こちらが笑顔になることで同じことを返したいと考える**「返報性の法則（原理）」**が働き、相手も笑顔を浮かべてくれます。たとえそれが愛想笑いであったとしても、笑顔は楽しさとつながっています。

これはアメリカの心理学者ウィリアム・ジェームスとデンマークの心理学者、カール・ランゲの提唱した「ジェームス・ランゲ説」で**人は楽しいから笑うのではなく、笑うから楽しく感じる**のです。

笑顔は相手の防衛本能をほぐし、よい印象を演出します。仮にマスクをしていても、口角を上げて話しましょう。それがその後の信頼関係を築く土台となります。

効果

楽しくなる。信頼関係が増す。第一印象がよくなる。幸福感が高まる。

ときには人に弱みを見せる

うまく人と打ち解けられない。
相手の役に立ちたいと思うけど、距離感が難しくて困っている。
周囲から気難しい人と思われている気がする。

そんなふうに人間関係の悩みを抱え、自分にいまいち自信がもてずにいるなら、思い切って「アンダードッグ」になってみてください。ここで言うアンダードッグとは、「負け犬」や「敗北者」という意味。相手のことを気遣っているからこそ、**コミュニケーションがギクシャクしてしまうなら、あえてあなたの弱みや悩みを打ち明けて**しまいましょう。

私たちはお互いのことをよく知っているから信頼し合うことができます。相手と仲よくなる一番いい方法は、プライベートの話をすること。ちょっとした秘密を共有し合えばし合うほど、打ち解け、親密な関係になれるのです。これは**「自己開示の法則」**と呼ばれます。

そこで、アンダードッグです。「私の弱み、悩み」をあなたから打ち明けることで、相手は親近感を覚え、心の扉を少し開いてくれます。これは**「アンダードッグ効果」**と呼ばれ、仲よくなりたいと思っている相手との距離感を縮めるのに役立つコミュニケーションの方法。あなたから打ち明け、相手が話し始めてくれたら、心から耳を傾けていきましょう。

ただし、普段から自分を下げる（自己卑下）コミュニケーションの癖がある人は、自己肯定感が下がる可能性がありますので、ほどほどに。

効果

仲よくなれる。コミュニケーション力が高まる。ポジティブになる。

つねに肯定的な言葉を使う
［リフレーミング］

否定語		肯定語
どうするの	➡	なんとかなるよ
疲れた	➡	よくがんばった
嫌だ	➡	○○だとうれしいな
なんでしてくれないの？	➡	○○してくれてありがとう
どうせダメだ	➡	きっとうまくいく
もうダメだ	➡	なんとかなる
ついてない	➡	ついてる
運が悪い	➡	運がいい
許せない	➡	許します

私たちの無意識は周囲の環境から強い影響を受けます。

たとえば、普段から愚痴をこぼしがちで、人をけなし合うようなグループのなかにいると、あなたのメンタルもトゲトゲしいものになっていきます。

これは耳から入っている言葉が無意識に影響し、あなたをネガティブな思考に追いやっていくからです。

だからこそ、つねに肯定的な言葉を使うように意識しましょう。**耳から入る言葉があなたを元気にしてくれます。**

効果

元気が出る。自分を信じられる。トゲトゲしさがなくなる。幸福感が高まる。

037

すでに願いが叶った状態から すべてを考える

「予祝(よしゅく)」という考え方があります。

これは祝福をあらかじめ予定して前祝いすることです。

たとえば、日本人は昔からお米の豊作を願って「豊穣祈願」のお祭りを行ってきました。仲間たちと酒を酌(く)み交わし、楽しい一時を過ごすことで、豊作の前祝いとしてきたのです。

こうした予祝が連綿と続いてきたのは、そこに人々のメンタルを大きく変える力があるからでしょう。

そして、脳神経科学の研究が進むうち、そのしくみの一端が明らかになってきました。

脳には「RAS(Reticular Activating System)」、日本語で「網様体賦活系」という部位があり、**その人がもつ関心事に対して無意識のうちに関連する情報を集めてくれる**のです。

幸福学の大家アランは「幸福語録」に「成功して満足するのではない。満足していたから成功したのである」と書き、私が強い影響を受けたアメリカの思想家のエマソンは「随筆集」に「自信は成功の第一の秘訣である」と記しています。

つまり、**先に願いが叶った状態を描き、うまくいくとお祝いをしてものごとに臨むことが、結果的に理想の実現を引き寄せる**のです。

うまくいく人たちは先に喜び、先に祝うことで夢を叶えていきます。信じて真似をしていきましょう。

効果

夢が叶う。毎日が楽しくなる。自分を好きになる。

足りないものではなく 引き寄せたいものを考える

「なぜか、物事がうまくいかない」と悩む人たちは、自分にとって足りないものに目を向けています。

恋人が欲しいけど、出会いが足りない。
転職したいけど、きっかけがつかめない。
勉強したいけど、時間が足りない。
趣味を充実させたいけど、お金が足りない。

71ページでとり上げた「RAS」は、その人がもつ関心事に対して無意識のうちに関連する情報を集めてくれます。

つまり、**足りないものに目を向けがちな人の場合、足りないことを肯定する理由（きっかけがつかめない理由、時間が足りない理由、お金が足りない理由）をどんどん集めてしまう**のです。

すると、どうなるかは想像できるのではないでしょうか？

できない今にストレスを感じながら、それを我慢して受け入れる方向に自分を導いてしまうのです。一方、うまくいっている人たちは、自分のなかにポジティブなイメージを育み、膨らませ、準備をしたうえで実際の行動につなげていくから、うまくいきます。

どちらのルートを歩みたいかはあなた次第。**足りないものではなく、引き寄せたいものを考える**よう心がけましょう。

効果

人生が好転する。ストレス解消。自分を好きになる。

「こうあらねばならない」と思う自分から逃げる

「自分が正しくて相手が間違っている」
「間違っている相手は罰しなければいけない」
「人は一貫性のある行動をするのが当たり前」

自分自身にも、周囲の人に対しても厳しくなりすぎていると感じることはありませんか？

これは**「バックドラフト」**と呼ばれる心理が要因の１つになっています。優しくいたいと願う一方で、過去のうまくいかなかった経験を無意識のうちに思い出し、それが自分や他人への攻撃的な考えとして浮かんでしまうのです。きちんとしなくてはならない、こうあるべきだ、そういった考えが強くなると、暴走してしまう可能性があります。そうなる前に立ち止まり、自分を客観的に見る時間をもちましょう。

- 普段よりもゆっくりお風呂につかる
- 自分自身に、「今バックドラフト中だから、無理しないようにね！」と伝える
- 「よくやっているよ～」と自分を労（ねぎら）う

「こうあらねばならない」と思っているに気づいたら、うまくその狭い檻から自分を逃がしてあげましょう。

効果

人に優しくなれる。思い込みの解消。自分には価値があると思える。

自尊感情

040

毛布やぬいぐるみやクッションをギュッと抱きしめる

自尊感情が落ちてきたな……と感じたら、肌触りのいい毛布、抱き心地のよいぬいぐるみやクッションをギュッと抱きしめましょう。
安心感が不安感を遠ざけ、自尊感情を回復させてくれます。
個人的にはモフモフした感触と匂いも大事にしています。視覚だけでなく、触覚、嗅覚からも心地のよい刺激を受けることで、より高い自己肯定感の回復効果を得ることができるからです。**「楽しい、楽しい」とつぶやきながら、ぎゅ。**
気もちがほぐれていきます。

効果

自分を解放できる。安心感を得られる。自分に優しくなれる。

1日1個、
いいことをしてみる

メジャーリーグで活躍する大谷翔平選手が、運がよくなるようにベンチやダグアウトでゴミ拾いをするというエピソードは広く知られています。

じつは、こうした**「一日一善」は意識的に実践すると、本当にいいことが起きる**のです。

スウェーデンのストックホルム大学が行った研究があります。

研究に先立ち、多くの人に「利己的な人と利他的な人のどちらが高年収だと思うか？」というアンケートを実施。すると、利己的な人と答えたのは68%、利他的な人と答えたのはわずか９%で、残りの人は「わからない」とか「どちらとも言えない」といった答えでした。

一般的には、ときにはずる賢く自分の利益のために行動できる人のほうがたくさんのお金を稼ぎそうなイメージがあります。

ところが、ストックホルム大学の研究グループが14年にわたって行った4017人の追跡調査では、まったく異なる結果が出たのです。

研究対象の人たちを、ボランティア活動を行っている頻度や寄付をしている金額などの基準で利己的か利他的かに分類。すると、**利他的な人の年収は利己的な人の年収の1.5倍にもなった**のです。

利他的な人は周囲を助けることができます。それが周囲からの信頼につながり、多くの手助けを得られ、その結果、人生がうまくいくのです。

あなたも「一日一善」を意識してみてください。ゴミを拾う、レジの後、10円募金する、小さなとり組みが自尊感情を満たし、人生を好転させます。

効果

気分がよくなる。人に好かれる。人に優しくなれる。自分を好きになる。

042

まとまった休暇をとって長期の旅行に行く

仕事の疲れがたまったと感じたとき、あなたはどんな対処法をとっていますか？ 私はまとまった休暇をとって旅に出ています。**旅行には、溜まったストレスを回復させるリカバリー効果がある**からです。

❶ **心理的距離**：ストレスを感じている対象から物理的にも精神的にも離れることができる。仕事をはじめ、ストレスの要因となっている事柄や問題を考えず、アクティビティを楽しむ。景色を眺める。食事を味わう。

❷ **リラックス**：心身の活動量を意図的に減らすことができる。美しい自然のなかを散歩したり、音楽を聴いたり、瞑想したり、マッサージを受けたりなど、旅先ならではのリラックス体験が期待できる。

❸ **熟達**：余暇時間で新たな自分を発見することができる。母国語ではない環境に飛び込み、不慣れな言葉でコミュニケーションをとったり、現地の語学講座を受講したり、海や山ならではのアクティビティを習ったり……初体験が自分を豊かにしてくれる。

❹ **コントロール**：旅行の計画を立てる、プランどおり、あるいはプランを立てずに楽しむなど、休暇のあいだはどのような活動をしようか自分で決められる。自分で決める決定権があることそのものが自己肯定感を高めてくれる。

時間ができたら、遠慮せずに「休む」「旅をする」と決断しましょう。

効果

気もちのリフレッシュ。自信の回復。自分には価値があると思える。

39～40℃のお湯に 15分浸かる

「今日はなんだかしんどかったな……、疲れちゃったな……」という日は、ゆっくりお風呂に入りましょう。

自律神経が整い、リラックス。睡眠の質も上がり、自己肯定感が高まった状態で翌朝を迎えることができます。

ポイントとなるのが、ゆっくり浸かるお風呂の温度。熱めが好きな人にはもの足りないかもしれませんが、湯温は39～40℃で。

ぬるめのお湯に15分間ゆっくり浸かりましょう。それも15分のうち、最初の5分間は首までしっかり、その後の時間はみぞおちまで浸かる半身浴にすると、より効果的。

体の芯まで温まり、交感神経から副交感神経へスムーズに切り替わり、お風呂上がりのポカポカがほどよく続き、**気もちよく夜の時間を過ごせる**ようになります。

自尊感情

効果

気もちがリラックスする。睡眠の質が高まる。自分に優しくなれる。

顔を両手で包み込む

大事な人に会う前なのに、「ちょっと疲れちゃったな、気もちを切り替えたいな……」というときは、顔を両手で包み込みましょう。自分を大切にしている感覚が、自尊感情を高めます。

またついでに**ヨガの「パーミング」を行うのもおすすめ**です。これは、目や顔の疲労をとるのに効果的な方法です。

両手をこすり合わせ、手のひらを温めて、まぶたに手が当たらないようくぼみをつくり、両目を覆います。光が入らないよう指のあいだをしっかりと閉じたら、まぶたを開け、手のひらのなかの暗闇を1、2分見つめましょう。ほんわかリラックスできて、イライラや不安が解消され、自己肯定感が高まります。

より回復効果を得たいときは、帰宅後のバスタイムにパーミングを。浴室内は完全にプライベートな空間。キャンドルを灯しながら炎のゆらぎを感じれば、心の緊張と弛緩のバランスも整い、深くリラックスすることができます。

自尊感情

効果

リラックス、疲労回復。主体性が身につく。実行力、幸福感が高まる。

045

朝起きたら
おふとんをきちんと整える

朝、起きたらすぐにおふとんやベッドを整えましょう。

第一に脳に「起きて、活動を始めるよ！」というサインを送り、1日のスタートを切るスイッチとなります。この効果は続けるうちに強くなり、寝起きにだらだらしてしまう感覚が消えていくはずです。

また、ふとんをたたんでしまえば、物理的にゴロゴロできなくなりますし、きれいにベッドメイクしたベッドをもう1回、しわくちゃにしたくないですよね。しかも、この**寝床を整える習慣には、幸福度との関連で見逃せない効果がある**と指摘する海外の研究があります。

「あなたはベッドメイキングをしていますか？」の質問に対して、「ベッドメイキングをしている」と答えた人は29％、「ベッドメイキングをしていない」と答えた人が59％、さらに「ベッドメイキングにハウスキーパーを利用している」という人が12％でした。

ポイントはここから先で、このうちに、ベッドメイキングをしていない人の62％は「自分は不幸だ」と感じており、**「ベッドメイキングをしている人」の71％は「自分は幸福だ」と答えた**そうです。

ちなみに、ハウスキーパーを利用している人のうち、「自分は幸福だ」と感じている人は少数でした。

私たちは**「自分で自分の生き方をよい方向にコントロールしている」と感じられると、自己肯定感が上がり、人生の幸福度が高まります。**つまり、毎朝のベッドメイキングは手軽にできる幸福度アップの習慣なのです。

効果

幸福感が高まる。快適に1日が始まる。人生を自分でコントロールできる。

046

玄関を
きれいにする

私は毎朝、家の玄関をきれいに掃除しています。

これは実家が代々造り酒屋を営んでいるため、その男系直系の長男として、仏壇、神棚のお茶の交換、水回りと玄関の掃除が、小学校１年生のときからの習慣になっているからです。

水回りと玄関の掃除のあいだには前屈したり、伸びをしたり、ストレッチを組み合わせています。そして、仏壇と神棚では手を合わせて、１分間の瞑想をし、「今日もありがとうございます」とアファメーションを行います。

この一連のルーティンは私にとっては体と心をしっかり目覚めさせるために欠かせない流れ。自尊感情と自己有用感の高まりを感じます。

なにより帰宅後、最初に目にするのは玄関です。

その空間が気もちよく整っていると、外出中に何があっても気分をリセットできます。帰宅してすぐに「すがすがしい」という感覚を得ることで、仕事モードをオフにできるのです。

また、玄関はスペースが小さく、片づけへの心理的ハードルが低い点も◎。あなたも「最近、仕事が忙しいな」というときほど、玄関をきれいにして生活と心のリズムを整えていきましょう。

効果

オンとオフを切り替える。爽快感が高まる。ポジティブ思考になる。

047

お気に入りの本の好きな一文を声に出して読む

「何かを学ぶとき、実際にそれを行うことによって我々は学ぶ」

アリストテレス

私はちょっとした空き時間に、古今東西の偉人の名言を集めた本をパラパラめくって、気に入ったフレーズを声に出して読み上げています。すると、不思議なもので自尊感情が満たされていくのを感じます。目と耳からポジティブなメッセージが入ってくるからです。

私たちの人生はいつも動いています。体はじっとしていても、心はじっとしていないし、不安に包まれても時間は進んでいますし、楽しいときはもっと早く感じられます。

読書は部屋にじっとしていても、違う世界に私たちを連れて行ってくれます。あなたも気分が落ち込んだときは、お気に入りの本を開き、大好きなフレーズを声に出してみましょう。

パチッと気もちが切り替わるはずです。

脳神経科学の研究では、**本を読んで感動したり、興味をもったりした内容を繰り返し味わうことで読書に対する能力が増していく**ことがわかっています。しかも、**本から多くを感じとれる人は、脳内回路が活性化され、コミュニケーション能力が向上する**のです。

気もちの切り替えのスイッチとして、新しい学びのスタートとして、大好きな本のページを何度も開いていきましょう。

自尊感情

効果

気もちが切り替わる。自分を大切にできる。脳を活性化。

スキップをする

気もちがふさぎがちなときは、スキップをしてみましょう。

ミシガン州立大学の研究によると、体の動きによって感情が強く影響を受けることがわかっています。

たとえば、肩を落としてうつむき加減になると悲しい感情になり、スキップのような飛び跳ねる動作をしているときはハッピーな感情に。手足を動かすことで**脳は、「こんなに楽しい動きをしているのは気分も楽しいからに違いない！」と判断**するのです。

また、スキップには普段使わないつま先、足首の跳躍力、瞬発力、ヒザまわりや太ももなどの運動効果があり、全身の血流を促します。

さらに、**スキップをしているときは目線を下げるのが難しく、自然と前を向き、遠くを見て、視界が開けやすくなり、自己肯定感が高まる**のです。

大人になるとなかなかしない動きですが、仕事からの帰り道、ちょっとだけ試してみてください。気分がふっと軽くなるのを感じられるはずです。

効果

気もちが軽くなる。血流改善。ハッピーな感情になる。ポジティブになる。

お気に入りの日記帳を買って、毎日開く

日記をつけると次のような効果があり、自己肯定感を高めてくれます。

・ポジティブになり幸福度が上がる

日記にその日あったよいことを書くようにすると、普段気づいていなかった楽しさやうれしさをみつける能力が鍛えられ、ハッピーを発見するのがうまくなります。

つまり、日記を書くことで感謝や喜びを感じ、幸福をみつけやすいポジティブな精神状態になるのです。

・自律神経が整う

日々仕事や家事などで、私たちはどうしてもストレスを溜めてしまいます。そうしたイライラを日記に書いて吐き出すと、メンタルの状態が改善。不安も解消され、自律神経が整っていきます。

ただ、私も経験がありますが日記は三日坊主になりがちな習慣です。また続かなかった……と落ち込むのを防ぐため、見た目やさわり心地のいい日記帳を買いましょう。そして、日記を書く書かないは別にして、1日1回開きます。まずは開く習慣をつけること。そこからスタートして、最初はその日の天気や食べたものをメモするくらいから始めましょう。

それが無理なく日記を習慣化していくコツです。

効果

メンタル安定。ストレス緩和。幸福感が高まる。プラス思考になる。

050

批判や悪口が多い人とは距離を置く

ネガティブな感情やストレス、不安は周囲の人に伝播していくことが、カリフォルニア大学などの研究で明らかになっています。

カリフォルニア大学リバーサイド校の研究者ハワード・フリードマンとロナルド・リジオの報告では、自分が感じている不安を言葉や非言語的態度で強く表現している人が視界に入ったとき、私たちは同じ感情を覚える可能性が高く、脳のパフォーマンスにも悪影響を与えてしまうのだそう。

また、ストレスを感じている同僚や家族を目にすると、神経系に瞬時に影響を受ける場合もあります。別の研究によると、**ストレスを感じている人を見ただけでストレスホルモンであるコルチゾールのレベルが高まる**ことがわかっています。

ですから、身近に批判や悪口の多い人がいたら、できるだけ距離を置くことをオススメします。

赤の他人のストレスを優しく受け止めて、自分もイライラ、モヤモヤする必要なんてありません。

「この人の側にいると疲れるな」と感じたら、その直感を信じてつき合いは最小限に。いい人でいようとして、ネガティブな感情の波に巻き込まれる必要はありません。

効果

ストレス緩和。不安の緩和。自分軸が整う。

051

人を妬む自分が出たら、自分のいいところを3つ唱える

自分の良いところを３つ書きましょう

1.

2.

3.

キラキラした投稿が目につくSNSを見ていて、「なんであの人ばっかり」と友人知人を妬ましく思う気もちが湧き上がってきたら、それは自尊感情が低下しているサインです。

いつもの自分をとり戻すために「自分のよいところ」を3つ書き出し、心のなかで唱えましょう。

「やさしい」
「堅実」
「時間を守る」

など、自分のよいところを再確認することで、自尊感情が回復。**キラキラした投稿も「人は人、私は私」と受け流すことができる**ようになります。

効果

自信が回復する。自分を知る。自分を解放できる。

052

失恋したら「自由になった！もっと楽しいことがいっぱいある！」と思う

よかったことを書き出してみましょう

1.

2.

3.

4.

5.

6.

7.

8.

9.

10.

　自分からパートナーに別れを切り出した場合も、振られてしまった場合も、失恋の後はどうしてもメンタルが落ち込みます。

「なんで私はあのとき、あんなこと言ったんだろう……」
「もっと話を聞いていたら、こんなことにならなかったのに」
「わがままで相手を傷つけただけかもしれない」

　とくに自尊感情へのダメージは大きなものに。でも、自分を責めてばかりいても仕方がありません。アンケートに答えるような客観的な視点で、「失恋してよかったこと」を書き出していきましょう。**書くうちに気持ちが落ち着いていく**はずです。

効果

痛手からの回復。自分を大切にできる。再スタートを切る。

自分を高めてくれるハイブランドを“ごほうび買い”する

目標に向けてモチベーションを高めたいときは、「もし○○したら、△△する」という心理テクニック『if-then プランニング』（167ページ）を使って、自分へのごほうびを設定しましょう。

たとえば、「今とり組んでいるプロジェクトが軌道に乗ったら、前から欲しかったハイブランドのバッグをごほうび買いする」といったイメージです。

もちろん、ごほうびはハイブランドの商品でも、旅行でも、外食でも、大切な人との休暇でもかまいません。**あなたが「わーい」とワクワクできる報酬を設定**していきましょう。

というのも、**脳神経科学の研究でも人がやる気を出すのは「報酬への期待を感じたとき」だとわかっている**からです。

目標を設定するだけでも行動の動機づけになりますが、達成した後のごほうびを意識すると、ドーパミンが分泌されて、やる気や決断力・思考力が向上します。

つまり、報酬の設定はモチベーション維持につながるのです。

「この報告書を書き終わったら、好きなドラマを１本観てもいい」
「試験勉強を一生懸命がんばったら、試験が終わったら旅行へ行こう」
「今週、面倒な案件が続くから金曜にはお寿司を食べにいこう」

未来に受けとれる具体的なごほうびを決めて、自分にモチベーションをプレゼントしましょう。

効果

モチベーションアップ。自分に優しくなれる。自分には価値があると思える。

054

やりたいことをやって自己満足する

私たちが不安や自信のなさといった気もちに囚われてしまうとき、多くの場合、無意識のうちに自分と他人とを比べてしまっています。

「あの人はいつも幸せそう」
「あいつのほうがいい会社に勤めている」

たしかに、人は他人が気になる生きものです。

人間には「承認欲求」があり、「誰かに認められたい」「他人の役に立ちたい」という強い思いがあります。それがよりよい行動を引き出してくれる場合もありますが、自尊感情に欠け、自分に自信がないときは注意が必要です。承認欲求が強くなり、他人からの評価を求めてしまうからです。すると、つねに他人の目を気にするようになり、自分の人生をうまく生きられなくなります。

そんなときは、自分のやりたいことをやって満足感を得てください。

マンガの大人買い、ドラマのイッキ見、スイーツバイキング、ジョギング、筋トレなど、インドア、アウトドアどんなことでも大丈夫。**自分の好きをわがままに実現すると、自尊感情が回復**します。

どうか、自分を他人と比べないでください。あなたは、あなたの人生を歩めばいいのですから。比べるなら、昨日までの自分と比べて、一歩でも半歩でも前に進んでいくことに、心を配っていきましょう。

効果

自信が回復する。ストレス解消。自分を好きになる。

055

お財布はいつも整理整頓しておく、お札はそろえて入れる

じつはお財布の状態には、あなたの自己肯定感のコンディションが表れます。次のようになっていないか、チェックしてみてください。

- 見た目がボロボロになっていませんか？
- 財布からレシートや領収書が飛び出していませんか？
- 会員カードや診察券などのカード類で財布が膨らんでいませんか？
- 小銭を入れすぎて、財布がパンパンになっていませんか？

もしどれか当てはまるようなら、要注意。「部屋の乱れは、心の乱れ」という言葉もあるように**財布の乱れには、揺れ動く心が反映**されています。

財布や定期入れ、カード類などを最適化するために、１日１回整理する習慣をとり入れましょう。難しい手順はありません。毎晩、不要なレシートをとり出し、お金の向きをそろえます。残りの金額をチェックして、足す必要がないかを確認。

そんなふうにちょっとした整理をするだけで、財布はすっきり整い、心もすっきり。**生活に欠かせないアイテムが安定することで、安心感をもって日々を過ごすことができます。**

効果

メンタルが安定する。安心できる。自分を大切にできる。

自尊感情

自分が身につけている アクセサリーをピカピカにする

日頃、身につけているアクセサリーを大切にしていますか？

ものを丁寧に扱っているかどうかは、あなたの人間関係にも大きく影響を与えます。

もののとり扱いが乱雑な人は、無意識のうちに周囲の人たちとのコミュニケーションでも雑な言動をとってしまいがちです。実際は温厚で、やさしい性格なのに、とっつきにくく、気遣いに欠けた印象を与えてしまっていることも少なくありません。

逆に、日頃からものの扱いがていねいな人は、言動も穏やか。細やかな気配りがある、繊細な好印象を残します。すると、気もちのいい仲間が集まるようになります。

私たちのメンタルは、プラス、マイナスのどちらの場合も周囲の環境から影響を受けるので、結果的にものをていねいに扱っている人は自己肯定感の高い日々を過ごすことができるのです。

そんな好循環に入るためにも、日頃、身につけているアクセサリーを使用後にピカピカに磨く習慣にとり組みましょう。**小さなステップを踏むことで、徐々にすべてのもののとり扱い方が変わっていきます。**

効果

ものをていねいに扱える。人間関係がよくなる。人に優しくなれる。

057

好きなタイミングで好きな友だちと会う

職場や学校など、オフィシャルな自分が求められる場では対人関係に問題が起きないよう、相手側に合わせることが増えていきます。

しかし、人の心を深読みして「課長は慎重派だから、私の意見は黙っておこう」「あの子は陽気で仲間が多いから、口数の少ない私のことを嫌っているかもしれない」など、勝手に思い込んでいると疲れてしまいます。

表面的には人づき合いが上手で友だちも多く、職場のムードメーカーでも「誰も本当の自分をわかってくれる人はいない」「努力し続けないと人は離れていく」と空虚な思いや不安を抱えている人もいます。

自分をつくって人に好かれるという状態は、自己肯定感をすり減らすことになるからです。

とはいえ、職場や学校でありのままの自分を出し切るのは難しいもの。そこで、そういったオフィシャルの場から離れたところで、「そのままのあなた」を受け止めてくれる友人、恋人、家族、趣味の仲間などと会う時間をつくりましょう。そこで愚痴を聞いてもらうのもいいですが、できれば未来の予定や計画を話すことを心がけましょう。

壮大な夢でなくても、「今度、おいしいものを食べに行こう」「人気のスイーツのお店に行ってみよう」など、**気を許せる相手とのつながりを再確認できるような未来の予定を立てると気もちが切り替わります。**

自分の好きなタイミングで会える友だちがいること、あなたに合わせ、受け止めてくれる仲間がいることが自尊感情を回復させてくれるはずです。

効果

気もちが切り替わる。人に優しくなれる。自分を解放できる。

がんばった日は自分へのごほうびに お気に入りのスイーツをテイクアウトする

頻繁に車を買い替えたり、高級な時計を次々に買ったりしている人のなかには、お金を使わないと自尊感情を保てないという人がいます。

これは幸せの基準が承認欲求と自己顕示欲になってしまっているからです。

一方、自己肯定感が高ければ、自分で選んだものに満足できるし、TPOに合わせて最適なものを選べます。

たとえば、**「今日はがんばったな」と自分で思える日には、ちょっとしたごほうびをプレゼントしましょう。**

お気に入りのスイーツのテイクアウトやいつもよりちょっと高級なバスソルトを使ってみるなんてことでかまいません。

自己肯定感は、小さなことで簡単に上がってしまうものなので、「がんばったな」と思ったら、すぐにプチプレゼントを自分にあげてしまいましょう。

自尊感情

効果

気分が上昇。自分を大切にできる。自分には価値があると思える。

どんなときでも年齢を気にしない

年齢を気にせず、やりたいことをやりましょう。

「もう○歳だから」と、人生を年齢で区切ってしまうのは自分に限界をつくることにつながります。限界をつくってしまうと、本来はどこまでも広がっている可能性を狭めることになり、「できない」という思い込みを生み出します。それはマイナス思考のスパイラルの始まりです。

本来は、何歳でも「やりたい！」と思った瞬間から新しいことにチャレンジしていいはずです。年齢は積み重ねてきた日々を示す尺度であって、可能性を制限するものではありません。それなのに、「○歳だからこれをやってはいけない」と思い込んでしまうことがあります。

メディアには「30代ならこの服」「40代からのマナー」「50代からはこうやって生きよう」など、年齢で区切りをつけるような情報が載っていますが、それをそのまま自分に当てはめる必要はありません。

年齢を基準にして自分の人生をデザインするのは不自由です。

社会が何となく決めた年齢の基準は、どんどん乗り越えていきましょう。そのための**エクササイズとして、みんながいいというものではなく、自分がいいと思うものを選ぶ練習を**してみてください。

そして、**年齢から解き放たれると、今度は重ねてきた年齢を肯定的に受け止めることができるように**なります。その年代ごとにできる限りのことをして生きてきた自分の過去を認められるようになるのです。

すると、自己肯定感がぐんと高まります。

効果

自分を解放する。気もちが上向く。ワクワクが見つかる。

春夏秋冬の目標を
それぞれ1字で表現してみる
［フォーシーズンズ・メモ］

「フォーシーズンズ・メモ」とは、夢の実現を信じ、予めお祝いしてしまうテクニックです。

ノートに縦線と横線を引いて４分割し、四季に見立てましょう。

そして、これからの１年間を想像しながら、**各季節に自己実現を象徴する漢字一文字を書き込み**ます。さらにその漢字を選んだ意味を肯定的な言葉で書き込めば、完成です。

ここで大事なのは、自分の姿をワクワクと想像すること。たとえば、会社の新規プロジェクトのメンバーになった直後なら、春の枠に「学」＝「この機会に○○の勉強をしてみよう」、冬の枠に「旅」＝「プロジェクトが成功したらごほうびに海外旅行」といった自分なりの目標や夢を文字にして書き込みます。

私たちの脳には、想像したことを知らず知らずのうちに実現に導こうとする**「自己充足予言」**という働きがあります。つまり、ポジティブな未来を想像し、フォーシーズンズ・メモを書くと、脳が勝手に夢を叶えようとしてくれるのです。

どんな場所でも自分なりのやりがいや生きがいが見つかる人は、「自分は価値がある人間だ」と思える「自尊感情」が高く、自己肯定感が高い人です。**フォーシーズンズ・メモは、人生の操縦桿を握っているのは自分だと改めて確認する手助けになります。**

効果

夢が叶いやすくなる。毎日が楽しくなる。モチベーションアップ。

5年後の未来の視点で考えてみる
[ライフチェンジノート]

実際に書き出してみましょう

自尊感情

「ライフチェンジノート」は、5年後の未来の視点でものごとを考えるワークです。このワークを行うと、未来から現在を考えられるようになり、輝く未来のために今があると思えるようになります。

次の質問の答えを上の欄に書いてみましょう。

- 5年後の自分はどんなふうに仕事とプライベートを楽しんでいますか？
- 5年後の自分に聞いてみたいことはなんですか？
- 5年後の自分に、どういう言葉をかけたいですか？

効果

気もちがほぐれる。悩みが解消する。問題解決の糸口が見つかる。

第 2 章

「自己受容感」を高める・貯める

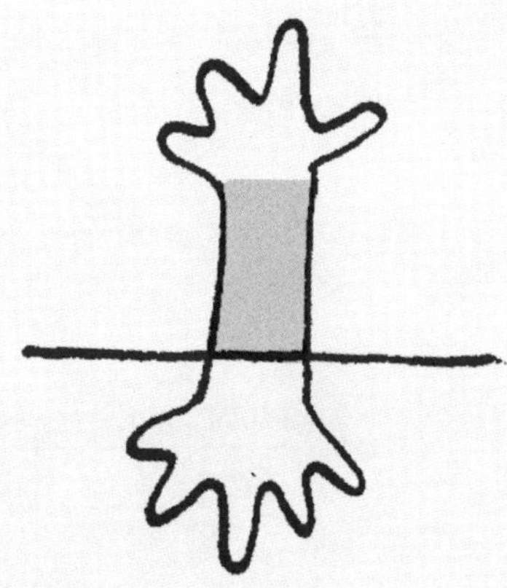

自己受容感とは、ありのままの自分を認める感覚。自己受容感が高まれば、「これが私！ 私は私」「それがあなた！ あなたはあなた」と自分と他人を受容できるようになります。地に足のついた折れない心が身につきます。

毎日みたらチェックしよう！
［習慣トラッカー］

自己受容感の項目は062から122まで。順番に読んでも、気になるところからでも、パッと開いたページからでもOK。読んだらその番号のマスをぬりつぶしましょう。自己受容感がどんどん貯まり、達成感もアップします。

［チェック方法の例］

ぬりつぶす　斜線でぬりつぶす　斜線を引く　丸をつける

062	063	064	065	066	067	068	069	070	071	072	073	074	075	076

077	078	079	080	081	082	083	084	085	086	087	088	089	090	091

092	093	094	095	096	097	098	099	100	101	102	103	104	105	106

107	108	109	110	111	112	113	114	115	116	117	118	119	120	121

122

よくできました！

「安心、楽しい、大丈夫」を口ぐせにする

日頃からポジティブな言葉を使うことは、効果的なアファメーションです。

「安心、安心」
「楽しい、楽しい」
「ま、いっか」
「や〜めた」
「やったー！」
「やれる、できる、大丈夫」
「ありがとう」

肯定語を口ぐせにして習慣化すると、潜在意識に届き、メンタルの状態が改善。自己肯定感も高まっていきます。

仕事でもプライベートでも、切羽詰まった状況になってしまったときこそ、「安心、楽しい、大丈夫」と自分に伝えてください。
「安心、安心♪　楽しい、楽しい♪　大丈夫、大丈夫♪」とリズムよく口に出して言いましょう。ふっと心が軽くなるのを感じられるはずです。

効果

メンタルが安定。ポジティブになる。プラス思考になる。状況把握力が身につく。

「これが私！」(This Is Me!)と思う

「これが私！」と「自分に○」を出しましょう。
おごらず、人と比べず、人生のすべてをおもしろがることで、「他人に○！」「社会に○！」とすべてを肯定して過ごせるようになります。
あなたがそこにいるだけで大いなる意味があるのです。
大丈夫、「これが私！」と静かな自信をもっていれば、あなたの人生は必ずうまくいきます。

効果

自信がつく。人生が好転する。実行力が高まる。

「I'm OK, I'm not OK」

ありのままの自分は１つに固定された状態ではありません。私は、**「ありのままの自分は変幻自在だ」**と捉えています。人間はそもそも多様性に満ちていて、自分はそのときの条件や場所によって変わります。「こっちの場所ではこの自分」「あの人にはこの自分」というふうに、自分がたくさんいるのは自然なことです。

人間は、完璧・完全にはなれません。つまり、好きな自分、嫌いな自分、どちらもあるからすばらしい。完璧を目指せばムリをするだけで、自分を追い込んでいき、幸せは逃げていきます。まずは、どんな自分も受け入れること。

自分の状態を理想の状態１つに決めつけると、あなたのなかにある多様な才能を活かせなくなります。

どんな自分も受け入れて認める、そしてそんな自分のなかによいところを見つけられる。そんな状態が、ありのままの自分で生きるということなのです。柳はどんなに雪が枝に積もっても、しなるだけで折れません。ありのままのあなたが、一番、無敵です。

今日も「I'm OK, I'm not OK」と唱えて行きましょう！

効果

自分らしくいられる。自分を受け入れられる。実行力が高まる。才能を発揮できる。

065

他人と比べない。比べるなら過去の自分

私たちはつねに誰かと自分を比較する性質があります。それでも自己肯定感が高く安定しているときは、他人と競い合うことはいい刺激となってあなたを成長させてくれます。しかし、自己肯定感が低い状態での他人との比較は、あなたを負のスパイラルに向かわせてしまいます。

自己受容感が下がり、ありのままの自分を認められないため、心が満たされず、他人からの評価を求めようとしてしまうからです。「あの人に比べて自分は……」「同僚のBさんよりも上だと認められたい」と、そんなふうに思い始めたらそれはメンタルのバランスが崩れ始めているサインです。

そのサインを放ったらかしにしていると、ますます自分に価値があると思えなくなり、マイナス面にフォーカスしてしまいます。キラキラしている親友と比べて、今の自分では価値がないんじゃないか、もっと痩せて理想的な体型になった自分じゃないと価値がないんじゃないか、と。

そんなときは**昨日の自分、半年前の自分、1年前の自分と比べる視点をもちましょう。過去と今の自分を比べて、前よりもがんばった自分を評価してあげてください。**

そして、自分にとって大切にしたい価値観をもう一度、見つめ直して、「こんなふうになっていたら、私、すごいなー」と思える自分を思い描きます。それが、他人との比較ではない理想の自分です。そんな自分に向かっていけるような目標を立てることにとり掛かりましょう。

効果

自分をとり戻す。人と比べなくなる。主体性が高まる。実行力が高まる。

負の感情を ひたすら書き出す ［エクスプレッシブ・ライティング］

実際に書き出してみましょう

負の感情が溜まってしまったときは、**「エクスプレッシブ・ライティング」**で対処しましょう。これはネガティブな感情を書き出すことで、イライラとモヤモヤを頭のなかからとり出す、1980年代に生まれた心理療法。

やり方は、自分が感じている負の感情やストレスに思っていることをひたすら紙に書き出していくだけです。自分の思いの丈を正直につづることがポイント。書き終えたら、すべて区切りがついたこととして手放してしまいましょう。

効果

負の感情の整理。気もちの切り替え。自分を知る。ストレスをコントロールできる。

067

デスクの上に好きな小物を置く

- 仕事場だと緊張して普段の自分の力が発揮できない
- 異動したばかりで緊張してしまう
- 繁忙期で職場が殺伐としていてつらい

そんなふうに悩んでいるなら、オフィスの自分のデスクにお気に入りの小物を置きましょう。

小物は、家族の写真を入れた写真立てでも、好きなフィギュアでも、小さなぬいぐるみでも、多肉植物でも、ご当地キャラのグッズでもかまいません。

目で見て心が落ち着くもの、クスっと笑えるものが安心感を生み、不安感を遠ざけ、自己受容感を回復させてくれます。

個人的には、くしゅくしゅと手触りのよいもの、いい香りのするアイテムもオススメです。視覚だけでなく、触覚、嗅覚からも心地いい刺激を受けることで、より高い自己肯定感の回復効果を得ることができます。

効果

リラックス効果。自分をとり戻す。柔軟性が身につく。

「認めてもらいたい気もちがない？」と自分に質問する

人から認めてもらうのは大切なことです。

でも「自分に○！」をつけ、自己肯定感を安定させる方法を知ってからではないと、認められたい気もちが強くなり、自分の存在がわからなくなってしまいます。

自己承認と他者承認。双方がバランスよく満たされる状態が理想的ですが、**自己肯定感が低下しているとき、私たちは自己承認がうまくできず、その代わりに他者承認を強く求めるように**なります。

つまり、「他人から認められたい」思いが強くなってしまうのです。すると、「仕事くらい完璧にできないとここにいる意味がない」といった強い思い込みにつながることも。「自分に○！」をつけるため、あなたが今、やりたいことを１つ書き出してみましょう。

「大好物を食べたい」
「推しのライブに行きたい」
「飼い犬とゆっくり散歩したい」

大きな夢である必要はありません。むしろ、すぐに実現できる身近なことのほうがオススメです。そして、書き出したらすぐに実行に移しましょう。すると、自分自身の存在価値を再確認することができ、他者承認が強くなりすぎていたことにも気づけるはずです。

効果

自分を受け入れられる。人の評価が気にならなくなる。柔軟性が身につく。

おやつを食べる

自己受容感が下がると、自分は周囲に受け入れられていないのではないか、誰かの迷惑になっているのではないかとネガティブな思い込みが強くなり、ストレスフルな心理状態になりやすくなります。

脳神経科学の視点で見ると、このような状態のときは緊張やストレスが高まり、セロトニンが不足。それがさらにストレスを蓄積させ、結果的に緊張状態が続き、ますます「ありのままの自分」でいられなくなっていきます。

そこで、**セロトニンをつくるためにオススメしたい方法が、好きなものを食べること。**好きなものを食べる行為は、口唇欲求を満たし、心を落ち着かせ、自己受容感を回復させます。

また、**噛む行為には体を緊張状態から弛緩状態に変えていく効果がある**ので、感情を「快」に変えてくれます。

チョコを食べる。ガムを噛む。ちょっとしたおやつで大丈夫です。スキマ時間に自分をリラックスさせる小さなプレゼントを贈りましょう。

効果

心が落ち着く。ポジティブになる。実行力が高くなる。

トイレで
手のツボを押す

デスクワークの多い人は、運動不足や緊張からくるストレスにさらされています。頭に血液が集まりがちになり、血流も悪くなって、頭が重い、目が疲れる、首や肩が凝る、のぼせるといった症状が出やすくなります。そして、こうした不快な体の症状は自己肯定感を低下させる原因にもなるのです。そこで、小休止の時間にトイレの個室で手のツボを触りましょう。

［合谷（ごうこく）］

万能ツボの代表格で痛み全般と、悪くなった気の巡りの改善に効力を発揮。現代人を悩ます目・肩・腰の痛みに最適・最強のツボです。合谷は、人差し指と親指の骨が交わる部分のくぼみにあります。親指の腹を当て、小指の方向に向けて骨に当たるように押し回しましょう。

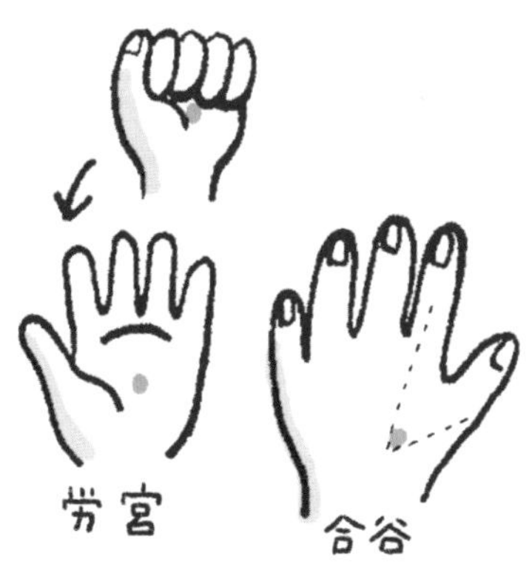

［労宮（ろうきゅう）］

手のひらの中央部には「労宮」というツボがあり、自律神経を整え、緊張を緩める働きがあり、自己肯定感を高めるうえでも役立ちます。

効果

気分のリフレッシュ。リラックス効果。緊張、ストレスの緩和。

071

指先をもみながら「よくがんばってる私！」と自分をほめる

手には毛細血管が多く集まり、刺激すると効率よく血流を改善することができます。頭へ集まっていた血液が末端の毛細血管に流れてくることで、血圧が下がり、副交感神経が優位になって体はぽかぽか。気分が「快」のモードに切り替わっていきます。

ここでは刺激しやすく効果の高い指先にあるツボを紹介します。

［少商（しょうしょう）、商陽（しょうよう）、中衝（ちゅうしょう）、関衝（かんしょう）、少衝（しょうしょう）、少沢（しょうたく）］

いずれも指先にあるツボです。頭や目を刺激し、頭部の血流を活性化。眠気を遠ざけます。爪の脇と指先を、反対側の指で挟んで押したり、爪の脇をタッピングしたりしてみましょう。押すときはイタ気持ちいいくらいの刺激でかまいません。頭がすっきりしてくるはずです。

また、**指先のツボをモミモミしながら、「よくがんばっている私」**と声に出して自分を励ますことで下がり気味だった自己肯定感も回復します。

効果

血流改善。自律神経が整う。落ち着く。柔軟性が身につく。

072

1年後、3年後、5年後の理想の自分を考える
［タイムライン］

	目標	アファメーション
1年後	英語を学ぶ	私は英語コンプレックスを解消し、楽しく英語を学んでいる
3年後	英語を話す	私は海外の人と楽しく英語で会話している
5年後	英語で仕事をしている	私は海外の人と英語で商談をし、充実した日々を過ごしている
88歳の自分	葬儀には世界中の仲間が駆けつける	私は海外を飛び回り、信頼できる仲間を得て、夢を実現した

現在の自分を起点に、漠然とでいいので１年後、３年後、５年後の自分をイメージします。「○年後、どんな自分になっていたいか」「何を実現したいか」「どんな生活をしていたいか」などを書き、さらに実現したときの感情を書き出してみましょう。

たとえば……

- １年後…英会話を始めたばかり。初めての挑戦にワクワクしている
- ３年後…海外に留学。期待と不安が入り交じっている
- ５年後…通訳として独立。うまくいくという自信がある

未来の自分を思い描くことで、自己受容感が高まります。

効果

未来を信じられる。プラス思考になる。幸福感が高まる。計画力が身につく。

073

負の感情を数値化する
［エモーショナル・スケーリング］

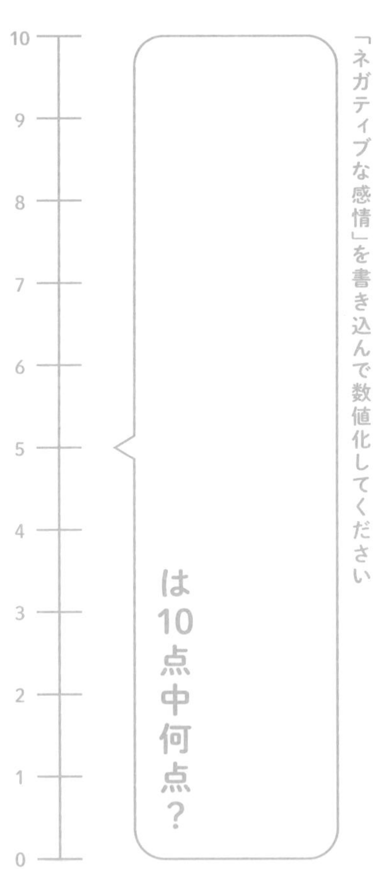

負の感情が膨らんだときに役立つテクニックが、**「エモーショナル・スケーリング」**です。

「自分がこれまでの人生で経験した、最悪な負の感情」を10点満点の10点として、「今、自分が感じている負の感情」（不安、とまどい、焦りなど）を採点します。

すると、**「今」を客観視する**ことができ、「怒り・不満・憂うつ・くやしさ・悲しさ」などの負の感情によってイライラしていても、それをコントロールできるようになり、感情を周囲にぶつけるようなことは少なくなっていきます。

効果

負の感情の解消。感情コントロール。客観視できる。状況把握力が高まる。

074

変えられない過去には悩まない

過去の失敗体験に囚われてしまい、「できる自分」のイメージを見失ってしまうのは、仕事でも勉強でも恋愛でも人間関係でも起きることです。

客観的に見れば、過去の失敗そのものを変えることができないのはすぐにわかります。

ところが、自己肯定感が低下していると、振り返っても仕方のない過去の失敗体験を何度も思い出し、そのたびに「自分はダメだった」「もっとこうするべきだった」と思い悩んでしまうのです。

そんなとき必要なのは、視点を変えること。

心理学の世界では、**「メタ認知」**と呼ばれていますが、**もうひとりの自分が頭上から自分を客観視しているようなイメージ**をもちましょう。

そして、「ああ、あの失敗にこだわっているんだな」と気づけたら、「ま、いっか」「なんとかなるよ」とつぶやきます。

すると、不思議なもので気もちが切り替わり、未来を向けるようになるのです。

メタ認知には、過去に囚われたり、失敗に執着したり、ネガティブな考えに流されたりする心の動きを押しとどめ、フラットな状態に戻す効果があります。

「あー、今の自分はこんな感じかー」と。ドラマの登場人物を眺めるように、自分自身を見つめていきましょう。

効果

過去を手放せる。執着しなくなる。自分を認める。課題発見力が身につく。

075

首と腰に
カイロを当てる

首にある延髄と腰にある仙骨を温めると、副交感神経が優位になり、リラックスして、心が穏やかな落ち着きに満たされます。

寒い日はぜひ、首と腰をカイロで温めてみてください。

また、赤ちゃんが泣きやまないというときは首の後ろと腰を優しくなでてあげましょう。それぞれの部位がホカホカと温まることで不思議なほど落ち着きをとり戻してくれるはずです。

効果

リラックスできる。自律神経が整う。幸福感が高まる。

嫌なことがあったら紙に書いてクシャクシャポイ

［嫌なことリリース］

「上司の余計なひと言にムカついた」
「パートナーのイライラがうつって、こっちもイライラ」
「駅で足を踏まれた！」

嫌なことがあったら、紙に書き出してクシャクシャ丸めて、ゴミ箱にポイ。嫌なことリリースで気分がすっきりします。

効果

気分スッキリ。イライラ解消。自分を受け入れられる。ポジティブになる。

077

すべてに「オールOK！」を出す

こんなシーンを思い浮かべてみてください。

塔の上の牢獄に囚われている２人が、鉄格子から外を見ています。

１人は下を向き、地面の泥を眺めながら絶望感を抱き、１人は空を見上げ、輝く星を眺めて希望を抱いていました。

あなたもつらいことがあったとき、牢獄から星を眺めていた囚われの人のように、ふと美しいものに気づき、気もちが晴れた経験はありませんか？

私たちは、下を向くか上を向くか、何を見るかを、すべて自分の意志で選ぶことができます。

「今日はいろいろあって最悪だった」と思うのも、「今日はいろいろあったけど、いいこともあったし、成長できたな」と振り返るのも、あなたの選択次第です。

何に目を向け、何を大切にするか。それが人生の充実度を左右します。

そこで、「OK！ OK！」を口ぐせにしましょう。

自分にもOK、他人にもOK、起きた出来事にもOK。

「オールOK！」のマインドで歩んでいくと、人生は驚くほど好転し始めます。あなたも「OK、OK」と口にしたときの、自分のなかに湧き上がってくるポジティブなエネルギーを感じてみてください。

効果

ポジティブになる。これが私と思える。ストレスをコントロールできる。

はじめに

自己肯定感は一瞬で高まる
自己肯定感は貯められる

『自己肯定感365日BOOK』を手にとってくださり、ありがとうございます。心理カウンセラーの中島輝です。さて、突然ですが、

あなたが人生の主人公です。

人の意見は関係ありません。友人や知人がなんと言おうと、ときには、たとえ家族であっても「あなたにとって一番だと感じる選択」をしましょう。それは、身勝手とは違います。

あなたの人生はあなたのものです。人に振り回されず、自分の人生の主人公であることを大切にしましょう。

自己肯定感とは、自分が自分であることに満足し、価値ある存在として受け容れ、幸福感を得る感覚です。言い換えるなら、**生きるための土台であり、毎日を支えるエネルギーそのもの**です。

自己肯定感が低くなってしまうと、私たちの心はちょっとした出来事でも揺れ動き、気分が沈みやすくなり、行動は消極的になります。言わば、自分に自分で「NO」と言ってしまうマイナス状態になります。

逆に自己肯定感が高い状態にあると、ものごとを前向きに解釈することができ、気もちが安定し、積極的に行動することができるプラスの状態になります。

自己肯定感を高めること、それは自分に自分で「YES！」と、人生の主人公になる一番シンプルな方法でもあるのです。

毎日みるだけ！

自己肯定感365日BOOK

中島輝 Nakashima Teru

SB Creative

078

コンプレックスの長所を考えてみる

実際に書き出してみましょう

コンプレックスには必ず裏返しになる長所があります。あなたが感じている自分のコンプレックスを箇条書きにして、そのコンプレックスがあるからこその気づきやいいところを書き加えていきましょう。自分のもっている新たな可能性が広がるはずです。

- 自分は話が下手だと思っている→だから、聞き上手なのかも
- 引っ込み思案→まわりの人の気もちの変化に気づける
- 空気を読まずに発言しがち→リーダーシップがあると言われる　など

効果

自分のいいところを発見できる。客観視できる。柔軟性が身につく。

079

ストレスを解消するためのリストをつくる
[コーピングリスト]

いくつかリストをつくってみましょう

1.

2.

3.

4.

5.

6.

7.

8.

9.

10.

ストレスを感じたとき、すぐに実行できる「ストレス解消リスト」をつくりましょう。
「伸びをする」「猫の写真を見る」「散歩する」「新しい本を読む」「お茶を飲む」「花を眺める」「ぎゅっと目をつぶって開ける」「好きな曲を大音量で流す」「歌を歌う」「お笑いの動画を見る」「畳に寝っ転がる」「スキンケアに時間をかける」「旅行の計画を立てる」など、思いつくままにどんどんリストアップ。

書き出す作業そのものが脳の認知機能を司る前頭葉を活性化させ、不安やストレスに反応する扁桃体という部位の活動を抑える効果があります。つまり、リストアップするだけでストレスが解消されていくのです。

効果

ストレス、不安解消。プラス思考になる。課題発見力が身につく。

手のひらを 胸の上に当て軽く押す ［スージングタッチ］

あなたはつらい状況に陥ったとき、自分で自分に“モラハラ”をしていませんか？

「もっとできるはず」「がんばりが足りない」「また逃げるの？」と。ただでさえしんどいときに、自分に第2の苦しみの矢を放つのはやめましょう。

大切な人に接するときと同じようにやさしく接することが大切です。**「ありのままの自分を受け入れることができますように」と、そんな言葉とともに「スージングタッチ」を行っていきましょう。**

スージングタッチは胸や腕、お腹など、安心感を得られる場所に手を当て、少し圧をかけて押さえるセルフマッサージ。手から体へやさしさが流れ込むようなイメージで行います。

自分の手から伝わる温もりや感触を、呼吸とともにゆったり感じましょう。自分が自分にいたわりをもち、自分に自分のぬくもりを伝えます。

あなたの努力や葛藤、苦しみを一番わかっているのはあなたです。スージングタッチとともに「自分に○」を贈りましょう。

自己受容感

効果

安心感が得られる。癒やされる。自律神経が整う。

意見が違っても「そのやり方もいいね！」と言う

「自分の不完全さを認め、受け入れなさい。相手の不完全さを認め、許しなさい」

これは精神科医であり、心理学者、社会理論家でもあったアドラー心理学の創始者アルフレッド・アドラーの言葉です。

誰もが不完全だからこそ、お互いを認め合い、許しなさいとしたアドラーはまた、こうも唱えています。

「他人を変えることはできません。でも自分と未来は変えることができます」

周囲の誰かと意見が対立したり、食い違ったりしたときに、相手に振り回された挙げ句にやる気をなくしてしまうのは、もったいない時間の使い方です。

そんな状況で役立つのが、「そのやり方もいいね！」と言葉に出し、認めてしまうこと。意見の違う相手も一度、承認されたことで心に余裕が生まれます。また、口にしたこちらも「そのやり方もいいね！」という角度から相手の意見を見つめ直すことができます。

そうやってお互いが相手のいいところにフォーカスすることで、各々の自己受容感が満たされ、前向きな関係を構築することができるのです。

効果

人を許せる。人間関係がよくなる。想像力が高まる。

白黒つけない。
グレーな部分があってもいい

「自己肯定感が高い人」と聞くと、「ブレない自分らしさ」をもつ人が思い浮かぶかもしれません。いつも自分に自信をもっていて、どんなときも堂々と自己主張ができる人を見ると、「あの人は自己肯定感が高いんだな」と思いませんか？

たしかに、それも自己肯定感が高い人の特徴の１つです。

しかし、すべてではありません。**自己肯定感が高い人の最大の特徴は、柔軟性があるということ。**柳のようにものごとを受け止め、考え、行動できる状態こそ、理想的な自己肯定感の高さです。

この状態になると、心に遊びができて「絶対にこれ！」と１つに執着することがありません。

「あれもいいし、これもいい。でも今はこれにしておこうかな」と、選択肢にやわらかさとゆとりが出てくるのです。

こうした白黒をつけない姿勢を保ち、グレーな部分を認め、むしろ好んでいくものごとの捉え方ができれば、泰然自若（たいぜんじじゃく）とした人になれます。

逆に「ブレない自分らしさ」を求め、「これが好き、嫌い」「これが絶対いい、絶対ダメ」と白黒はっきりつけてしまうと、豊かで複雑ですばらしい「多様性」という光が見えなくなってしまいます。

自己肯定感が高くあるためには、強固な自分軸ではなく、**風が吹けば自然と揺れる、柳のようなやわらかさが欠かせません。**多様性を承認し、尊重することは、自分を承認して尊重することでもあるからです。

効果

視野が広くなる。メンタルが安定。客観視できる。自分軸が強くなる。

ボーッとする時間をもつ

集中してとり組みたいのに、うまくいかない。
「集中しなくちゃ……」と焦ってしまって、逆に効率が下がってしまった。
集中力の続かない自分にがっかりしてしまう……。

誰もが一度は、そんな思いを抱いたことがあると思います。
そもそも集中力は四六時中続くものではありません。脳神経科学の研究によると、**集中力の持続する時間は90分。最大でも120分**という説が有力です。
そして、どの研究でも指摘されているのが、休息の重要性。私たちの脳は働き者で、無意識下でもあちこちに注意を向け、情報を受けとり、疲労を蓄積させてしまいます。
もちろん、テレビを見ながらスマホをいじるなど、意識的に注意を多方面に向けても集中力は低下します。
私たちは職場でも、家でも基本的に注意散漫になりやすい環境で暮らしています。だからこそ、何も考えない時間をつくることが集中力の回復に不可欠です。
瞑想、ヨガ、ゆったりとした入浴、ジョギング、サウナなど、**あえてボーッとする時間をもちましょう。**それが働きすぎの脳を鎮め、リフレッシュさせてくれます。

効果

集中力の回復。リフレッシュ効果。自分を認めることができる。

足先と指先を ぬくっと温める

手は第２の脳、足の裏は第２の心臓と呼ばれ、それぞれを温めることで次のような効果が期待できます。

❶ ストレス解消効果

手足を温めることにより、ストレスで凝り固まった筋肉がほぐれます。その結果リラックス効果が高まり、ぐっすり眠れるように。

❷ デトックス効果

手足で温められた血液が全身をめぐり老廃物が流れると、むくみの解消にもつながります。

❸ 美肌効果

血行がよくなると顔色もよくなり、血行不良が原因のクマが改善されます。また胃腸の調子も整います。

家庭で手湯、足湯をする場合、洗面器で十分です。必要なお湯の量は、手を入れたときに手首の、足を入れたときにくるぶしの上、５センほどまで浸かる程度。お湯の温度はぬるめの38〜40℃で、20分から30分を目安に手湯、足湯をすると全身が温まり、自律神経が整います。

効果

ストレス解消。デトックス。自律神経が整う。実行力が高まる。

嫌なことがあった日は「こんな日もあるよね！」と思う

自己肯定感はあなたをとり巻く環境によって高くもなり、低くもなります。これはどんな人でも変わりません。

たとえば、大切なパートナーと大げんかになった後やお気に入りの洋服に飲みものをこぼしてしまった直後など、どんなに強い自己肯定感をもった人でも一時的に気もちが落ち込んでしまいます。

嫌なことがあった日は、「こんな日もあるよね！」と思って切り替えましょう。

思った通りにものごとが進まないと落ち込みますし、「また同じようなことが起きたらどうしよう」と心配にもなります。でもそこで、「こんな日もあるよね。だけど、未来を心配できるということは、同じことが起きたときの対処法を考えられるということ」と捉えてみましょう。視点を変えれば、心配は未来の得を生み出す原動力になるのです。

また、ミスをした後も「なんであんなミスをしちゃったかな」と落ち込みがちです。でもそこで、「こんな日もあるよね。どんなに気をつけてもミスは起こるものだし」と考えてみます。

すると、「今回はこの方法でミスが起きたから、別の方法を考えてみよう」とアングルを変え、成功する方法を探すことができるのです。

「こんな日もあるよね！」をマジックワードとして使い、視点を変えましょう。そのとき、脳内では幸せホルモンと呼ばれるオキシトシンが分泌され、ワクワクが湧き上がってきます。

効果

気もちの切り替え。プラス思考になる。ストレスをコントロールできる。

近所の神社に お参りに行く

私は自宅の近くにも、仕事場の近くにも、何度も足を運ぶ神社があります。ちょっとした時間に神社に行き、お参りすると、大きなリフレッシュ効果を得られるからです。

・参道を歩く

神社につきものの長い参道や石段を歩くことで、血流が改善。ウォーキングに近い運動効果が得られ、自律神経が整います。

・参拝の前にお清めとして行う手水（ちょうず）

手水の冷たい感覚が、五感の活性化につながります。スマホやタブレットの画面を追う目が中心の生活は、視覚以外の感覚が使われず、体に大きなストレスを与えます。しかし、神社にお参りに行き、触覚に刺激を受け、木々の香りを嗅ぐことで嗅覚を働かせると、それだけで疲労やストレスが緩和されるのです。

・参拝する

お願いごとをすると、心理学の「目標設定理論」と同じ効果が表れます。参拝を通じて、心のなかにある目標が明確になると、モチベーションが高まるのです。

効果

リフレッシュ効果。目標が定まる。モチベーションアップ。計画力が身につく。

087

自分の心に「なぜ？」と聞いてみる

やらなくちゃいけないことがあるけど、なんだかダルくて元気が出ない。続けたいと思っているのに、うまくいかずに困っている。心が迷路に迷い込んだようなときは、自分の心に「なぜ？」「このあとはどうしたい？」「何かできるはある？」と聞いてみてください。

・「なぜ？」

「やらなくちゃいけないことがあるけど、なんだかダルくて、元気が出ないのは、なぜだろう？」

「続けたいと思っているのに、うまくいかないのは、なぜ？」

・「このあとはどうしたい？」

「ダルいから休みたい」

「続けたいからがんばりたい」

・「何かできることはある？」

「一休みしてもいいって自分を許してあげたい」

「どうやったらうまく続けられるか、いい方法がないか調べたい」

こんなふうに自問自答すると、あなたが今、望んでいることが浮かび上がってきます。最終的にものごとが「うまくいく人」と「うまくいかない人」との差は、自問自答の方法を知っているかどうかにあるのです。

効果

気もちが切り替わる。やりたいことが明確になる。自分を大切にできる。

ネガティブな出来事に出たり入ったりするイメージをもってみる

私たちは自分の身に降り掛かったネガティブな出来事に囚われているとき、なかなか自分のことを客観視することができません。

その結果、「こんなに大変なのは、自分だけ」「まわりはみんなうまくいっているのに」「いつまで足踏みを続けたらいいのだろう」と、ますます悲観的になってしまいます。

でも、時間はどんなときも過去から未来へ一定の速度で流れています。

あなたがいる現在は、たしかに過去からの延長線上にありますが、未来がどうなるかは誰も知りません。

今がネガティブだからといって、未来までネガティブになってしまうとは限らないわけです。

そんなふうに現在の自分を時間の流れと切り離して眺めることを**「スルータイム」**と呼びます。ネガティブな出来事に囚われているとき、私たちはスルータイムで過去と未来を見ることができません。

安心してください。現在が底だとしたら、その先は浮上するだけ。今ここの行動が未来を変えるのです。

効果

視点が変わる。未来を肯定できる。ポジティブになる。想像力が高まる。

「自分は○○が苦手だって知っている」と口にしてみる

あなたは「苦手だなぁ」と思っていることがありますか？

・人と話すのが苦手
・にぎやかな場所にいるのが苦手
・体を動かすのが苦手

私たちは誰もが苦手なことを抱えています。でも、ほとんどの人は元気にいきいきと生きています。ところが、自己受容感が下がってくると、苦手に注意が向かい、「だから、ダメなんだ」と考えがちに。

そんなときは**「自分は○○が苦手だって知っている」と口に出しましょう。**これはNLPで使われている心理テクニックで、苦手を認識することで苦手意識が軽減するというもの。認識すると、下記のように苦手なりの対処法を思い描けるようになるからです。

- 人と話すのが苦手→聞き役に徹してみる、話しやすい人がいたら、どうしてかを分析してみる
- にぎやかな場所にいるのが苦手→にぎやかな場所に行かない。どうしても行くときは短時間で済ませる
- 体を動かすのが苦手→無理に動かさない。苦手なりにできる運動を試してみる

効果

苦手意識の克服。対策が見つかる。ネガティブな感情を手放すことができる。

自分の感情を上げたり下げたりチューニングしてあげる

［ステートアップダウン］

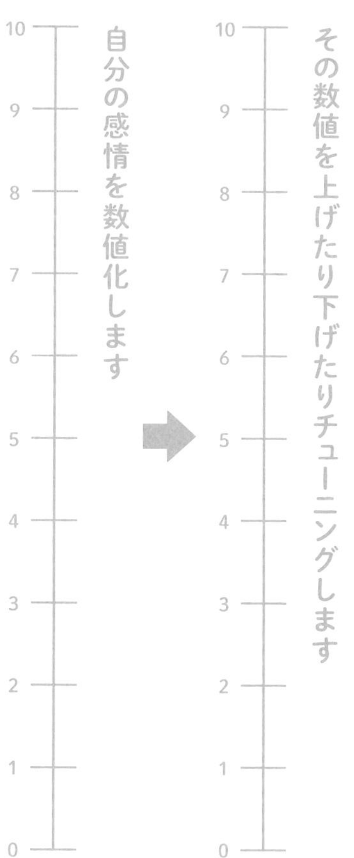

テンションが上がりすぎて「なんでもできそう！」とブレーキが効かないような状態になったり、ずーんと落ち込んで「なにもできる気がしない」と意気消沈してしまったり……。

私たちは感情の上下動によって、自分が自分ではないように振り回されることがあります。

そんなときは、「エモーショナル・スケーリング」（110ページ）を使って感情をチューニングしていきましょう。今の感情の目盛りはいくつか？ あなたなりの平常モードの目盛りは？ 書き出してみることでメタ認知が進み、感情がコントロールできるようになります。

効果

感情のコントロール。自分を大切にできる。これが私と思える。

手のひらをひらく

ストレスが溜まったと感じたら、意識して手のひらをひらきましょう。

ストレスで体がこわばっていたり、デスクワークでパソコンを使ってばかりいると、手の甲ばかりに力が入ってしまいます。すると、二の腕や肩や首にも力が入り、肩こり・首こりの原因にも。体にどんどん疲労が溜まってしまいます。

手をひらくと、肩や腕に入っていた力もふわっと抜けて、ガチゴチにかたまっていた心もほどけるのです。

できれば、ついでにハンドマッサージをしましょう。マッサージにはストレスを軽減する効果があります。

手をもむことで脳内ではオキシトシンが分泌され、ストレスが原因となるコルチゾールなどの活動を抑制。心身ともにしんどい状態を軽減してくれるのです。

自己受容感

効果

ストレス、緊張の緩和。リラックス効果。マインドセットができる。

092

利き手じゃないほうで自分の頭をなでる

あなたは「軽擦（けいさつ）」という言葉を聞いたことがありますか？

軽擦は簡単に言うと、「やさしくなでる」こと。

赤ちゃんの頭をヨシヨシするように、手で頭や頬など、肌にやさしく触れるだけで幸福ホルモンであるオキシトシンが分泌されることがわかっています。

しかも、軽擦は自分自身に対して行っても効果が得られます。

ちょっと気もちが落ち込んでしまったとき、頭をなでなで。

その際、利き手ではない手で頭をなでると脳の疲労も回復するとされています。

また、お風呂に入って頭を洗うとき、フィンガーコーム（手で髪をといて、なでる。手のくしのようなイメージ）してあげると、より効果的。指で皮膚に触れることで血流が改善。副交感神経優位になり、リラックスモードに入ります。

効果

リラックスできる。血流改善。客観視できる。自分に優しくなる。

おでこを5本指で軽くたたく［フォアヘッド・タッピング］

ストレスでヤケ食いしてしまいそうになったときやお酒を飲みすぎそうになってしまったときなどに有効なのが、おでこを５本指でたたく「フォアヘッド・タッピング」です。

これはアメリカのタフツ大学のスーザン・ロバーツ博士が考えたメソッドで、人間の脳の処理能力の限界を利用してストレスをリセットする方法。そう書くと難しそうな印象ですが、やり方は簡単です。

①５本指を広げて、自分のおでこに置きます
②５本の指で、１秒ごとにおでこを軽くたたきます

１秒ごとにトントン、トントン。このリズムをネガティブな思考が消えるまで続けるわけですが、ほとんどの場合、十数秒で気もちが切り替わります。というのも、人間の脳のワーキングメモリ（一時的に情報を記憶する機能）には限られた処理能力しかないからです。

おでこをたたく単純な作業を行うと、その刺激に意識が向きます。すると、ワーキングメモリは指の動きや額の感覚などの情報も処理しようとがんばり始め、ストレスを感じていた原因を忘れてしまうのです。

効果

ストレス緩和。気もちが切り替わる。マインドセットができる。

094

足のツボを押す

足裏マッサージと言うと、バラエティ番組で芸人さんやタレントさんがもまれては「いたたたた！」と叫ぶ印象が強く、痛いものというイメージがあります。でも、じつは足もみ療法の歴史はとても古く紀元前の古代エジプトに始まるそうです。

足の運動をつかさどる領域は脳の中心部に近い部分にあります。そして、足をもむ刺激は脳に伝わり、その領域を中心に血流や機能を活性化、正常化して心身の不調の改善につながるのです。

とはいえ、足のツボは本当にたくさんあります。ここではそのなかでもストレスや焦りに効く「湧泉」を紹介します。

［湧泉（ゆうせん）］

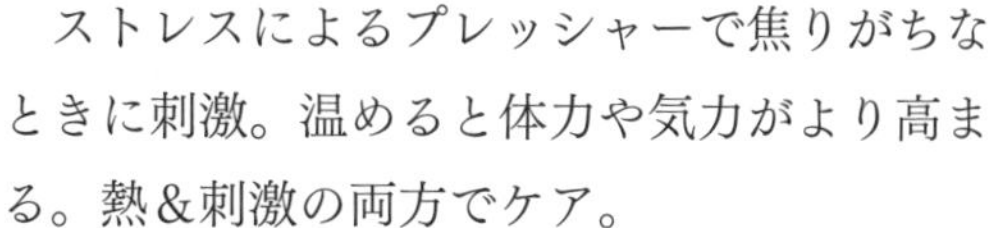

ストレスによるプレッシャーで焦りがちなときに刺激。温めると体力や気力がより高まる。熱&刺激の両方でケア。

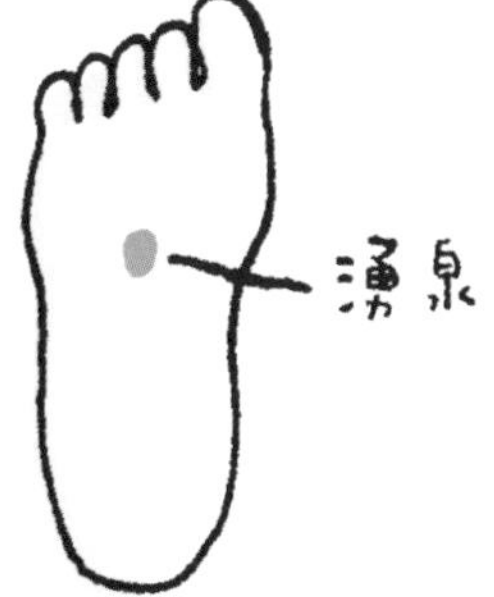

足裏の、足の指を曲げたときにできるくぼみにある「湧泉」を、グリグリともみほぐす。湧泉を中心に土踏まず周辺をゆっくり指圧すると下半身から全身の疲労がスーッと抜け、とても身体が軽くなります。

効果

リラックス効果。疲労回復。ストレス緩和。

心がザワザワする日は、単調なリズムの音楽を聴く

心がザワザワと落ち着かない日は、単調なリズムの音楽を聞きましょう。脳の松果体が反応し、メラトニンが分泌されます。メラトニンはストレスを抑制する作用や心地よい眠りに入るために欠かせないホルモンです。

埼玉県立大学と民間企業が共同で行った「仮眠のための音楽に関する研究」でも、脳波のデータから音楽があるときのほうが、入眠潜時（寝るまでにかかる時間）が短くなり、睡眠時間がやや長くなることがわかっています。

ゆったりしたテンポで一定のリズムの音楽は、深くゆっくりした呼吸に導き、心身をリラックスさせる副交感神経を優位に。また、脳を休ませるには歌詞のないものがよく、波の音や川のせせらぎなどの自然音、オルゴールの音もリラックス効果を高めるとされています。

仮眠の前、夜、眠る前などに単調なリズムの音楽を聞きましょう。質のいい眠りが、脳の疲れをとり、心のザワザワも軽減してくれます。

効果

リラックスできる。質のいい眠りが得られる。ストレス緩和。

前髪を切るだけでいいので美容院に行く

髪型は自己肯定感と深く関係しています。髪型が気に入らないときは、自己肯定感が下がっているときと言えるでしょう。また、髪型のもつイメージをうまく使えば、自分の第一印象をコントロールすることもできるのです。

そして、自分で「いいな」と思える髪型を手に入れることができれば、自分に自信がもてるようなり、好きになり、自己肯定感が上がります。ですから、ちょっと気もちをもち上げたいとき、気分を変えたいとき、自分に「いいね！」を贈りたいとき、美容院に行きましょう。

とはいえ、髪をばっさり切ったり、髪型を変えるのは勇気がいるもの。そこで、信頼している美容師さん、友だちから紹介された美容師さん、直感でよさそうと思えた美容師さんに、前髪をいじってもらいましょう。前髪をつくってみたり、分け目を変えてもらうだけで、あなたの印象は大きく変化します。

これは心理学的に言うなら、**ネガティブな印象からスタートすると、プラスの要素が加わったときよりポジティブさが増す「ゲインロス効果」**が働くからです。

冴えない気分のとき、美容院に行き、前髪に手を入れてもらう。それだけで、自分で自分の魅力を再発見することでき、肯定的に受け止めることができるのです。鏡に映る自分がいきいきとした表情になっているなら、それは自己受容感が回復した証拠です。

効果

ポジティブになる。プラス思考になる。客観視できる。

097

1人カラオケをする

- 波風が立つかなと思い、家族に対して言いたいことを言わずに我慢している
- 上司のやり方が非効率で不満があるけど、「上司だから」とこらえている
- 腹が立つことがいっぱいあるけど、我慢している

ぎゅーっと気もちを押し込んでいる自覚のある人は、大きな声を出して好きな歌を歌ってください。腹の底からすっきりするのを体感できるはずです。カラオケボックスでの１人カラオケはもちろん、ご近所に迷惑がかからないならお風呂での独唱もオススメです。

みんなで盛り上がれる曲、世代的に大丈夫な曲なんて気を使う必要はありません。誰に遠慮することなく、あなたの好きな曲を歌いましょう。

それが１人カラオケ最大のメリットです。

そして、好きな歌を思い切り歌うからこそ、全身運動としてのカラオケの効果もさらにアップします。歌うことに伴う運動（肺を目一杯使う、声帯をコントロールする、口と体を動かす）は、私たちの気分を高めます。

なぜなら**歌うことは有酸素運動で、心地よさを感じさせるエンドルフィンの分泌を促す**からです。エンドルフィンの効果で気分が上がり、幸福感が得られることで、ストレスは緩和。その日の睡眠の質も上がります。つまり、歌えば幸せになれるのです。

効果

ストレス発散。睡眠の質の向上。幸福感が高まる。

ミュージアムに行って アートを鑑賞する

アートを眺めることは、私たちの幸福度を上げてくれます。

イギリスのシェフィールド大学など、「アートと幸福度」の関係を調べた複数の実験によると、こんな報告が出されています。

- 絵画、写真、造形物など、さまざまなタイプの芸術を鑑賞すると、人生の満足感が上昇する傾向がある
- ライブアートやビジュアルアート（絵画や写真など）は、最高レベルの感情的な幸福を呼び起こすことがある
- アートの鑑賞頻度や経験は、個々人の幸福度を示す指標の変化と関連している
- アートと幸福度の相関は、鑑賞の時間の長い、短いとは関係なく確認された
- 一方、スポーツ観戦は幸福度との相関が見られなかった

仕事の後や休日の過ごし方として、ミュージアムに行ってアートを鑑賞する時間をとり入れてみてください。

非日常の空間に身を置きながら、アート作品を眺め、自分なりの見方であれこれ想像しながら過ごすと、「自分はこんなこともしたかったんだ」「こういうアートに喜びを感じるんだ」「楽しみなことはたくさんあるな」と、**さまざまな感情が湧き出て、気もちが解放**されます。

効果

幸福度がアップする。気もちが解放される。自分を認めることができる。

いつも乗らない電車に乗る

突然ですが、幸せってなんでしょうか？

人によっていろいろな定義があると思います。私は、**「幸せとは、気づくもの」**だと考えています。

たとえば、ものやお金、地位、ライフスタイルなど、何かを追い求めているとき、それが手に入ると人は満足します。

でも、幸せは満足とはちがいます。

秋晴れの日に「今日は晴れて気もちがいいな」と気づき、感じる幸せ。久しぶりに実際に会えた友人たちと会話を交わし、「みんなと話せるのは楽しいな」と気づき、感じる幸せ。

大切なのは、「いいことに気づける力」なのです。

もし、今、あなたが毎日のルーティンに追われ、日々に味気なさを感じているのだとしたら、いつも乗らない電車に乗って、いつもは向かわない場所へ移動してみてください。すると、幸せに気づけるはずです。

マイアミ大学の研究によると、私たちの脳は**「多様性や新規性のある移動」を検知すると報酬系を作動させ、喜びや幸福感を生み出す**そうです。また、同じ移動距離でも通勤や通学ではない、意外性のある移動ほど、感じている幸福感は高くなっていくのです。

見たことのない車窓の風景に気づき、「ああ、幸せだな」と感じる。そんな非日常に身を置けば、自己肯定感も高まっていきます。

幸せは求めて手に入るものではなく、自分で見つけ出すものです。

効果

幸福感が高まる。視点が変わる。課題発見力が高まる。

「1人って最高！」と言ってみる

あなたは、他人の言葉に振り回されていませんか？
他人の期待に応えようと必死になっていませんか？
嫌われることを恐れて、いい人になりすぎていませんか？
そして、こうした問いを自分の心に投げかける1人の時間をつくっていますか？

日頃、私たちは次の3つの自分を使い分けています。

- 周囲の人たちと関わる自分
- 1人でいながらも、意識を外に向けている自分
- 1人で自分の内側に意識を向けている自分

現代を生きる私たちに欠けているのが、最後の「1人で自分の内側に意識を向けている自分」の時間です。だからこそ、「1人って最高！」と言いながら、自分時間をつくってください。

孤独は人を向上させてくれます。

効果

自分を見つめ直せる。主体性が高まる。計画力が高まる。

101

目標は
コロコロ修正してOK

一度、立てた目標は必ず実現しないといけない。周囲に公言してしまった以上、努力し続けなければ……。そんなふうに自分を追い込み、「がんばれない自分はダメだ」と落ち込んでしまったことはありませんか？

まさに「一喜一憂しなさんな」です。

目標を立てることはモチベーションアップにつながりますが、絶対に達成させなければいけないものではありません。

重荷に感じるようなら、新たにやってみたいことがでてきたなら、サクッと修正してしまいましょう。そこに挫折感を覚える必要はありません。当時のあなたと今のあなたは違うのですから。とくに目標の修正や変更のきっかけが直感によるものなら、感じた何かを信じてください。

というのも、脳科学の研究によれば、**直感はその人が過去に学んできたこと、経験してきたことの膨大なデータベースから脳が無意識のうちに引き出した答え**だとする説があるからです。

たとえば、膨大なチェスの棋譜を分析した研究によって、「ファーストチェス理論」と呼ばれる直感の重要性を指摘する理論が生まれています。これはチェスにおいて、「5秒で考えた手」と「30分かけて考えた手」の86％が同じ手になるというもの。

じっくり考えて導き出した答えと直感によって決めたことのあいだに大きなへだたりはないのです。そう考えると、直感が導く新たな目標は今のあなたが求めている大切な何かである可能性が高いのです。

効果

プレッシャーからの解放。モチベーションアップ。柔軟になる。

102

ネガティブな感情に 名前をつけてみる

［ラベリング］

「疲れたから、できない」を「一休みのタイミング」
「失敗できないから慎重に」を「コツコツ、１つずつ」
「もう、やめちゃおうかな」を「ここが踏ん張りどころ」

ネガティブな感情が強くなってきたら、その感情に名前をつけるイメージで肯定的な言葉に言い換えてみましょう。

言葉には自分の心の状態が表れます。ですから、自分が発する表現をポジティブなものにすることで、感情も変えていくことができるのです。

たとえば、子どもに飲みものを運んでもらうとき、「こぼさないでね」と伝えるか、「しっかりもってね」と伝えるか。言葉の違いで、子どもがうまく飲みものを運べるかどうか、結果がわかれることがあります。「こぼさないでね」は、こぼした状態をイメージしているからこそ出る言葉。しかし、うまく運べた状態を想像していると、「しっかりもってね」という言葉になるはずです。

このように、肯定語は成功をイメージさせ、今の自分で大丈夫だと思える自信を与えてくれます。一方、否定的な言葉は失敗をイメージさせ、不安や恐れを膨らませます。**感情を肯定的な言葉でラベリングすると、ものごとがうまく運び始めます。**今の自分がポジティブになれば、「未来の自分」もポジティブになる。未来から見た「今という過去」を肯定的に捉えることが、ネガティブな思い込みから抜け出す早い方法です。

効果

ネガティブ感情の緩和。未来に希望をもてる。ストレスコントロール力が高まる。

103

マイナス感情を風船のなかに入れて、「バイバイ！」と空にリリースする

身近なアイテムを使って、心を「フッ」と軽くするテクニックが**「風船エクササイズ」**。簡単で意外なほど効果があるので、ぜひ試してみてください。

❶ 深呼吸します
❷ あなたのなかにあるマイナスの感情を思い浮かべます
❸ 大きく息を吸ってから、風船のなかにマイナス感情を吹き込みます
❹ 膨らんだ風船を「バイバイ！」と手で叩き、遠くに飛ばします
❺ 気づくと、マイナス感情も飛び去っています

効果

マイナス感情のリリース。課題発見力が身につく。主体性が身につく。

104

「ほかの方法もあるんじゃない？」とひと呼吸置く

判断に迷っていることがあるとき、複数の選択肢があって決めかねているときは、ひと呼吸置くことを心がけましょう。

意識を呼吸に集中すると、一時的に余計な思考や感情が目に入らなくなります。時間に余裕があるときは心ゆくまで深呼吸を繰り返したらいいのですが、焦っているときや慌ただしく走り回っているときなど、時間がない場合もあります。

そんなときは、**ほんの５秒でもいいので、「ほかの方法もあるんじゃない？」と目を閉じて深呼吸をしてみて**ください。

1. 軽くまぶたを閉じて、肩と両腕の力を抜いたら、ゆっくり息を吐きます
2. 吐ききったら、ゆっくり息を吸います
3. 「ほかの方法もあるんじゃない？」と問いかけてみる

どうですか？ 心地いい集中が生まれ、この後の判断をスムーズに下せるようになるはずです。

何かを選ぶということは、何かを捨てるということ。大事なことはたくさんありますが、選べるのは、１つだけです。シンプルに、自分自身の真ん中を感知しましょう。そして、**あなたにとっての優先順位を明確にする**ことです。あとは、その優先順位にしたがって、進むのみ。大事なのは、選んだ後どう生きるかです。

効果

迷いがなくなる。いい判断ができる。柔軟性が身につく。実行力が高まる。

105

「今感じていること、考えていること」を書き出す

実際に書き出してみましょう

自己受容感

「不安や悩みごとが頭から離れない」
「ストレスがたまっていて、リラックスできない」

あなたは今、心配ごとや不安に囚われて、自分が過ごしている今この瞬間を楽しむことが難しくなっていませんか？

心理学では、そのような状態を**「マインドレス」**と表現します。そのような状態で毎日を過ごすと、ストレスは溜まり続け、自己肯定感も著しく低下してしまいます。

そんなマインドレスの状態を抜け出す方法が、「今感じていること、考えていること」を書き出すことです。思いつくままに今の感情を言葉にして書き出しましょう。それだけで心が安定していきます。

効果

メンタル安定。リフレッシュ。ストレスコントロール力が身につく。

106

30分以上外を歩いて セロトニンとアドレナリンをチャージする

以前、私はよくクライアントさんと歩きながらのカウンセリングを行っていました。河川敷や大きな公園など、身近に自然を感じられる場所をゆっくり歩きながら話をしていると、頑なだったクライアントさんの気もちがほぐれたり、顔色がよくなっていったり、すっきりした表情になっていったりしたものです。当時は経験知的に「歩くのはいい」と感じていましたが、以降、脳神経科学の研究でもウォーキングの優れた効果は次々と明らかになっています。

たとえば、スタンフォード大学ウッズ環境研究所は、**自然のなかを90分間歩いた人は、うつに関連する脳の部位の活動が減少する**と報告。また、**15分以上のウォーキングは、ドーパミンやセロトニン、エンドルフィン、オキシトシンといった「幸福ホルモン」やアドレナリンの分泌を促す**効果があることもわかっています。

1日の多くの時間を職場で過ごし、デスクワークを行っている人は、どうしてもストレスホルモンの異名をもつ「コルチゾール」の分泌量が高まります。こうしたストレス状態をリフレッシュするためにも外を散歩する習慣をスケジュールに組み込みましょう。

ストレスとウォーキングの関係を調べたいくつもの研究を見比べてみると、30分以上、自然を感じられる場所を歩くと、気もちがほぐれ、感情が整理され、ストレスが軽減。ものごとをクリアに考えられるようになり、思考と感情を整理する時間と余裕が生まれるようです。

効果

リフレッシュ効果。ストレス緩和。

107

寒い日は大きめのマフラーをふわりと巻く

私も愛用していますが、モフモフ、フワフワした素材の大きめのマフラーをふわりと巻くと、なんだかホッと落ち着きます。

これは無意識のうちに、幼い頃、絶対的な安心感を与えてくれた親のぬくもりを思い出すからです。

そのとき、脳内では愛情のホルモンであるオキシトシンの分泌量が増え、やすらかな感情が高まっていきます。

また、**延髄や喉を温めることで自律神経を副交感神経優位に導き、リラックス効果に**つながります。

ですから、寒さとともになんだか元気が出ないな……というときは、モフモフ、フワフワのマフラーを使ってみてください。きっと暖かさ以上のエネルギーがもらえるはずです。

効果

安心感が得られる。リラックス効果。柔軟性が身につく。

世界地図を眺める

なぜ、私は生きているのか？
自分は何のために生まれてきたのか？

毎日、忙しく働いていると、こうした大きな問いを自分に投げかけることはなくなっていきます。でも、誰もが一度は考えたことがありますよね？ 私も学生時代、そして引きこもっていた30代に何度も考えました。残念ながらすぐに答えが出る問いではありません。ただ、自分の視座を変えるという意味では何年かに一度、問いかけてみてもいいと思います。

とはいえ、何も材料がなければなかなか大きな問いを考えるきっかけもつかめません。そこで、世界地図や地球儀を眺めながら、今ここにいるあなた。住んでいる街にいるあなた。住んでいる国にいるあなた。そして、世界のなかのあなた、と視野を広げ、視座を高めていきましょう。

職場の悩み、街での暮らし、経済の流れ、環境問題、世界のなかで生きている自分。視野と視座を変えると、見えてくる風景も変化していきます。私はそのなかで、どんなことができるのか、できないのか。そんなふうに思いを馳せると、**今、この瞬間を大切に生きることの連続こそが、自分らしさ**なんだと感じます。

世界地図とともに大きな問いを自分に投げかける時間は、自己受容感を回復させるセルフセッションになるのです。

効果

視野が広がる。想像力が高まる。計画力が高まる。

リラックスしたい日は緑を身につける

色彩には、人の心を動かすパワーがあります。

とくに**緑色は、安心感や安定、調和を表す色。**木や森などをイメージさせる自然の色でもあり、気もちを穏やかにし、心をリラックスさせてくれます。

〈色彩心理での緑の効用〉

- 心や身体の疲れを癒やす
- 疲れた目を休ませる
- 鎮静作用で緊張を緩和する
- リラックスの作用がある
- 穏やかな気もちにさせる

リラックスしたい日、周囲を和やかな雰囲気にしたいときは、身につけるものに緑色のアイテムを使いましょう。

ライトグリーンのシャツ、ネクタイ、バッグ、スニーカー、ピアスやネックレスなどのアクセサリーなど、ワンポイントに活かすだけでも効果があります。

効果

癒やし、リラックス効果。緊張緩和。ストレスコントロール力が身につく。

110

SNSを見た後は「人は人、自分は自分」と言い聞かせる

Instagram、Tik Tok、Facebook、Twitterなど、SNSでつながっている人たちの投稿を見るたびに、「なんか楽しそう」「充実しているんだな」「それに比べて私は……」とネガティブになってしまうことがありませんか？ 私たちはどうしてもフォローしている友だちやセレブのステキな部分と自分を比較してしまいます。

しかし、心理学の研究では**ポジティブな方向でも、ネガティブな方向でも、他人との比較は幸福度を下げてしまう**ことがわかっています。

もし、あなたがSNSを見て心に疲れを感じるようであれば、アドラー心理学の中心をなす理論の1つである「課題の分離」（232ページ）のテクニックを使ってみてください。

SNSを見たことによる今の感情、悩み、課題を書き出します。

それを**「①他人の問題」「②私の課題」と仕分けていきましょう。**つまり、「課題の分離」とは「最終的にどっちの責任なの？」と、責任の所在をはっきりさせていくテクニックです。

根底にあるのは、アドラー心理学の「他人の課題には踏み込む必要がない」という考え方。「私は私、あの人はあの人」という意識をもてると、自分と周囲とのあいだに境界線を引くことができるようになります。

それはあなたの心を守り、自己肯定感を回復させます。課題の分離を行うことで、「自分が思う、最善の選択をすること」に集中できるようになります。もしかすると、それはSNSを見ないことかもしれません。

効果

感情の整理。主体性が高まる。課題発見力が身につく。集中力が高まる。

111

雨の日の休日は心身ともに リラックスしてとことんだらだらする

毎年、梅雨の時期や台風がやってくるシーズンになると、「頭痛がひどくなる」という人が増えます。昔から「古傷がうずくと雨が降る」なんて話もよく聞きますが、雨と痛みには密接な関係があります。

というのも、**雨が降る前は気圧が低くなりますが、この気圧の変化が脳の視床下部を刺激して交感神経が活発になる**のです。

交感神経が優位になると、血中にノルアドレナリンが放出されます。つまり、気圧の変化によって血管が収縮し、ヒスタミンやTNFαと呼ばれる痛み物質が分泌され、それが神経を刺激して頭痛を引き起こすのです。

こうした天気痛に悩まされているなら、雨の休日は家でリラックスして過ごすのがオススメ。耳の後ろにある完骨（かんこつ）というツボの周辺を温めながら、だらだらゆっくりしましょう。晴耕雨読です。

効果

リラックス効果。痛みの緩和。計画力が身につく。状況把握力が高まる。

112

オーソドックスでベタなレジャーをする

- 人と関わるのが苦手だと感じている人
- 仕事上の会話はスムーズだけど、雑談になると何を話していいか悩んでしまう人
- 不特定多数の人が集まるパーティーや催しに出ると、壁の花になってしまう人

こうしたタイプで、その悩みを解決したいと願っている人は、共感力に磨きをかける必要があります。

そこで提案したいのが、**春は花見、夏は海、秋は紅葉、冬はスキーなど、オーソドックスでベタなレジャーをする**こと。私たちには共感力の神経とも言える**「ミラーニューロン」**という神経細胞があります。

ミラーニューロンは、パルマ大学の研究によって発見された、自分だけでなく他人が行動するのを見ているときも活動する神経細胞。

笑っている人を見れば、こちらも笑顔になり、人が痛がっている映像を見るとなんとなく自分も体が痛くなる……などの共感現象が起きるとき、ミラーニューロンが働いているのです。

多くの人が楽しむベタなレジャーに参加すると、まわりの人の喜びや楽しさ、高揚感があなたにも伝わってきます。すると、ミラーニューロンが活性化。それが**共感力の向上につながり、対人関係の悩みの解消に役立つ**のです。

効果

対人関係の悩みの解消。共感力、実行力、行動力アップ。

113

次々と仕事がくるときは「仕事！ 仕事！ がんばれ私！」と鏡に向かって言う

- 繁忙期で、次々とやってくる仕事に追い立てられている
- プロジェクトの立ち上げ直後で、スタッフからのメールが続々。休む時間がとれないくらい慌ただしい
- 企画案提出の締め切り間近で、メンタル的に限界間近

押し寄せる忙しさによって心身ともに疲れが蓄積すると、自己肯定感が下がります。すると、本来あった自分への自信がなくなり、過去の失敗体験をわざわざ未来に引き込んで、勝手に「間に合わないかも」「無理かも」と悲観的なストーリーをつくり始めてしまうことに。

ですから、ストレスを強く感じたときはまず、「今は自己肯定感が低くなっているな」と考えてください。

そのうえで、**鏡に向かって「仕事！ 仕事！ がんばれ私！」と自分に励ましのメッセージを送りましょう。**

これは**「ストローク」と呼ばれる心理療法で活用されているメソッド**です。無条件に自分を肯定し、褒め、励ます声掛けを行うことで、自尊感情、自己受容感が回復します。

ほかにも**「今日１日、精一杯やった自分、えらい！」「結果、出てきているよ！」**など、ポジティブなストロークで、まずはメンタルから立て直していきましょう！

効果

感情をコントロールできる。ストレスコントロール力が高まる。

114

床にペタッとあおむけになって大の字になる

「もー疲れた！」「何もしたくない！」という気分のときは、床にペタッと大の字になって寝転がってみてください。
それだけで**副交感神経が優位になり、リラックス。セロトニンも分泌**され、感情のバランスを整えてくれます。１分ほどボーッとしたら、ぐーっと腕と脚を伸ばして、背伸びの運動。これで血流が改善し、やる気が戻ってくるはずです。

効果

感情コントロール力が身につく。実行力が高まる。主体性が高まる。

115

ひとり言を言う
［セルフトーク］

「今日もいい天気だなー」
「今のアイデア、よかったよね」
「こんなにおいしくつくれるなんて、プロ並みかも」

自然と口から出てくる、ひとり言。それもポジティブなひとり言を自分に向ける習慣をもちましょう。

ひとり言は心理学で「セルフトーク」と呼ばれ、自己会話として日常的にポジティブなひとり言を自分に向けている人ほど、困難な出来事や大きな悩みごとにぶつかったときにも努力をして自力で乗り越えていけることがわかっています。

それは自分との対話を通して、成功率の上がる方法、とり組むべき行動を選んでいくことができるからです。

たとえば、新しい仕事を担当するとき、こんなやりとりをしていきます。
「できるかな？」「こうすればできるかも？」「でも、次の問題が出てきたら？」「そのときは、どうすればいいだろう？」と。

これはセルフトークの一種で「自問自答法」です。頭のなかで考えを巡らせるだけでいるよりも、疑問を言葉にして自分と語り合うことで、やるべきことがまとまっていきます。

ひとり言には、不安をとり除き、自分を励まし、モチベーションを高め、行動に導く力があるのです。

効果

モチベーションアップ。考えの整理。不安の解消。想像力、主体性アップ。

116

好きな香水、アロマオイルの香りを嗅ぐ

朝、仕事にとり掛かる直前、大事な打ち合わせに向けた小休憩のあいだなど、これからありのままの自分でものごとに臨みたいというとき、好きなものに触れるよう心がけましょう。

旅行好きの人なら、ガイドブックや旅ブログ、海外の写真などを眺めたり、動物好きなら癒やされる動画を見たりするのもオススメです。

ただ、もし好きなにおいがあるなら、お気に入りの香水やアロマオイルの香りを嗅ぎましょう。**香りにはリラックス効果があり、自律神経を整えてくれます。**

たとえば、**人間関係のイライラがあるときは、オレンジのアロマ**がオススメです。オレンジの香りにはリラックスして、エネルギーの循環を促す作用があります。

風邪を引きそう、あるいは引き始めなど、**体調が少しおかしいなと感じたときは、ペパーミントのアロマ**を。ペパーミントのスーッとした香りが呼吸を楽にしてくれるだけでなく、殺菌作用もあります。

そのほか、**ラベンダーのアロマには副交感神経の働きを活発にし、リラックスさせる効果、不安を和らげる力が**あります。

このように自分の好きな香りを中心に、アロマの効果を組み合わせながら活用することで、気もちを切り替えることができるのです。

数分間、心にワクワクをプレゼントすることで自己受容感が満たされ、その後の重要な時間に向けて心をリフレッシュできます。

効果

リフレッシュ、リラックス効果。本来の自分に戻る。

117

嫌いな人、苦手な人は「違う言語の人」と思う

人とわかり合うのはステキなことです。

でも、人づき合いのなかでどうしても馬が合わない相手と出会ってしまうことがあるのは、仕方のないこと。無理をして博愛主義でいる必要はありません。

「うわあ、この人、陰口ばっかり言っていて嫌いだな」
「いっつも怒鳴るように話していて、苦手だな」

第一印象から悪印象で、しばらくつき合っていてもそれが変わらないのであれば、無理して相手に合わせる必要はありません。

事実、アメリカ国立衛生研究所の研究では「ネガティブな表情は見ている人のストレスを増やす」ことがわかっていて、ハワイ大学の研究でも「否定的な意見の人と過ごす時間が長いほど、同じような考えをするようになる」という報告がなされています。

私たちの脳はネガティブなものごとに注目しやすい性質をもっているので、**嫌いな人、苦手な人と我慢してつき合っていると、彼ら、彼女らの嫌いな部分、苦手な部分に強い影響を受けてしまう**のです。

いつも不機嫌な顔をしている人、否定的な意見を言う人、どうしても馬が合わない人には近づかないこと。**この人たちは「違う言語の人」と思って、スルーするのがあなたのメンタルを守る一番の対処法**です。

効果

メンタルを守る。人間関係改善。ストレスコントロール力、柔軟性が高まる。

空気を読んでばかりで本音が言えないときは、本音をノートに書きまくって眺める

実際に書き出してみましょう

「本音と建前」という言葉があるように、やさしい人、まわりの空気を読む人ほど、なかなか心のうちにある本音を口に出すことができません。でも、本当は言ってしまいたいことは消えることなく、溜まっていきますよね？

そこで、そんな本音たちをノートに書き出してあげましょう。

モヤモヤとした感情や抑えていた本音などを書き出すことで、考えが整理され、自分の今の状態を知ることができます。すると、アウトプット効果が働き、ネガティブだった気もちを立て直すきっかけやポジティブなとり組みに踏み出す勇気が得られるのです。

効果

自分を知る。考えの整理。メンタル安定。状況把握力アップ。

119

自分へのごほうびに
ホテルに泊まる

忙しいときほど、ぼんやりする時間をつくりましょう。

とはいえ、いつもの場所ではなかなかいつものつき合いから自分を自由にすることはできません。

スマホには仕事のメールが追いかけてきて、部屋でまったりしていても家族から用事を頼まれることもあるでしょう。

そこで、**オススメしたいのが忙しくがんばっている自分へのごほうびとしてのホテル宿泊**です。

可能なら、窓から緑や海、川、湖などの自然が見える部屋をとりましょう。そして、スマホの電源は基本オフ。観光スポットをぐるぐる回るような旅ではなく、「ホテルステイを楽しむ」をテーマに心ゆくまでボーッとまったり過ごします。

交感神経、副交感神経をともにハイレベルな状態にもっていくためには、ぼんやりする時間をもつことが一番です。風景を眺め、自然のなかをぶらぶら散歩するうち、体内のリズムが整います。

そして、脳はボーッとしているとき、**「デフォルト・モード・ネットワーク（DMN）」**という脳内システムに移行し、次の意識的な行動、意思決定のための準備を進めてくれるのです。

しかも、DMNがオンになっているときは意外なアイデアが浮かびやすくもなります。ごほうびホテルステイは、回復だけでなく、創造の時間にもなるのです。

効果

心身の疲労回復。自律神経が整う。アイデアが出る。実行力、計画力が高まる。

120

1人で映画館に行って ゆったりと1人時間を楽しむ

時代とともに「娯楽」の選択肢が大きく広がりました。その気になればスマホ１つで世界中の映画を見ることができますし、衝動的に航空券を押さえて旅に出ることもできます。

しかし、選択肢が増えるということは、迷いが増えることでもあります。マーケティングの世界では「選択肢過多」と呼ばれていますが、人は選択肢が増えると逆にものごとの選択ができなくなってしまうのです。

仕事もできる。プライベートでも忙しくしている。でも、自分だけの時間をもつことができない。

もし、そんな状況に陥っているなら、**１人で映画館に行って、ゆったりと１人時間を楽しみましょう。**

映画館での自分だけの時間は、次の４つの大きな効用を与えてくれます。

- 周囲の人の目を気にせず、自分と対話することができる
- 人に認められたいという承認欲求の罠から逃れられる
- 映画のストーリーに触れ、自分にとって大切な価値観、興味を再発見できる
- 明日の始まりを素晴らしいものに変えるきっかけとなる

大切なのは「自ら選んで１人になった」という意識をもつことです。すると、自分だけの時間の価値がさらに高まります。

効果

リフレッシュ効果。価値観の再発見。想像力が高まる。

121

夜、洗顔しながら「よくがんばったよ！」と伝える

自分をほめることは、笑うのと同じように私たちの心にプラスの暗示を与え、潜在意識に自信を植えつける心理的効果があります。

- セロトニンやドーパミンが分泌され、心に安定と活力が生まれる
- 他者から認められたいという承認欲求から解放され、自分らしく生きられる
- 自信とやさしさに満ちた態度が人間関係を良好にする
- 自尊心を自分で高めるスキルが身につく

ほめることの本当の効果は、習慣化できたときにしっかりと発揮されるようになります。習慣化するには小さなルールをつくるのが早道です。

- 声に出して自分をほめる
- 小さなことでもできたことをほめる
- １日のうち、決まった時間に自分をほめる

そこで、**「夜、洗顔しながら『よくがんばったよ！』と伝えること」をルーティンにしていきましょう。**

洗顔してすっきりした顔をあげ、にっこり笑って自分のもっている可能性や魅力を再確認。自己受容感が満たされていきます。

効果

人を認められる。主体性、幸福感が高まる。

122

皿洗いをしながら好きな歌を口ずさむ

脳神経科学の研究によって、**マインドフルネスには「ストレス軽減」「集中力アップ」「自律神経のバランスの回復」などの効果がある**ことが明らかになっています。

ただ、マインドフルネスな状態に入るには、瞑想やヨガ、呼吸法などが有効だとされていますが、日常的にとり組むにはなかなかハードルが高いと感じるのも正直なところです。

ところが、フロリダ州立大学のアダム・ハンリー博士らの研究チームが意外な報告を発表しました。

「食器洗いは癒やしの時間になり、マインドフルネスの役割を果たす」
「皿洗い１つをとっても、『これをやるのだ』というはっきりした意識をもって日常の作業にとり組むと、精神的によい効果があり、幸福感や満足感が得られる」

たしかに、皿洗いに限らず、洗濯物をたたむ、シンクを磨くといった**家事のなかの単純な反復作業は、無心になって「今、ここ」に集中できてマインドフルネス的**です。

好きな歌を口ずさんだり、鼻歌交じりで適当に歌ったりしながら、リラックスして皿洗いに集中してみましょう。すると、瞑想にも似た不思議な感覚を得られるはずです。

効果

ストレス解消。自律神経が整う。集中力アップ。マインドフルネス。

I'm OK
I'm not OK

第 3 章

「自己効力感」を高める・貯める

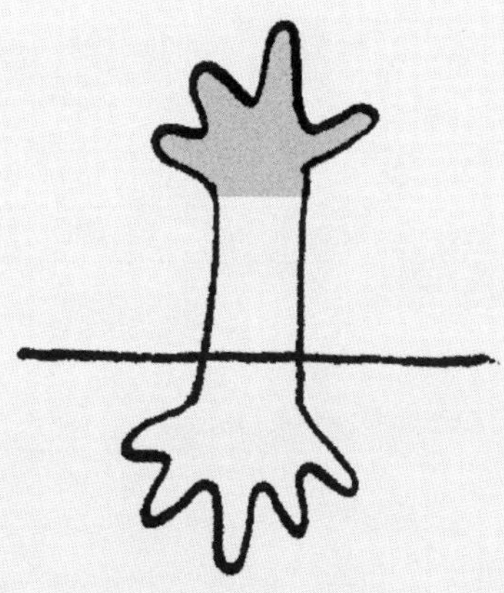

自己効力感とは、自分にはできると思える感覚。自己効力感が高まれば、人生は何度も挑戦できやり直せる、「失敗も挑戦の証」と思えるようになります。行動する勇気が湧いてきて、あなたの世界を広げてくれます。

毎日みたらチェックしよう！

［習慣トラッカー］

自己効力感の項目は123から183まで。順番に読んでも、気になるところからでも、パッと開いたページからでもOK。読んだらその番号のマスをぬりつぶしましょう。自己効力感がどんどん貯まり、達成感もアップします。

［ チェック方法の例 ］

■ ぬりつぶす　▨ 斜線でぬりつぶす　◸ 斜線を引く　◯ 丸をつける

123	124	125	126	127	128	129	130	131	132	133	134	135	136	137

138	139	140	141	142	143	144	145	146	147	148	149	150	151	152

153	154	155	156	157	158	159	160	161	162	163	164	165	166	167

168	169	170	171	172	173	174	175	176	177	178	179	180	181	182

183

よくできました！

123

小さなことから始める

［スモールステップの原理］

自己効力感が低下すると、何かを始めようとプランを立てても、すぐに「できない」と思ってしまうようになります。

自己効力感が高ければ、自分は何かを成し遂げることができると信じられる状態になるのですが、低下すると行動する気力が湧いてきません。

もし、こうした状態に陥ってしまったら、小さなことにとり組みながら自己効力感を回復させていきましょう。

達成したいゴールに向けて行うべきことを小さなステップに分け、1つずつ確実にこなすことで達成率が上昇。**1つの小さなステップをクリアするごとに、「よくできた」という報酬を受けとることでモチベーションが持続**します。

これは心理学の世界で**「スモールステップの原理」**と呼ばれる考え方で、アメリカの心理学者バラス・スキナーが提唱したもの。

このスモールステップの原理がもたらす「達成できそうな課題にとり組むこと」「課題を達成したという成功体験を得ること」という2つの効果が、自己効力感の回復に役立つのです。

たとえば、ダイエットに挫折して落ち込んでいるとき、「平日はケーキを食べない」という小さなステップを用意し、それを達成することができれば、「やったー」という小さな成功体験が得られます。

その積み重ねが「私、できるかも。やれているかも」という手応えとなり、自分への自信を回復させるのです。

効果

自信回復。目標達成率が高まる。主体性、充実感がアップ。

124

拳を上に突き上げ「ヤッター！」のポーズをする

なんだか自信が湧かないというときは、拳を上に突き上げ「ヤッター！」のポーズをとりましょう。時間は30秒ほどでかまいません。たったこれだけのアクションで、感情が「快」の状態になり、気もちが上向きます。これは「やったー！」のポーズをとることで血流がよくなり、脳内で恐怖を感じたときに出るコルチゾールが下がり、勇気のホルモンと呼ばれるテストステロンが増えるからです。

自己効力感

効果

自信が湧く。気もちが上向く。主体性アップ。プラス思考になる。

125

自分の「いまここ」を確認する

［ライフチャート］

あなたの人生にとって
大切な8つの項目の「いま」の
点数は、10点中何点ですか?
点数をつけたらそれぞれを
線で結びましょう。

「ライフチャート」は自分の現在位置を知り、向かいたい未来を探るためのワークです。**人生にとって大切なことを8つ**書き込み、それぞれの点数をつけましょう。

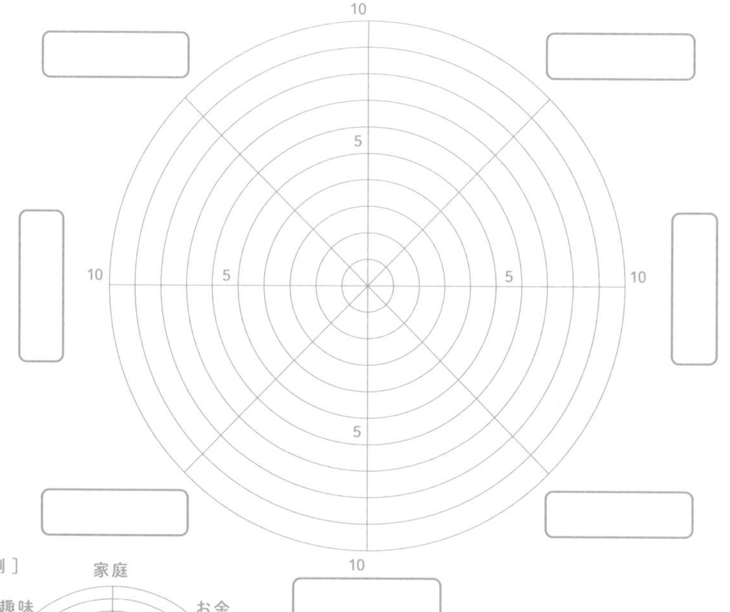

［例］

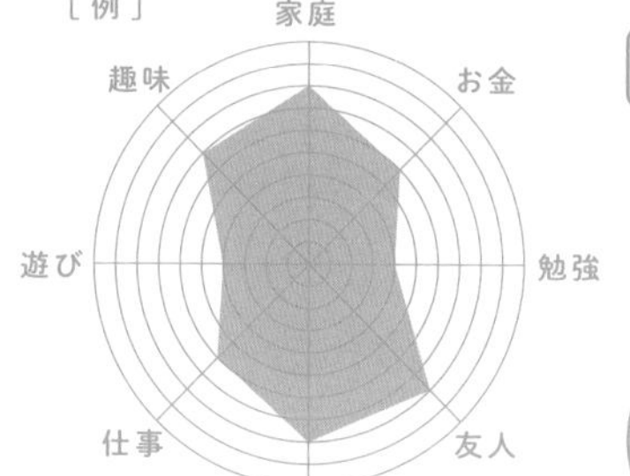

効果

自己認知できる。目標が定まる。
状況把握力アップ。

126

1日3つ いいことを書く
［スリーグッドシングス］

いいことを3つ書いてみましょう

1.

2.

3.

直感と感情は密接に関係していて、ネガティブな感情は防衛反応を働かせ、直感力を鈍らせます。逆に、ポジティブな感情でいられれば、チャンスに気づく機会が増え、幸運を引き寄せやすくなります。

だから日常的に、プラスに考える思考習慣を身につけておくことが大切です。そのために**毎日、「今日、よかったこと」を3つ書き出してみて**ください。

この「スリーグッドシングス」のワークでプラス思考が生まれると、直感力が研ぎ澄まされ、自己実現も仕事の成功も加速度的にどんどん弾みがつきます。

また、1日1日への期待が高まり、自分にはまだまだできることがあると、眠っていた可能性に気づくきっかけにも。

1日の終わりやリラックスできる時間に、今日1日「よかったなぁ」と思えたことを3つ考えます。そして、手書きで書き出します。もちろん、スマホのメモ機能やSNSへの投稿でも大丈夫。

「スリーグッドシングス」を3週間続けていくと、脳は「いいこと」を勝手に探すようになります。

効果

毎日への期待感の向上。眠っている可能性に気づく。ポジティブ思考になる。

127

「もし○○したら△△する」と決めておく

［If-then プランニング］

(if)もし＿＿＿＿＿＿＿＿＿＿たら、

(then)＿＿＿＿＿＿＿＿＿＿する。

例

あらかじめ用意しておけば落ち込まない

もし 嫌われてしまうかもと思っ たら、

嫌うのは相手の問題、私の価値は変わらないと考える。

自己効力感

目標に向かって行動し続けるためには、スモールステップの目標設定が役立ちます。そこでとり入れたいのが**「if-thenプランニング」**です。

これは「もし（if）Xが起きたら、行動（then）Yをする」と前もって決めておくテクニック。

たとえば、「1年後にTOEICで800点をとる」と目標を立てたとしたら、「毎日、帰宅したら、参考書を2ページやる」とif-thenプランニングします。**脳は「Xをやったら Y をする」と決めておくと、「Yをする」ことにフォーカスしてくれる**性質があります。それを利用し、習慣化していくことで、継続的に行動する自分へと変わることができるのです。

効果

行動できるようになる。目標達成率、計画力アップ。

128

続けられないのは意志が弱いからじゃない

目標を設定するときは、あなたの意志とは関係なく、失敗や挫折、計画外のことが起きる可能性を盛り込んでおきましょう。

そして、失敗したとき、予想外の出来事が起きたとき、自分がどんな感情を抱くのか。その結果、ものごとが進まなくなったとき、どう対処すればいいのか。そこまでの準備をしておく必要があります。

それを怠ると、「私は意志が弱いんだ」と落ち込み、自己効力感を低下させ、目標を達成する確率も一気に下がっていきます。とくに計画的で完璧主義的な人ほど、一度自分で決めた流れが崩れると、「もうダメだ……」と投げ出してしまう傾向があります。

そこで、役立つのは**「if-thenプランニング」のような心理的なしくみを使って、あなたの意志とは無関係に状況を立て直せるプランを用意しておく**こと。たとえば、ダイエットを実行中、もし食べてしまったら……「もし食べてしまったら、〇〇する」と「if-thenプランニング」で対処法を決めておきます。

「もし食べてしまったら、おいしさを味わいながら食べ、明日からダイエットを再開する」と。こんなふうにプランBを用意しておけば、一度の失敗で「自分は意志が弱い」と自己否定に入ることはなくなります。そして、翌日から再びダイエットを始められたことが小さな成功体験となっていきます。この「自分で立てた目標設定に向けて自分をコントロールできている」という感覚が、自己効力感をさらに高めてくれるのです。

効果

レジソエンスが高まる。継続力、柔軟性が高まる。

129

「思ったようにはいかない」と思っておく

人間関係の悩みで、自己効力感が下がってしまうことがあります。

- もっと明るく自分らしくありたいのに、うまくいかない
- いい人でいるべきなのに、あの人のことを否定的に見てしまう
- 人の輪のなかで仲よくしていなければと思うと、疲れてしまう

私たち誰にも得意なこと、苦手なことがあります。どちらもあることが、あなたらしさです。そして、「らしさ」をもつから、あなたらしい人生が始まるのです。ところが、社会はときとして同調圧力で「らしさ」を「ねば、べき」で封じ込めようとしてきます。

だからこそ、**あなた「らしさ」をあなたが知り、自ら尊重することが大切なのです。「ねば、べき」はわかるけど、「私は私」**と。

これは親子関係、友人関係、職場の人間関係でも変わりません。人は十人十色で、それぞれに個性という色＝らしさをもっています。あなたの親や子ども、パートナーであっても、まったく違う色があるのです。

ですから、意見の食い違いがあるのは、当たり前。「これがあの子らしさ」「これがあの人らしさ」と素直に受け流しましょう。1つ1つに一喜一憂する必要はありません。

前提として、人間関係は「思ったようにはいかない」と思っておくだけで、あなたの自己効力感は高まっていきます。

効果

人間関係がうまくいく。自分らしくいられる。ストレスコントロール力が高まる。

130

明日、着る服を決めておく

クローゼットに洋服がたくさんあるのに、「明日、着る服がない」と思ってしまうことがありませんか？

それは自己効力感が低下しているサイン。**自分への自信が揺らいでいるから、どれを着たらいいのかがわからなくなってしまう**のです。「自分はできる」という思いが十分にあるときは、服を組み合わせるのが楽しくて、場に合ったコーディネートがスッと決められます。

でも、それができないとき、「決められない自分、嫌だな」と思うと、さらに自己肯定感が低下してしまうので、「今はそういう状態なんだ」と思うことが大事です。そして、そういう自分を許し、前日に「明日、着る服を決めておく」という対策をとりましょう。

有名なエピソードですが、スティーブ・ジョブズは公の場に出るとき、いつも同じ服装をしていました。上半身は黒のタートルネック、下半身には色落ちしたリーバイスの501、足元はグレーのニューバランスのスニーカー。

「毎日の服を選ぶ」という行為は、思いのほか、負担の大きなものです。ジョブズの真似をして**前の日の夜、次の日に着る服を決めておくと、朝、ムダに悩む時間が減り、自己効力感、自己決定感が高まります。**

可能であれば、クローゼットに7本のハンガーを用意し、月曜日から日曜日までの着る服を上から下まで全部用意してしまいましょう。着替えの際にハンガーをとり出せば、終了というしくみです。

効果

決断力が高まる。ムダな時間が減る。実行力アップ。

131

散歩をする

ちょっとした失敗の後、もう一度、とり組むやる気がなかなか湧いてこないことがありますよね？

そういうときは、散歩をするのがオススメです。

歩くうち、精神を安定させる作用がある神経伝達物質「セロトニン」が脳から分泌されて、不安な感情が減少し、気もちが安定していきます。

スタンフォード大学の研究では、**日頃からよく歩く人のほうが平均で60%も思考能力が上がる**ことが明らかになっているほどです。

そこで、職場でストレスが溜まったときは、10分ほどその場を離れてぶらぶらしてみましょう。すると、それだけで自己効力感が高まり、自然にやる気が戻ってくるはずです。

ポイントは、意識して、散歩に出ること。

「いまから不安感情を下げにいくんだ！」と考えたほうがいいでしょう。

なぜなら、自分でゴールを決めてとり組むことで、強い「動機づけ」になるからです。**脳には意識して「区切り」をつけることで、自然と働きやすくなる性質がある**のです。

自己効力感

効果

気もちの切り替え。モチベーション、柔軟性アップ。

132

プレッシャーを感じたら、自分の強みを1分間思い浮かべる

仕事に大きなプレッシャーを感じているとき、気もちを切り替え、自信を回復させる簡単な方法を１つ紹介します。

それが、**「1分セルフトーク」**です。

まず、ゆっくりと深呼吸を繰り返し、心を落ち着けます。その後、**1分間で「自分がすでにもっている能力や強み」を思い浮かべてください。**

- 人の話を聞くことが得意だ
- ものごとを深く考えることができる
- 書類やデータをつくることが好き
- 相手を思いやることができる
- コツコツした作業が好き

次に、それらの**才能・強みから、いまプレッシャーを感じている状況に対して使える能力を当てはめて**いきます。すると、「立ち向かうのが大変だ」「ピンチだ」「期待に応えられるかどうかわからない」と感じていた状況でも、「自分にはできることがある」「自分はうまくやることができる」と、ものごとをプラスにとらえられるようになります。

つまり、仕事に合わせてそのつど自分を変えようとするのではなく、自分の得意な能力や強みを使って、仕事に向かっていく。そんなとり組み方が見えてきて、自信をとり戻すことができるのです。

効果

自信が回復する。自分の強みを知る。実行力アップ。

133

ジャンプをする

ストレスが体から抜けていくことをイメージしながら、ぴょんとジャンプ。軽くジャンプすると心拍数の値がすぐに20ほど上昇。**心拍数が上がるとセロトニンが分泌されるので、簡単に気分転換ができるテクニック**です。ただジャンプするだけでも効果的ですが、できれば以下のステップを踏みましょう。

❶ ぐっと腕を上に伸ばして、大きく息を吐きます
❷ 目線を上げて、その場で9回軽くジャンプしましょう
❸ 少し休んでもう一度、大きくジャンプ
❹ 深呼吸をしながら伸びをして終わりです

効果

気分転換。ストレス解消。ストレスコントロール力アップ。

134

「なんとかなる！」を口ぐせにする

アメリカで行われた心理学の研究によると、**私たちは１日に６万回の思考を行っている**とされています。これは起きている時間、１秒に１回、何らかの思考をしながら生きている計算です。

しかも、その**６万回のうち80％、約４万5000回はネガティブな考えに囚われている**ということもわかっています。

人間には進化の過程を支えた防衛本能があるため、不安、心配、恐れといった感情を繰り返してしまいます。

たとえば、「あそこに行けば水が飲める」と思っても、「敵が現れるかもしれない」「道が通れないかもしれない」「水が汚れているかもしれない」と考えるのは、人間が生き延びるために必要だったからです。

現代人は蛇口をひねれば水が出る暮らしのなかにいるわけですから、こうした**「ネガティビティ・バイアス」**が出過ぎないように、対策したほうが幸せに近づきます。

とはいえ、大袈裟に考える必要はなく、１日の終わりに手帳に二重丸（今日はよくやった！）をつけるとか、「大丈夫、なんとかなる！」を口ぐせにするだけで大丈夫です。

そんな小さな習慣が、あなたの人生を少しずつ変えていきます。

まいっか、すべてはなんとかなる。

そういう気もちで、今を過ごしていきましょう。

効果

ネガティブな思考が減る。前向きになれる。主体性アップ。

135

理想の未来を描き出す

［ライフビジョンチャート］

あなたの人生にとって
大切な8つの項目の未来は、
どうなっていますか?
カラフルな文字や写真や
イラストを使って
表現しましょう。

「ライフチャート」（165ページ）で書いた8項目の未来を絵や切り抜いた写真などを使ってビジュアル化。理想の未来のイメージを描きます。そして、理想の実現のために、1ヵ月後、6ヵ月後、1年後に何をしているか文章で書き起こしておきましょう。

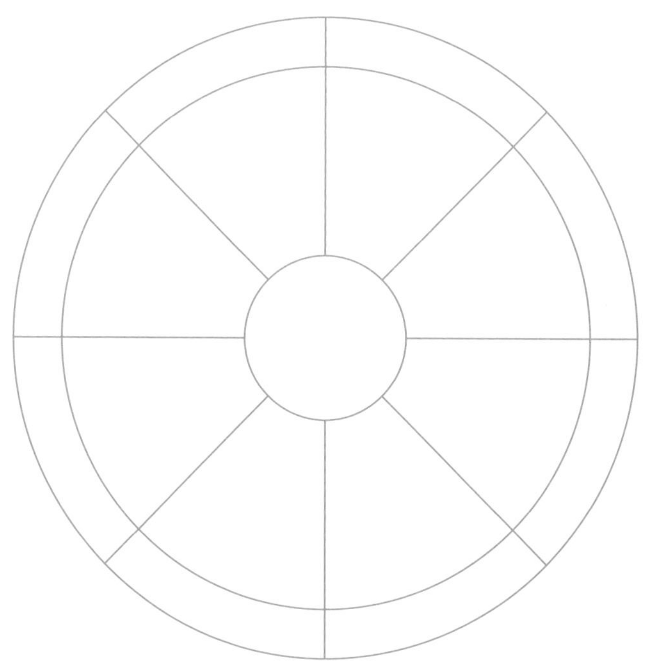

効果

ポジティブ思考になる。計画力、実行力アップ。

136

おせんべいを バリバリ食べる

　アイルランド国立大学などの研究で明らかになっていますが、**噛むという行為は、脳の血流を上げ、「ワーキングメモリ」の回復に役立ちます。**

　ワーキングメモリは、脳のメモ帳とも言うべき働きをする場所です。インプットされた情報を脳内にメモ書きし、自分のもっている記憶・情報と統合・整理する役割を担っています。

　そのワーキングメモリが回復すると、単純に言ってできることが増えます。それが自己効力感の高まりにつながるのです。

　イライラしたとき、考えが煮詰まったときは、おせんべいをバリバリ食べましょう。硬いものを強く噛むことで脳の血流が上がるだけでなく、**咀嚼音がストレスの発散にも役立ちます。**

効果

ワーキングメモリの回復。ストレス発散。ストレスコントロール力アップ。

137

肩甲骨をぐるぐる回す

体を動かすことで、思考がスッキリとまとまることがあります。これは自律神経が整うからです。忙しい毎日が続いて、神経が高ぶってしまったときは副交感神経を優位にするような対策をとりましょう。

私が日頃から実践しているのが、肩甲骨まわりのストレッチです。

自律神経は延髄、頸椎、腰骨から仙骨に向かって伸びています。その途中にある**肩甲骨まわりの筋肉を動かし、温めることで副交感神経の働きがよくなり、ほっとリラックスした状態に**なります。

意識的にリラックスする時間をつくっていくと、アイデアをもたらすこともわかっています。あなたもシャワーの途中や散歩をしながら「！」とすばらしいひらめきを得た経験があるのではないでしょうか。これは副交感神経優位のリラックスした状態が直感力を高めるからです。

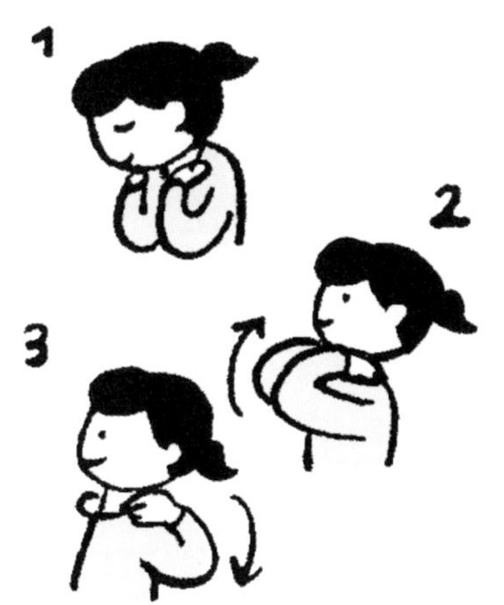

❶ 両手を両肩に置く
❷ ぐるりと前からひじを動かし
❸ ひじを後ろに大きく動かす

効果

リラックス効果。直感力が高まる。自律神経が整う。

自己効力感

冷たい水で
顔を洗う

夏でも冬でも、朝、起きた後、一番に冷たい水で顔を洗ってみましょう。きりっと顔が引き締まり、交感神経優位に。すっきりしたいい表情になります。

そして、鏡のなかの自分に「今日もいい顔をしているね」と伝えましょう。

その後、ふわふわの手触りのよいタオルでやさしく拭きます。今度は心地よさから副交感神経優位になり、自律神経のバランスが整い、気もちよく1日をスタートさせることができます。

脳神経科学や心理学の研究によると、**自分で決めた日課やルーティンワークがあることで、無駄な思考や感情のブレ、決断することによる疲れが減少。**その結果、大切なことや大切な人に意識を向けられるようになるのです。

「朝、起きたらすぐに冷たい水で顔を洗う」「2週間ごとに駅へ歩くルートを変える」「晴れた日曜の朝は洗濯をする」など、簡単なルーティンを増やし、実行していくことで、ささやかながら確実に成功体験が積み上がり、自己肯定感が高まるのです。

効果

自律神経が整う。柔軟性が高まる。

139

嫌な人の嫌な部分を書き出してみる

嫌な部分を書き出してみよう

1.

2.

3.

4.

5.

6.

7.

8.

9.

10.

嫌な人、苦手な人とつき合わないようにできればいいですが、現実にはなかなか難しいもの。仕事上どうしてもとか、住むエリアが重なっていて、本音は顔を合わすのもイヤだとしても大人な距離感が求められます。

そんなとき役立つのが**「捉え直し」**。相手の嫌なところ、苦手な部分を「横柄」「自分の話しかしない」などと書き出し、「家で肩身の狭い思いをしているから外で横柄なのかな」「さみしいから自分の話ばっかりなのかな」と想像してみましょう。

その後、相手に共感する必要はなく、ただ**「だから嫌なんだな」と納得すれば十分です。理由がわかると、いら立ちや嫌悪感のレベルが下がります。**

効果

人間関係改善。冷静になれる。課題発見力アップ。

ラッキーポーズを決めておく
［アンカリング］

- 親指を立ててグー！
- 親指と人差し指でハートをつくる
- 親指と人差し指で輪っかをつくる
- ガッツポーズをする
- ジャンプする

何か**「ラッキー！」と思えることが起きたときにとる自分なりのラッキーポーズを事前に決めて**おきましょう。できれば、ノートに書いて、簡単なイラストもそえて、目で確認します。人に知られないくらいの小さなポーズでも、全身で喜びを表すようなポーズでもかまいません。

ラッキーなことに出会ったとき、いつでも行うように習慣化していくと、脳がうれしいこと、楽しいことを探し出し、**ラッキーと出会いやすくなるラッキー体質**に変わっていきます。

効果

ラッキー体質になる。ポジティブ思考になる。実行力アップ。

オレンジ色のものを身につける

元気を出したいとき、場を和やかな雰囲気にしたいとき、初対面の人と打ち解けたいとき、オレンジ色のアイテムを身につけましょう。

色彩心理学は臨床心理学の一部で、「色」と「人間の関係性」を心理学的に解明する学問。心の問題を解決するために、色の見え方や感じ方など、色に対しての人間の行動（反応）を研究していきます。

そんな色彩心理学でオレンジは、赤と黄色の中間色で、温かみのある陽気なイメージを与える万人受けする色だとされています。ビタミンカラーとも呼ばれ、見た人の心をほぐし、コミュニケーションを活発にしてくれる効果があります。

・オレンジの心理効果

陽気な気もちになる、親しみを感じる、温かさを感じる、緊張を和らげる、活力を感じる、食欲を促進する、仲間意識をもたせる

・オレンジの与えるイメージ

暖かい、温もり、親しみやすい、美味しそう、挑戦、エネルギッシュ、元気、陽気、賑やか、喜び、健康、家庭的、幸福、カジュアル、開かれている、ノリがいい、親切

効果

コミュニケーション力アップ。プラス思考になる。挑戦できるようになる。

142

こめかみをぐるぐる マッサージする

脳が処理している情報の８割は視覚を通して集められています。そのため情報の入り口である目の疲れは、感情をネガティブな方向に向かわせる一因になります。

そこで、**目が疲れたな、つらいなというとき、こめかみ辺りをぐるぐるとマッサージ**しましょう。こめかみのくぼみにある「太陽」というツボをマッサージすれば目の疲れを和らげることができます。

❶ 両手の親指を太陽にあて「気もちよい」と感じる強さで押します
❷ 指でグリグリと回すようにマッサージします
※あまり強く刺激すると、もみ返しが出る場合もあるので注意してください

こめかみのぐるぐるマッサージは目の疲れのほか、**目のむくみやくまの解消、老眼の緩和などの効果も発揮**します。また、肩こりからくる緊張性頭痛や、めまいなどにも効くとされています。目の疲れを癒やせば、「自分はできる」という自己効力感も回復します。

効果

眼精疲労の改善。ポジティブ思考になる。主体性アップ。

食後に
コーヒーを飲む

コーヒーやお茶には、よく知られているように、「カフェイン」が入っています。朝、起き抜けにコーヒーを飲むと脳がシャキッと目覚めた感じがするのは、カフェインの覚醒効果によるもの。

そして、不思議なことに**カフェインはリラックス効果も**併せもっています。ですから、ランチの後の休憩時間に飲むと、午前中の仕事の疲れ、緊張が和らぎ、午後への活力がチャージされるのです。

コーヒーが好きで、飲むことがリラックスになる人だったら、業務の間に「コーヒータイム」を予定として組み込むのもオススメです。

もうすぐコーヒータイムだ！ という喜びや期待感がドーパミンの分泌を促し、集中力や注意力が高まります。

ただし、カフェインは摂取後、長く体のなかに残ります。半減期は5、6時間とされており、夕食後のコーヒーは不眠の原因になることも。**コーヒーを楽しむのは16時くらいまでに**しておきましょう。

もし、その時間以降もコーヒーの力を借りたいなら、香りを楽しむのがオススメ。というのも、ソウル大学などの研究によると、**コーヒー豆の香りには、睡眠不足や疲労原因とされる活性酸素によって受けたダメージを回復させ、脳細胞を活性化させる力がある**からです。

効果

集中力アップ。リラックス効果。ストレスコントロール力が身につく。

144

いらない紙をビリビリ破る

生きていると、気もちがささくれだっていて無性にイライラ、ストレスが溜まってどうしようもないときがあります。

そんなメンタルの場合、癒やしを考える前に、スッキリすることを優先させましょう。

その方法として、とてもシンプルながら効果的なのが、いらない紙をビリビリ破ること。新聞紙、メモ用紙、いらなくなった資料の紙など、材料はなんでもかまいません。

ビリビリ、ビリビリ、細かく細かく破いていきます。**単純作業に没頭するうち、イライラが収まり、すっきりしてくるのを感じるはず**です。

これは同じ動作を続けることで、脳がデフォルト・モード・ネットワーク（DMN。156ページ参照）に切り替わるから。感情的になり、天秤が傾いた状態だったメンタルのバランスが整っていきます。

効果

メンタルの安定。ストレス発散。状況把握力アップ。

145

心から楽しめる
マンガを読む

元気が出ないとき、心から楽しめるマンガを読むと気もちがリフレッシュします。作品の世界に深く入り込み、喜怒哀楽の感情が揺さぶられ、登場人物に共感し、ときにはいら立ち、応援する時間を過ごすことで、現実で起きているつらい出来事を忘れることができるのです。

しかも、読後には困難に立ち向かう力も湧いてきます。

実際、オハイオ州立大学が行ったフィクションの心理への影響について調べた研究では、心に残る作品に触れることの大きなメリットが明らかになりました。

自分の価値観に合う映画などのフィクションを楽しんだ人は、その後、「よりよい人間になろう」「人のためによいことをしよう」「人生で本当に大切なものを探そう」というモチベーションが上がる傾向がありました。しかも、**作品に触れてから数年経った後でも、その作品について思い出すと同様の精神的なメリットが得られる**と言います。

たとえば、物語が進むにつれて主人公が成長し、魅力的なキャラクターになっていく作品を読み、その姿にモチベーションをかき立てられた経験は、数年後に思い出してもモチベーションアップの効果を発揮してくれるのです。

また、**本人にとって良質なフィクションに没頭した経験がある人は、人生の困難をよりよく理解できる**ようにもなります。

つまり、マンガはあなたの心の支えになるのです。

効果

気もちが切り替わる。レジリエンスが高まる。課題発見力アップ。

146

「私って天才！」を口ぐせにする

誰かに聞かれると、ちょっと気まずいかもしれませんが、**「私って天才！」を口ぐせにすると、自己効力感が高まります。**

というのも、私たちには心身に影響を与える「思い込みの力」が備わっているからです。広く知られている心理学用語で言えば、**「プラシーボ効果」**も思い込みの力の１つ。

プラシーボ効果は偽薬効果とも言われています。典型的なパターンとしては痛みを訴えていた患者に「痛み止めです」と偽薬を処方すると、それを知らずに服用した患者から、なぜか痛みが引いていくのです。

ここではこんな流れで思い込みの力が発揮されます。

「偽薬を本物の薬と思い込む」「緩和されるという報酬への期待が高まる」「ドーパミンが分泌される」「期待はより明確なものになり、はっきりとした反応として現れる」のです。

同じように「私って天才！」という口ぐせは、あなたに「天才かも」という期待感を抱かせ、**ものごとに前向きにとり組む自信をプレゼント**してくれます。イメージが大事というのは、よく聞く話です。スポーツ選手もイメトレをしますし、願いも写真や絵を掲げることで叶いやすくなると言います。

ワクワクする楽しいイメージを思い浮かべたときも、脳からドーパミンが分泌されます。すると、「そんなに楽しいなら現実にしてしまおう！」と、やる気や意欲が出てくるのです。

自己効力感

効果

やる気が出る。自信が湧く。ポジティブ思考になる。想像力アップ。

147

毎日体重計に乗って体重を測る

今日の体重には、昨日のあなたの生活が映し出されます。

日々、体重計に乗ると言うと、ダイエットのイメージが強くなりますが、**体重の変化を把握するのは体調管理の面でとても重要な習慣**です。

もし、500グラム以上増えていたら、前日に食べすぎてしまった可能性が大。

仲間のお祝いで予約必須のおいしい焼き肉店に行って「ここぞ！」とばかりに食べまくった！ なんて理由があれば問題ないですが、なんとなく増えていたら、それはストレスからくる暴食のサインかもしれません。

このように体重の変化からはメンタルの状態も見えてきます。少し食べすぎたと気づければ、その日の食事量を控えたり、運動を少し増やしたりして対処しましょう。

「今日からきちんと体重を測ろう！」と決めて、毎日続けていくと、習慣化に成功した時間が自己肯定感を高めてくれます。

また、いざダイエットの必要が生じたときも、**毎日体重計に乗る習慣がある人は、自分の数値とその変化の様子をよく知っているので、無理なく、確実なダイエットの計画を立てる**ことができます。

効果

体調管理ができる。ダイエット効果。課題発見力、計画力アップ。

148

サングラスをかけて出かける

いつもとは違う自分になってみたい……。どんな人も心のどこかに変身願望を抱いています。そして、その欲求を手軽に叶えることができるアイテムが、サングラスです。

誰もが、かけるだけで一味違った雰囲気の自分をつくり出すことができます。

「自分に似合っている」と感じられるサングラスをかけると、メンタル面にも好影響が。**冒険心が高まったり、今まで挑戦しなかったファッションにチャレンジする勇気が出てきたり、周囲の人とのコミュニケーションへの積極性が増したり**します。

一方、サングラスは人間関係に一線を引くアイテムとしても有効です。人づき合いに疲れたとき、いい人でいるのを少しお休みしたいとき、レンズの色の濃いサングラスをかけることで、目線の動きが伝わらなくなり、周囲とのあいだに心理的な壁をつくることができます。

自己効力感

効果

挑戦できる。感情コントロール力、実行力、発信力アップ。

149

自分への「ごほうびリスト」をつくっておく

いくつかリストをつくってみましょう

1.

2.

3.

4.

5.

6.

7.

8.

9.

10.

「仕事の後、アイス食べよう！」
「このプロジェクトが終わったら、旅行に行く！」
「この週末は推しの出ているドラマをイッキ見で過ごす」

自分へのごほうびリストをつくっておくことは、モチベーションアップにつながります。また、脳の報酬系を刺激するので、ドーパミンが分泌されて、**目の前のとり組むことに対する集中力もアップ。がんばりきるエネルギーが湧いてきます。**

今週の仕事は大変そう、難しい案件が重なって気が重い、期待されるのはうれしいけど、ちょっとプレッシャー……。そんなときにこそ、ごほうびリストを活用していきましょう。

効果

モチベーションアップ。集中力アップ。主体性、計画力が高まる。

150

人の話を前のめりになって聞く

あなたも気づいたら、こんな姿勢になったことがありませんか？
- 自信がないとき、疲れたとき、無意識に前かがみに
- 自信のあるとき、楽しみなときは自然と背筋が伸びる

心理状態は姿勢に表れます。では、この関係性を逆にして、**姿勢から心理状態をつくっていく**ことはできるのでしょうか？

そう疑問に思った心理学者の実験によると、俯いて前かがみの姿勢をとると、気分が落ち込んでくること、胸を張っていい姿勢をつくると自信を感じる傾向がわかりました。

ですから、もし、あなたが「今日の上司との打ち合わせ、面倒くさいな」「会議の内容、興味ないんだよな。寝ちゃわないか心配」「彼氏（彼女）の愚痴、聞きたくないなー」といった思いを抱えているときは、聞く姿勢を意識的に前のめりにしてみましょう。

私たちは興味のある話を聞いているとき、おもしろいと感じているとき、自然と前のめりになっています。つまり、**姿勢を変えることで退屈な会議も楽しめる可能性が高くなる**のです。

自己効力感

効果

感情コントロールができる。コミュニケーション力アップ。

151

ちょっとおおげさに リアクションする

私たちには安心を感じて、承認欲求を満たしてくれる相手には心を許すという心理的性質があります。そして、心を許した相手には「役に立ちたい」と思う**「返報性の原理」**も働きます。

つまり、コミュニケーションを通じてファンを増やしていくことができれば、仕事でもプライベートでも、スムーズにものごとが運び始めるのです。

それはあなたの自己効力感を高めてくれます。

そのきっかけとして、ちょっとおおげさにリアクションすることを心がけましょう。

とはいえ、何も難しいことはありません。

いつもよりもゆっくりしたトーンで、高い声を意識しながら、**「すごいですね」「そうなんですね」「大変でしたねー」「よかったですね！」と共感のあいづちを**打ちましょう。

それだけであなたの好感度は上がります。

なぜなら、私たちは共感を素直に表してくれる人に惹かれるからです。

また、**相手の話を遮らないあいづち中心のリアクションは、「この話題に興味があります＝あなたに興味があります」というサイン**にも。相手の承認欲求を満たし、仲を深めることができるようになるのです。

効果

コミュニケーション力アップ。好感度アップ。発信力が高まる。

152

「期待しているよ!」と言ってみる
[ピグマリオン効果]

私たちは、周囲の人から信頼されたとき、「その信頼に応えたい」「信頼してくれた人に報いたい」という気もちになり、行動に移します。

こうした人間の行動原理を心理学的に証明したのが、アメリカの教育心理学者であるロバート・ローゼンタールです。

彼は**「人は期待されると、その気もちに応えるような行動をとりやすくなる」**という心理を論文にまとめ、**「ピグマリオン効果」**と名づけました。

このピグマリオン効果は周囲の人への声掛けとしてだけでなく、自分自身に声がけすることもできるのです。あなたがあなたを信頼することで、自分自身の信頼に報いたいと行動を起こせるようになります。

「期待しているよ!」
「やれるよ!」
「きっと大丈夫」

日常のなかのふとした瞬間に、自分に対してそんな声かけをしていきましょう。そして、その声に押されて勇気を出し、行動したことを自画自賛することも忘れずに。

この**"セルフ・ピグマリオン効果"**であなたの人生は好転します。

効果

勇気が湧く。行動を起こせる。主体性が高まる。

153

「病気になったら…」と不安になったら「ここちよいライフスタイルは?」と自分に質問する

「トム・ソーヤーの冒険」で知られる作家のマーク・トウェインは、晩年にこんな言葉を残しています。

「私はもう老人だ。これまでの人生ではいろいろな心配事を抱えていたが、そのほとんどは現実にはまったく起こらなかった」

心配事のほとんどは起こらない……としても、世のなかには実際に起きるかどうかわからない心配、推測で語られる不平や不満がごろごろしています。

ノーベル経済学賞を受賞した認知心理学者のダニエル・カーネマンは、人間は悪い出来事に目を向け、恐れる傾向があり、「損失が感情に与える負の影響は、利益による効果の2倍の強さ」があると指摘。私たちはさまざまなことに愚痴をこぼし、不快の感情を抱きながらも、じつは**ものごとの負の側面、嫌なことに目を向けてしまいがち**なのです。

こうしたときに出る「否定語」は脳に強い影響を与えます。

本気の言葉ではなくても、否定語を重ねて耳にするうち、感情はネガティブな方向へ振れていきます。そして、ものごとと向き合うとき、できない理由を探すようになってしまうのです。だからこそ、**不安や不満が胸をよぎったら、ポジティブな質問を自分に投げかけましょう。**

「病気になったら?」と将来を悲観するよりも、「自分にとっての心地よいライフスタイルは?」と。肯定的な未来の想像は、私たちのメンタルが乱れないよう支えてくれます。

効果

メンタル安定。ストレスコントロール力アップ。想像力、実行力が高まる。

154

ふさわしい人は自分の人生の準備が整ったときにやってくる。焦ると失敗する

親しい友人の顔を思い浮かべてみてください。

その人は、あなたに似ていたり、味方になってくれたり、見返りを求めずに好意をもってくれたりする人ではないですか？

その姿を見て、あなたも同じように何かを返したいと**「返報性の原理」**に動かされながら、今の関係性が築かれていったのではないでしょうか。

本物の友人関係は「水魚の交わり」という言葉で表現されます。水と魚のように、切っても切れない関係。とても自然な間柄であり、余計なものが介在していないからこそ、何があっても結びついているということです。

でも、社会人になると同じ業界で働いている人とつき合うことが多くなります。相手とのあいだに利害関係が発生することが増え、自分の社会的立場にとって有益な人と交流しようと考え始めます。

しかし、そうやってつながった関係は利益が発生しなくなったとたんに終わってしまうものです。仕事を辞めて社会的関係がなくなったときに自分が孤独であることに気づくでしょう。

会社の上司と部下など、社会的立場でつながっている間柄では、必ずしも「水と魚」である必要はありません。仲よくならなければと焦ったり、人脈を広げようとしてストレスを感じたりする必要もありません。

あなたがあなたらしくあれば、友人、恋人、人生の師……ふさわしい人との出会いは必ずやってきます。

効果

最高の出会いがやってくる。状況把握力、ストレスコントロール力が高まる。

155

午後3時から午後4時に筋トレをする

「私はできる」という自己効力感を高めるため、毎日の小さな達成に目を向けることが有効です。**筋トレは「毎日の小さな達成」を味わうのに最適なアクション。**日々のトレーニングの積み重ねが、目に見えてよくわかるからです。

そして、どうせ行うなら、より効果の高い方法を知りたいもの。そこで、筋トレにもっとも適した時間帯を調べてみると、サーカディアンリズムと深い関係があることがわかりました。

サーカディアンリズムとは、地球の自転の動きと合わせて変化する私たちの生理的なリズムのこと。たとえば、体温、心拍数、血圧もサーカディアンリズムに対応し変動。体温は起床前がもっとも低く、その後上昇し14時〜18時にピークとなり、再び下降します。

国内外の複数の研究が筋トレにもっとも効果的と指摘するのが、この体温がピークになる時間帯。平日はなかなか難しいかもしれませんが、休日はぜひ、14時から18時を狙って体を動かしていきましょう。

効果

体調管理ができる。ダイエットができる。実行力、計画力が高まる。

不安に思っていることをコップの水のなかに入れてぐるぐるかき回し「さよなら！」と言って流す

不安が膨らんできたり、判断したことを後悔したり……。感情がネガティブに傾くと、おのずと自己肯定感も下がっていきます。

そして、つねにそんな気もちにさいなまれてしまう人は、自動的に思考がネガティブになってしまうクセがついているのかもしれません。自分ではネガティブになっていることにすら気がついていないという状態に陥っている可能性があります。その場合、「自分は思考がネガティブになりがち」という感情の歪みに気がつくことが、変化の第一歩。そこで、役立つのが**「見つめ直しメモ」**です。

１日の終わりにその日を振り返り、「ネガティブな気もちになったのは、いつ、どこで、誰と、何をしていたときか」と、「そのときパッと浮かんだ感情」をメモします。これを毎日繰り返すことで、どんなときに自己肯定感が下がるか傾向が見えてくるので、同じような思考に陥りそうになったとき、「今日は自己否定的な思考になっている！」と気がつき、思考の向きを修正できるようになります。

さらに、自分が抱えている不安や思考をうまく処理して、スッキリしたいときは、**コップに水を入れ、そこにネガティブな感情を流し込むことをイメージしましょう。その後、水をぐるぐるとかき回し、「さよなら！」と言いながら流し捨てます。**

これは私の講座で受講生にオススメしているテクニックで、手軽にネガティブな感情を処理することができます。

効果

感情を整理できる。ネガティブな感情を処理。柔軟性、主体性アップ。

157

ネガティブな感情になったら「今トンネルに入っている!」と考え、トンネルを抜けるイメージをもつ

ずーんと落ち込み、明るい展望をもてないときは、現在の自分は「いまトンネルに入っている！」と考え、トンネルを抜けるイメージをもってみましょう。

さらに、トンネルを抜けた先の1年後、3年後、5年後と、時間軸を長めにとって未来を想像することで、ポジティブなイメージが膨らみます。すると、落ち込みのなかでも自己効力感が徐々に回復していきます。

効果

ネガティブ感情の解消。前向きになる。ストレスコントロール力アップ。

158

緑のなかを歩く
［森林浴効果］

すぐにとり組むことができて、メンタル面に高いプラスの効果が期待できるエクササイズがあります。それが**自然のなかでウォーキングやジョギング、ヨガなどを楽しむ「グリーンエクササイズ」**です。

屋内での運動と比較すると、短時間でストレスを軽減、気もちをリフレッシュできることが多くの研究で指摘されています。

たとえば、イギリスのエセックス大学が性別年齢に偏りのない1252人を対象に、森林や農地、水辺など自然が豊富な環境でウォーキングやサイクリング、乗馬、ガーデニング、農作業などで体を動かした際に見られるメンタルへの影響を調査した研究では、以下のことが明らかに。

- 自然のなかで体を動かすと、始めてから**5分で気もちが前向きになり、気分が向上、自己肯定感の低下状態が改善**する
- 水のある環境（川辺やビーチなど）でのエクササイズはより高い効果を発揮する
- スポーツの種類やエクササイズの内容の違いによるメンタル改善効果に有意差はみられない

また、**適度な運動は全身の臓器の機能、脳機能の低下の予防効果がある**ことも別の研究で明らかになっています。ぜひ、時間をみつけて、公園の緑など、身近にある自然のなかを歩く習慣を始めてみましょう。

効果

気もちが前向きになる。ストレスコントロール力アップ。ポジティブ思考になる。

159

いつも使うリップの色を変えてみる

自分だけの趣味、楽しみに時間を使うと、思考力が回復し、生産性が高まります。これは脳の扁桃体という部位を刺激するからです。

扁桃体は、私たちの感情や気分の変化に深く関わっている部位で、それに伴う生理的状態を決める役割を受けもっています。

たとえば、ジェットコースターに乗る前に恐怖と期待が入り交じり、手に汗をかくのは扁桃体が外部からの刺激を受けて、活発に動いているから。それが、本人の全体的な気分をつくり出すのです。

仕事でもプライベートでも多忙な生活を送っていると、生真面目な人、面倒見のいい人ほど、周囲の人の幸せを考えて自分の楽しみを脇に追いやってしまいがちです。

その結果、**日常では同じ刺激ばかりを受け続け、脳内でも同じ反応を繰り返し、ストレスを溜め込むことに**なります。

このサイクルから抜け出すためには、自分だけの趣味、楽しみに注意を向けるのが効果的です。

たとえば、メイクが好きな人は、いつも使うリップの色を変えてみる、好きな匂いのする香水を買ってみるなどしてみると、**視覚や嗅覚から届く喜びやワクワクが、扁桃体に新たな刺激を与えます。**

すると、気分転換になるだけでなく、自分のために時間を使えたことが自信となり、自己効力感が回復します。

効果

気分転換。自信が回復する。主体性アップ。プラス思考になる。

お気に入りのお弁当箱を買う

私は講座などで、自己肯定感を高める方法として**「4つの窓」**という考え方を伝えています。

これは「習慣」「一瞬」と「他力」「自力」というそれぞれ対照的な要素をもつ、2つの軸からなる**「習慣×他力」「習慣×自力」「一瞬×他力」「一瞬×自力」の4つの窓**です。それぞれの窓に、自己肯定感を高める方法を見出すことができます。

そして、ここで紹介する「お気に入りのお弁当箱を買う」は「一瞬×他力」で自己肯定感を高めてくれる方法です。

「一瞬×他力」とは、自分へのごほうびをプレゼントするなど、今この瞬間にとり組むことができ、自分の努力よりも他人や周囲のものを利用するとり組み。好きなものを食べたり、欲しいものを買ったりという他力によってがんばった自分をねぎらい、自己肯定感を高めます。

もちろん、ごほうびはお弁当箱ではなくてもかまいません。ただ、**お弁当箱は「そこにおいしいものを詰めて、どこかへ行く」という楽しい未来をイメージさせます。**

それがドーパミンを分泌させ、メンタルを回復させてもくれるのです。
お気に入りの自転車を買う、旅行のガイドブックを買う、カメラを買うといったごほうび買いにも同様の効果が期待できます。

「一瞬×他力」で自分を元気にしていきましょう。

効果

ワクワクする。メンタル安定。主体性、実行力アップ。ポジティブ思考になる。

161

いつも使うキッチンを
キレイにする

自己肯定感を高める「4つの窓」の考え方で言うと、キッチンの掃除は「一瞬×自力」に当てはまります。

一般的に、家事は「退屈」や「面倒」と思われがちですが、考え方を変えて作業にとり組むと、ストレス解消や創造性アップ、自己肯定感の回復のテクニックに変わります。

キッチンのシンクをスポンジやブラシなどを使って磨き上げていると、日常の悩みや困りごとは思考から消えていきます。昨日起きたことも、明日起きることも考える必要はありません。昨日は過ぎ去っていて、明日はまだここにないからです。

これは**瞑想などで達するマインドフルネスな状態と同じで、私たちの心を落ち着かせてくれます。**目の前の汚れを落とすこと、今やっていることにすべての注意を向けると、自己肯定感は高まっていくのです。

効果

ストレス解消。マインドフルネス。ストレスコントロール力、柔軟性アップ。

162

お気に入りの本の好きなフレーズをノートに書き出す

実際に書き出してみましょう

「魂の声に従うと、競争相手がいなくなる。本気で自分の能力を発揮すれば、その人の仕事は、ほかの誰とも違ったものになってくるからだ」

　これは私が敬愛する思想家ラルフ・ウォルドー・エマソンの『精神について』のなかの「精神の法則」の一節です。仕事の仕方に悩むとき、このフレーズを書き出すと気もちがリフレッシュします。あなたにも好きな作家、好きな本があると思います。元気が出ないな……というとき、そのなかの大好きなフレーズを書き出してみてください。それが自分と向き合う時間となって、メンタル回復のきっかけになるはずです。

効果

メンタルが安定する。元気が出る。発信力、課題発見力アップ。

163

目のエクササイズをする

情報の入り口である目の疲れは、ものごとの認知を歪め、ネガティブに考える方向に影響していきます。逆に言うと、目の疲れを解消させると自己肯定感を高めることができるのです。

目の疲れの原因の１つは「目のまわりにある筋肉の緊張」です。眼球は外眼筋（がいがんきん）という６本の筋肉で支えられていて、**パソコンやスマホのディスプレイをじっと見続けるなど、長い時間、目を動かさないことで疲労を蓄積**していきます。

そこで、目のストレッチを行いましょう。

❶まぶたをギュッと固く閉じ、❷その後パッと大きく開きます。これを数回くり返した後、❸次に眼球をゆっくりと上下左右に動かしましょう。

３セットほど行ったら、❹仕上げに眼球を右回りに１回転、左回りに１回転、ゆっくりと円を描くように回します。

ギュッパ、ギュッパ、ぐるぐる、ぐるぐる、です。

目のまわりの筋肉がほぐれて疲れがとれるだけでなく、まばたきをすることで乾燥していた眼球に潤いをとり戻す効果もあります。

効果

目の疲労回復。ポジティブ思考になる。頭がスッキリする。

164

引き出しを1つだけ片づけてみる

片づけをしよう！ と決めるのは、１つの小さな課題を自分に課したことになります。そして、その課題をクリアし、狙った場所が片づくと達成感を得ることができるのです。**達成感は、自己効力感をはじめ、自己肯定感を構成する“６つの感”のすべてに好影響を与えます。**

できた！ すっきりした！ という満足感が、次の行動へのやる気、意欲を湧きやすくもしてくれます。

片づけが苦手という人は、とり掛かるまでに多くのエネルギーを必要とするでしょう。また、部屋全体を片づけようと考えると、それ自体がストレスになるかもしれません。

でも、安心してください。一度にすべてを片づける必要はありません。

机の上、引き出しのなか、クローゼットのなかなど、**部分的に目標を定め、手を動かし始めましょう。すると、「作業興奮」という作用が起きて、片づけに集中**できます。

なにより部分的な片づけのメリットは、ゴールが見えやすい点です。大掛かりな片づけを始めたものの、結局は散らかっただけ……ではストレスになります。でも、引き出しを１つだけ片づける！ と決めたのなら、極端な話、中身をほかの場所に移動させてしまえば、完了です。

こうして**小さな課題をクリアしていくうち、自分に合った片づけの方法がみつかり、苦手意識があったとしても薄れていく**はず。その変化がまた、自己効力感を高めてくれます。

効果

スッキリする。計画力、問題解決力アップ。

165

手帳の予定を色ペンを使って書く

手帳に予定を書き込むことは、目標を目に見えるようにするのと同じ効果があります。

- 「13時から会議」と書けば、会議に必要な資料は？ どんなテーマを話すか、といったことに自然と意識が向きます
- 「12時から○○とランチ」と書けば、友だちの顔が思い浮かび、何を話そうかなとワクワクしますし、店選びにも力が入ります
- 「19時からジム」と書けば、トレーニングに向けて、その日の食事にも気を配りますし、忘れものがないよう持ちものにも注意が向きます

このように**紙に書いてリスト化するだけで、実現のための準備や行動を無意識のうちにとれる**ようになるのです。

これはある状況を想定すると、直感的に正しい判断ができる無意識のパターン発見スキルが私たちに備わっているからです。

そして、この性質をさらに有効活用するのに効果的なのが、予定を色ペンで色分けして書くことです。

たとえば、仕事関係は赤、プライベートは青、トレーニングは緑など、色を使って書き分けることでテーマ別に予定を分類することができます。すると、そのテーマに沿った準備、行動がよりスムーズになっていくのです。

効果

正しい判断ができる。スムーズに行動できる。幸福感が高まる。

166

おりこうさんに見せたい日は ブルーを着る

初対面の人に安心感のある落ち着いたイメージ、賢い人、仕事ができる人といった印象を与えたいならブルーのアイテムを身につけましょう。

色彩心理学は臨床心理学の一部で、「色」と「人間の関係性」を心理学的に解明する学問。心の問題を解決するために、色の見え方や感じ方など、色に対しての人間の行動（反応）を研究していきます。

そんな色彩心理学で青は、鎮静効果を与える色だと言われています。実際、**「青い壁に部屋に入ると、体温や心拍数が下がり、集中力が増す」という研究結果も。**勉強や仕事に集中したい日、落ち着いてものごとに向き合いたい日にもブルーのアイテムは役立ちます。

また、海や空の色でもあるので、広大で開放感のあるイメージもあり、統計によると、青は日本人の一番好きな色でもあります。

・ブルーの心理効果

鎮静、闘争心を鎮める、集中力を高める、食欲抑制、睡眠の促進、リラックスさせる、清涼感を与える

・ブルーの与えるイメージ

知的、クール、かっこいい、ストイック、謙虚、神秘的、品がある、清らか、クリーン、純粋、慎重、信頼感、誠実、公平、広い、開放感、包み込む、忠実、安息、清涼感、許可、平和、眠り、若さ

効果

知的に見える。集中力が高まる。状況把握力アップ。

167

毎月1回、旬のお花を買って家に飾る

花はそこにあるだけで、見る人の気もちを「快」の方向に向けてくれます。

四季が明確に分かれている日本は、とても恵まれた環境です。

- 春は、さくら、菜の花、ガーベラ
- 夏は、ひまわり、あさがお、あじさい
- 秋は、コスモス、バラ、キク
- 冬は、ツバキ、ポインセチア、シクラメン

四季それぞれを彩ってくれる生花があり、色があり、香りがあります。

そんな花々を毎月１回、買って帰り、家に飾りましょう。季節を意識して、感じ、楽しむことで、心が潤っていきます。

花を愛でて五感を刺激することは、ネガティブな感情を和らげる効果があります。そして、飾って楽しむ余裕のある自分に「○」を贈ることができ、自己効力感も高まっていくのです。

効果

気もちが上向く。プラス思考になる。想像力が高まる。

仕事終わり、お気に入りのカフェで1時間だけボーッとする
［マインドワンダリング］

あなたはボーッとする時間、つくっていますか？

手が空くとスキマ時間を埋めるようにスマホをいじっては、たいして興味のない芸能ニュースを眺めたり、SNSをチェックしたり、そこで知った自分とは関係のない出来事に腹を立てて、モヤモヤしたり……。

その時間をぜひ、ボーッとする専用に使ってみてください。

ワシントン大学の研究では、**「ボーッとすると、脳は平常時の15倍は働き、アイデアも湧きやすくなる」**と報告されています。ちなみに、このとき働いているのは仕事や勉強のときに活発に活動しているのとは別の脳の部位。そこの血流がよくなり、「デフォルト・モード・ネットワーク（DMN）」が動き出し、**「マインドワンダリング」と呼ばれる、あれこれ脳内の情報や思い、感情を整理するモード**に入ります。

従来の脳神経科学の研究では、ボーッとしているときは脳が休んでいる状態だと考えられていました。しかし、ここ15年の研究でDMNの働きが明らかになり、ボーッとすることの意義が発見されたのです。

仕事終わりに、創造性が高くなるとされる天井の高いカフェや屋外の席で、積極的にボーッとしてみましょう。思わぬアイデアが下りてくるかもしれません。

ちなみに、最初はなかなかDMNに入る感覚がつかめないかもしれないので、１時間と時間を区切ってトライするのもオススメです。

効果

アイデアが出る。思考、感情を整理できる。集中力が高まる。

仕事が一区切りしたら、カフェでドリンクを買って帰る

［マインドセット］

あなたにはこんな経験はありませんか？

恋人と待ち合わせのとき、たまたま親からかかってきた電話で口論に。やりとりがピークになったところで恋人が現れ、慌てたものの、「ちょっと待って」と親に言い、恋人にはまったく怒っている素振りを見せず、うまく対応することができた。

あるいは、料理中に料理が焦げついて慌てている真っ最中に宅配便が届き、インターホンには「ありがとうございます」と外向きの自分であいさつができた。

このように**私たちはシチュエーションに合わせて、うまく自分の見せる顔をコントロールすることができるのです。ところが、自己肯定感が下がると、その切り替えがスムーズにできなくなってしまいます。**

そんなとき役立つのが生活のリズムのなかに切り替えのスイッチをつくること。たとえば、「寝る前に部屋の電気を消したら、ぐーっと伸びをする」と決めておくと、内向きの自分になるスイッチとなり、眠りに入りやすくなります。

同じように、「仕事が一区切りしたら、カフェでドリンクを買ってから帰る」をスイッチにすると、オンとオフの切り替えがスムーズになります。職場でのあれこれを考える外向きの自分はここまで。この後はプライベートの内向きの私、と。**区切りをつけるコツをつかむと、メンタルが安定します。**

効果

気もちを切り替える。セルフコントロールがうまくいく。問題解決力アップ。

170

いつもと違う道を歩いてみて違った景色を楽しむ

基本的に私たちは、ポジティブとネガティブのあいだを行ったり来たりしながら生きています。その感情の動きは、一気に切り替わるものではありません。

ネガティブな感情からいきなりポジティブな感情に転じることはなく、ゆるやかにフラットな状態に向かってから移り変わっていきます。

職場でめちゃくちゃ嫌なことがあっても、外に一歩出たら「さあ、プライベートだ、楽しもう！」と思える人はほとんどいないはずです。

でも、世のなかには切り替えがうまい人、自分のご機嫌を整えるのが得意な人たちがいます。

彼ら、彼女らは特別なメンタルの持ち主というわけではありません。ましてや「喜び・うれしさ・楽しさ」などの「ポジティブな感情」だけで日々を過ごしているわけでもありません。

それでも、**切り替えがうまく、ご機嫌よく見えるのは、自分をフラットな状態にもっていき、うまく感情をコントロールする術を知っているから**です。

そのコントロール術の１つが、「いつもと違う道を歩いてみて違った景色を楽しむ」こと。いつもとは違う景色が、違う感情を呼び起こしてくれます。道行く人を眺め、季節によって変わっていく風景を楽しみながら歩く習慣をスイッチにして、自分の感情をフラットな状態に戻していくわけです。

効果

感情コントロール。実行力が高まる。柔軟性が身につく。

171

会社帰りにサクッと友だちと会い サクッと30分で解散する

対人関係でトラブルが起きないように、自分が相手側に合わせることを繰り返していると、大きなストレスを感じます。

表面的には人つき合いが上手で友だちも多く、職場のムードメーカー的な存在でも「誰も本当の自分をわかってくれる人はいない」「努力し続けないと人は離れていく」と空虚な思いや不安を抱えている人もいます。自分をつくって、人に好かれるという状態は自己肯定感をすり減らすことになるからです。

とはいえ、職場や学校でありのままの自分を出し切るのは難しいもの。そこで、そういった**オフィシャルの場から離れたところで、「そのままのあなた」を受け止めてくれる友人や仲間と会う時間をつくりましょう。**

それもサクッと30分。このくらいなら忙しくても誘いやすいですし、お互いのペースも乱れません。パパッと話して「今度、おいしいものを食べに行こう」「人気のスイーツの店に行ってみよう」と未来の予定を立てましょう。すると、自分には受け止めてくれる人がいると安心でき、自己肯定感が回復していきます。

効果

安心できる。ストレスコントロール力アップ。主体性が身につく。

172

あれこれ考えずに
とにかく始めてしまう

資格をとりたい。英語が話せるようになりたい。2拠点生活を始めてみたい。転職したい……。何か願望をもったとき、私たちは同時に「でも……」とできない理由も探してしまいます。

これは**「失敗回避欲求」**と呼ばれています。誰しも新しいことに挑戦しようとするとき、自分の身を守ろうと、無意識のうちにできない理由を挙げ、現状に踏みとどまることを正当化してしまうのです。

こうした**失敗回避欲求の壁を超えるには、「あれこれ考えず、とにかく始めてしまう」のが効果的。**挑戦するにあたって、何よりも大切なことは不安に押しつぶされる前に始めてしまうことです。

見切り発車でもいいので、**「スモールステップの原理」**を思い出し、「達成できそうな課題に設定し、小さな成功体験を得ること」を目指しましょう。

- もっとも簡単だとされている資格の参考書を買ってみる
- オンラインの無料英会話レッスンを受けてみる
- 2拠点生活者のブログを読んでみる

そんなふうにすぐに達成できることを積み重ねたら、次に「少し努力をすれば達成できること」を設定し、進んでいきます。その繰り返しの先に当初の大きな目標の実現が見えてくるのです。

効果

目標達成に近づく。実行力が高まる。ポジティブ思考になる。

173

月に1回 ウィンドウショッピングをする

人間の心はつねに新しい刺激を求める性質をもっています。

変化の少ない生活を続けていると、「今日もいつもと同じことの繰り返し」と日常がマンネリ化。いつもと同じ道で会社に通い、同じ風景を眺め、同じ人間関係で、同じ店に行き、いつもと変わらぬ食事をする……こうした生活は安定していても刺激に欠けます。

刺激がない暮らしは、感情を停滞させ、自己効力感を低下させます。

そこで、月に１回でもいいので、自由にウィンドウショッピングをする時間をもちましょう。

靴や洋服、帽子、アクセサリー、カバンを試着してみたり、DIYグッズ、インテリアなどを見て回って想像を膨らませたり、いつもの自分なら買わないものを試したり、いろいろ見て回ったりするだけで、刺激になり、心が潤います。

そんな時間が勝手にあなたの自己効力感、自己肯定感を高めてくれるのです。

効果

日常に刺激を与える。柔軟性が高まる。想像力アップ。

174

「イライラ」したら ニーッと口角を上げてみる

「悲しいから泣くのではなく、泣くから悲しくなる。おもしろいから笑うのではなく、笑うからおもしろくなる」

これは「ジェームズ＝ランゲ説」と言って、19世紀後半に2人の心理学者、ウィリアム・ジェームズとカール・ランゲによって提唱された理論です。

一見、信じがたい説ですが、20世紀以降の心理学のさまざまな研究と実験によって、行動が感情を呼び起こすことが証明されています。

怒りに任せものを投げつければ、その行動は怒りを増幅させ、笑う人の横に大笑いする人がいれば、その場の笑いはさらに大きくなります。

ですから、イライラしているときはニーッと口角を上げてみてください。**脳は笑顔になったから楽しいに違いないと誤解し、感情をいら立ちではない方向に切り替えてくれます。**

つくり笑顔が心を変えることがあるのです。

効果

イライラ解消。楽しくなる。ストレスコントロール力、問題解決力が高まる。

175

マイナス思考に陥ったら「ついてる！ ついてる！ ついてる！」と自分に言い聞かせる

「ついてる！ ついてる！ ついてる！」と自分に声をかけるのは、まさにアファメーションです。

私もマイナス思考に陥りそうな気配を感じると、「今日もついてる！ ついてる！」と自分を鼓舞しています。

そのとき同時に思い浮かべているのが『トム・ソーヤーの冒険』の作家でもあるマーク・トウェインの言葉です。

「今から20年後、君はやったことよりも、やらなかったことに大きく失望するだろう。自分を縛っている紐をすぐに解け。その一歩を前に踏み出せ。そして自分の可能性を信じろ。探検せよ、夢を見ろ、そして発見を楽しむのだ」

ワクワクしてきませんか？

自己肯定感が高い人は、「私はついてる！」と自分を肯定することができます。自己肯定感が低い人は、「私はどうせ……」と自己否定から始まります。

どちらの歩み方が楽しそうですか？

考え方、捉え方を決めるのはほかでもない、あなたです。**1人でいられる瞬間に、こっそり「ついてる！ ついてる！ ついてる！」と唱えてみましょう。不思議とテンションが高まってくるはずです。**

効果

マイナス思考から脱出。テンションが高まる。問題解決力アップ。

176

朝、洗顔しながら「今日を楽しもう！」と伝える

朝、起きて洗面所で顔を洗う瞬間は、その日１日の自分のご機嫌をコントロールするのにもっとも適した時間です。

基本的に起き抜けから「ご機嫌！」という人は少数派。なぜなら、朝はストレスホルモンとして知られるコルチゾールの値が１日で一番高くなるタイミングだからです。

「朝からテンション上がらないなんて、自分はマイナス思考なのかも……」と自分を責めるのはやめましょう。むしろ、「もう朝かー」「もうちょっと寝ていたいなー」「仕事かー」「学校かー」とモヤモヤするのが、自然なことです。

そんな朝のモヤモヤ、イライラを軽減するのに効果的な方法が**「過去の楽しい記憶を思い出すこと」、そして、「洗顔しながら『今日を楽しもう！』と伝えること」**です。

ケンブリッジ大学が行った研究では、朝、起きた後に１分間、過去のポジティブな記憶を思い出すだけでコルチゾールの値が減少すると報告されています。

そうやってモヤモヤ、イライラを軽減させたところで洗顔中に鏡を見ながら、「今日を楽しもう！」とアファメーション。ふかふかのタオルで顔を拭けば、気持ちのいい１日のスタートになるはずです。

効果

ストレス緩和。1日を快適にスタートできる。ポジティブ思考になる。

177

あいさつは相手より ワントーン高くする

「おはようございます」「こんにちは」「今日はよろしくお願いします」

初対面の人に対しても、何度目かの商談相手でも、あいさつが与える印象は対人関係を良好にするため、とても重要な要素です。

心理学の複数の研究によって、第一印象は0.2秒から７秒のあいだにつくられることがわかっています。つまり、**あいさつの声のトーンは、あなたの第一印象を大きく左右する**のです。

感じのいい声ならば「感じのいい人」に、ボソボソした声ならば「なんか暗そうな人」に、イライラした声ならば「気が短そうな人」に……。

もし、対人関係に悩みを抱え、自己効力感を失っているのなら、あいさつの声のトーンに意識を向けてみてください。

基本的に、声のトーンを高くすると、明るさや若々しさを演出でき、相手にさわやかなイメージを与えられます。

とくに男性は低い声になりがちで、そんなことはまったくないのに「怖い人かも？」「不機嫌なのかな？」という印象を残すことに。そうならないためには、**意識的に口角を上げて発声するのが効果的。口が大きく開くので、自然と声がワントーン上がります。**

対人関係が良好なら、自己効力感は高く安定します。あいさつの声から印象を変えていきましょう。

効果

第一印象アップ。対人関係が良好に。状況把握力、柔軟性が高まる。

178

でんぐり返しをしてみる

あなたは最後に「でんぐり返し」をしたのが、いつか覚えていますか？

子どもの頃は、布団の上で毎日のようにやっていたのに、大人になると、めっきりやる機会がなくなります。

じつは、**でんぐり返しには背中を全体的に刺激し、ゆがんだ背骨を整え、心身の疲れを癒やす効果がある**のです。

背骨には、「脊髄」という神経の幹が通っています。脊髄は、体と脳をつなぐ重要な部位。脊髄からたくさんの神経が体全体に延びており、脳の司令を伝えています。

脊髄周辺の筋肉が凝り固まると、脳の信号が体にうまく伝わらなくなり、疲労感も強くなります。

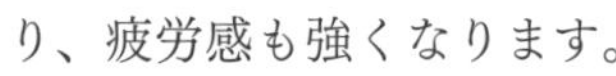

そんなとき、ゴロリとでんぐり返りをすると、背骨全体が刺激されます。また、脊髄周辺の筋肉を均等にほぐす効果もあり、疲れが軽減されるのです。

効果

疲労回復。実行力が身につく。ストレスコントロール力アップ。

179

砂遊びをする
［箱庭療法効果］

砂遊びと聞くと、公園の砂場をイメージする人がほとんどだと思います。ただ、心理療法の現場では古くから**「箱庭療法（別名、砂遊び療法）」**が効果的なセラピーとして使われてきました。

箱庭療法の起源は1929年。英国の小児科医マーガレット・ローエンフェルトが技法化し、ユング系の心理学者たちが発展させてきました。

砂の入った箱に思い思いの庭をつくっていくあいだ、クライアントは子どもも大人も夢中になり、自分の世界に入っていきます。そこでは砂のもつ独特な感触も手伝って、適度な心理的退行が起こり、日常のさまざまなしがらみや制約を離れることができるのです。

臨床心理学では、このこと自体に大きな癒やしの効果があると認めています。つまり、**大きなストレスを抱えている大人も「砂」に接することで童心に帰り、緊張した精神を緩ませ、ストレスを緩和することができる**わけです。

- 仲間と海に行ったとき、ビーチの砂で遊んでみる
- 子どもと公園に遊びに行ったとき、一緒に砂場で遊んでみる
- 屋内でも使える汚れない砂のおもちゃを買ってきて遊んでみる

そんなふうに砂と親しんでみてください。ワクワク夢中になって何かをつくっている自分に気づくはずです。

効果

ストレス解消。マインドフルネス。想像力が高まる。実行力が高まる。

スイッチONでポジティブなイメージに切り替え、スイッチOFFでネガティブなイメージを消す

［ヴィジュアルスカッシュ］

- 本当は資料をつくらなくちゃいけないのに、マンガを読んでしまう
- 休みの日の朝、家事が山積みなのに、布団から出られない
- 仕事をするはずが、ネットショッピングのサイトを見てしまう

本当は◯◯をしなくちゃいけないのに、××をしてしまった……と、後になってから反省すること、よくありますよね？ そこで「自分はダメだ」と落ち込んでしまうと、自己効力感の低空飛行が始まってしまいます。しかし、冷静に考えてみると、予定通り◯◯ができていればよかったのは事実ですが、してしまった××にもポジティブな面はあります。

たとえば、マンガを読んで笑えたら最高ですし、布団でぬくぬくする時間は心身を回復させ、ネットショッピングは刺激と発見を与えてくれます。もちろん、資料ができたら安心しますし、家事が片づけばスッキリしますし、仕事はやったぶんだけ進みます。

ただ、客観的に見ると、どちらの行動にもあなたにプラスはあるわけです。そんなふうにやってしまった行動、できなかった行動、それぞれのポジティブな面に目を向けるようにしましょう。

頭のなかにスクリーンを用意。オンボタンでそれぞれのポジティブなイメージを映し出し、ネガティブな反省が浮かんだらオフボタンで消しましょう。これはNLPの「ヴィジュアルスカッシュ」という技法のアレンジ版ですが、ムダな反省と落ち込みを避けることができます。

効果

落ち込み回避。プラス思考になる。問題解決力アップ。

181

夢や目標を書き出し、いつも見えるところに貼っておく

実際に書き出してみましょう

ドラマや映画では、受験生の主人公の部屋の壁に「絶対、合格！」と書いた紙が貼ってある演出をよく目にします。夢や目標を実現する方法の１つとして「目標を壁に貼る」のは、世界中でポピュラーなものです。

実際、ハーバード大学の調査でも目標を紙に書き出すことで、年収に最大10倍ほどの差が出るなど、行動力の差によって生じる可能性が指摘されています。

真剣に考え、書き出し、日々それを目にすることで脳がゴールに向けて働き出し、自然と夢や目標を実現するための行動が増えていくのです。

効果

目標達成率、計画力、行動力アップ。ポジティブ思考になる。

182

「もしかしたら別の理由があるかも」と違う見方をつくってみる

私たちはさまざまな**「認知バイアス」**をもっています。

- **バンドワゴン思考**……「みんながいいと言ったものがよく見えてくる」
- **コントロール幻想**……「自分がコントロールできないことに対しても、100％自分のせいだと思えてしまう」
- **極端の回避性**……「8000円のコース、5000円のコース、3000円のコースが提示されると、多くの人は失敗が怖いので『無難な5000円（真ん中）』を選んでしまう」

こうした特性は人間の脳で起きる「あるある現象」のほんの一例で、どんなに頭のいい人でも認知バイアスから完全に逃れることはできません。

また、他人の認知バイアスははっきりと見えて指摘できても、自分がしていることになると自覚できないものです。

大事なのは、何事に対しても「もしかしたら別の理由があるかも」と違う見方をつくってみること。すると、この思い込み、さっきの間違った判断、あの人の無茶な行動は、認知バイアスのせいだったのかもしれないと気づけるようになります。

違う視点で見てみる習慣をつけると、ものごとのとらえ方に深みと広がりが生まれ、感情も行動もコントロールしやすくなるのです。

効果

視野が広がる。思い込みが減る。状況把握力アップ。柔軟性が身につく。

183

コップに水が「半分しかない」と考えるのではなく、まだ「半分ある」と考える

経営学者のピーター・ドラッカーが世に広めた有名な**「コップの水理論」**。改めて、あなたはコップに半分入った水を見て、どう捉えますか？

ある人は、「水が残り少ない。かなり追い詰められた状況にいる」と捉え、「節約しなくては。現状を維持できるように」と行動し、「不安が不安を呼ぶ」感情のモードに入っていきます。

別のある人は「まだこんなに残っている。挑戦していく余地は十分にある」と捉え、「今のうちに水を増やす行動を。どうすればうまくいくか探ろう」と行動し、冷静な感情のモードで焦らず問題を解決しようと考えます。

あなたはどちらに近いでしょうか？

もちろん、どちらの捉え方が正解というわけではありません。ある局面では、不安からくる節約と現状維持が命を救うこともあります。

ただ、自己効力感を高める意味では、できると思える可能性が広がる「まだ半分もある」という捉え方が効果的。**前向きな捉え方は、行動力アップにつながり、感情をポジティブにしてくれる**からです。

効果

価値観を知る。可能性を広げる。想像力が高まる。柔軟性が身につく。

第 **4** 章

「自己信頼感」を高める・貯める

自己信頼感とは、自分を信じられる感覚。自己信頼感が高まれば、可能性は無限大であると感じ、次から次へと新しい人生の扉を探せるようになります。自信をつくり出すことができ、セレンディピティを引き寄せます。

毎日みたらチェックしよう！

［習慣トラッカー］

自己信頼感の項目は184から245まで。順番に読んでも、気になるところからでも、パッと開いたページからでもOK。読んだらその番号のマスをぬりつぶしましょう。自己信頼感がどんどん貯まり、達成感もアップします。

［ チェック方法の例 ］

ぬりつぶす　斜線でぬりつぶす　斜線を引く　丸をつける

184	185	186	187	188	189	190	191	192	193	194	195	196	197	198

199	200	201	202	203	204	205	206	207	208	209	210	211	212	213

214	215	216	217	218	219	220	221	222	223	224	225	226	227	228

229	230	231	232	233	234	235	236	237	238	239	240	241	242	243

244	245

よくできました！

184

ていねいに
手を洗う

「ちょっと気分が乗らなくなってきた」
「集中力が切れちゃったな」
「周囲のざわざわが気になって落ち着かない」

オフィスなどで「なんかちょっと、集中できない」と感じたときは、席を立って小休憩を。洗面所に行って手を洗いましょう。それもちゃちゃっと流すのではなく、ゆっくりていねいに洗います。

手のひら、手の甲、手首、親指、人差し指、中指、薬指、小指。それぞれの部位に意識を向けてていねいに洗ううち、一時的に前後のさまざまな予定、出来事が頭から消えていきます。

ほんの３、４分ですが、そうやって**洗面所でていねいに手を洗う時間は、瞑想に似た効果をもたらしてくれます。**

瞑想は心をリラックスさせ、不安、恐れ、心配といった人間が根源的にもっている防衛本能の働きを緩めてくれるのです。すると、気もちが変わり、途切れていた集中や落ち着きが戻ってきます。

ていねいな手洗いはどこでもできる手軽な瞑想法なのです。

効果

気もちが切り替わる。不安、恐れ、心配の緩和。ストレスコントロール力アップ。

185

「できる、できる、できる」と自分に暗示をかける

自己信頼感

「できる、できる、できる」は単純なフレーズですが、アファメーションの効果が高い言葉です。テンポよく口にすることができ、張り詰めた緊張感やストレスがすっと抜けていきます。
予想外なことが起きて動揺したとき、アンラッキーな展開に見舞われてひとしきりボヤいた後など、自分に向けて「できる、できる、できる」と声をかけ、気をとり直して、ポジティブな気もちで歩みだしましょう。

効果

気もちの切り替え。緊張緩和。再スタートを切る。主体性が身につく。

186

「根拠のない自信」を大切にする

私は自分の講座でよくこんな話をしています。

「私たちが感じることはすべて自分自身がつくり出していることです。勇気も自信も、苦しみも後悔も。だから、勇気がなければ、勇気をつくればいい。自信がないなら、自信をもてばいい」

じつは自己効力感を磨くことが勇気をつくることになり、自己信頼感を高めることが自信をもつことにつながります。

つまり、**勇気と自信は自分でつくることができる**のです。

自己信頼感は、自分を信頼して行動する感覚。

アメリカの思想家ラルフ・ウォルドー・エマソンは**「根拠のない自信こそが絶対的な自信である」**という言葉を残していますが、私たちは自分を信じ抜くことでどんな困難な状況でも人生を切り開いていくことができます。

挫折感に打ちひしがれたときも自己信頼感を回復させれば、再び立ち上がり、やり抜く力を得ることができるのです。また、**自己信頼感が高まっていると、自分の選択に自信がもてるので直感力が鋭くなります。**

直感的に感じる「なんとなく、できそう」「やれるでしょ」「おもしろいことになりそう」といった根拠のない自信を大切にしましょう。

効果

自分を信頼できる。直感力が鋭くなる。主体性が身につく。実行力が高まる。

187

ネガティブ思考は思い込み

自己信頼感が損なわれてしまうと、自分のことが信じられないため、ネガティブな思い込みを否定することができず、不安が増していきます。

この自動思考を断ち切るには、2つの方法が有効です。

1つは、**ネガティブな思い込みを「ネガティブな思い込み」だと自覚する**こと。もう1つは、**「ネガティブな思い込み」を手放すこと**です。

そのためには「課題の分離」（232ページ）というテクニックが役立ちます。まず、「今、抱えている課題、悩み」を思い浮かべます。仮に「上司がイライラしていて仕事しづらい」のだったら、それが上司側の問題か、自分側の問題かに仕分けます。

つまり、「課題の分離」とは「最終的にどっちの責任なの？」と、責任の所在をはっきりさせていくテクニックです。そして、自分側に問題がないとわかったら、その悩みは考えても仕方がないネガティブな思い込みとして手放せます。

根底にあるのは、アドラー心理学の**「他人の課題には踏み込む必要がない」**という考え方です。

アドラー心理学の創設者アルフレッド・アドラーは「人間は自分の人生を描く画家である。あなたをつくったのはあなた。これからの人生を決めるのもあなた」と述べています。

ネガティブな思い込みなどに邪魔されず、自分の絵を描いていきましょう。

効果

悩み解消。行動力アップ。ポジティブ思考になる。状況把握力が高まる。

188

「もう、や～めた！」と言ってみる

［脱フュージョン］

考えても仕方がないとわかっているのに、くよくよ悩み続けてしまう自分がいたら、「もう、や～めた！」と声に出して言ってみましょう。

これは不安を遠ざける方法として、心理療法の現場で使われている**「脱フュージョン」**というテクニックです。

そもそもフュージョンとは「融合」「混ざり合う」といった意味。そこに「脱」をつけた**「脱フュージョン」は、混ざり合った私たちの感情から負の感情を切り離す効果があります。**

しかも、脱フュージョンには「歌唱法」と呼ばれるバージョンがあり、明るく気もちを切り替えたいときにオススメです。

「もう、や～めた！」をミュージカルっぽく節をつけながら歌ってみましょう。コミカルでバカバカしいと思えたら、大成功。だからこそ、自分の感情を切り離すことができ、笑いとともに負の感情を遠ざけることができるのです。

効果

気もちの切り替え。負の感情を遠ざける。ストレスコントロール力アップ。

189

それはあなたの課題？ほかのだれかの課題？

［課題の分離］

あなたが今直面している人間関係の悩みについて、課題を６つ挙げ、その課題は自分の課題なのか、相手の課題なのか、仕分けてみましょう。

【　　　　　　　　編】
下記の課題は、誰の課題か考えましょう

①

②

③

④

⑤

⑥

①	②	③	④	⑤	⑥

230ページで紹介した「課題の分離」を筆記式にしたワークです。「今、抱えている課題、悩み」を箇条書きにして整理しましょう。そして、それぞれを「相手の課題」「私の課題」というように、誰の課題かの仕分けをし、責任の所在をはっきりさせていきます。すると、今、感じている**不安や悩みの正体が「自分の課題」か「他人の課題」かが明確になり、自分が思う最善の選択をすることに集中できるようになる**のです。

効果

課題が整理できる。判断力が高まる。計画力が身につく。柔軟性が高まる。

190

目を隠して 10秒瞑想

多くの情報の入り口となっている視覚を休ませることで、脳は小休止することができます。その具体的な方法としてオススメなのが、目を手のひらで隠しての10秒間の瞑想です。

1. 眉を指で抑え、眉毛の真ん中あたりにある「魚腰（ぎょよう）」と眉頭のくぼんだ部分にある「攢竹（さんちく）」のツボを押す
2. ツボを押しながら手のひらで目を隠す
3. 首と腰を曲げて顔を下に向ける
4. そのまま10秒瞑想する

ツボを押すことで心拍数が下がり、首と腰を曲げて顔を下に向けることで副交感神経が優位に。リラックスして穏やかな気もちになります。

効果

リラックス効果。疲労回復。ストレスコントロール力アップ。

191

好きなポスターや写真や絵を玄関に飾る

自宅の部屋は、私たちにとって安心を感じる空間です。

そのぶん、そこから外に出かけるとき、私たちは無意識のうちに軽い緊張を感じます。

とくに自己肯定感が低くなっているときは、「また満員電車に乗るのか」「営業先を回るの、気が重いな」「苦手な人の顔を見るの、嫌だな」と出かけた先で起きるかもしれないネガティブなことを考えてしまいます。

すると、感情が「不快」になり、ますます自己肯定感が下がってしまうのです。

そんな**感情が快から不快、ポジティブからネガティブに変化するのを抑えるためのテクニックが「好きな風景の映ったポスターや絵を玄関に飾る」**です。

以前、訪れて感動した街の風景を捉えたポスター、大好きな画家の代表作、何度となく読み返したマンガのキャラクターが描かれたイラスト、推しのアイドルのピンナップなど、気もちが上がる１枚ならなんでもかまいません。

玄関という感情が動く場所だからこそ、「今日もいこう！」「おつかれ、今日もがんばったね！」とポジティブなメッセージが心に入ってきます。**家から出るとき、帰ってきたとき、そこにあるポスターや絵を目にすることで、「快」の感情にスイッチすることができる**のです。

効果

ポジティブになれる。実行力が高まる。想像力が身につく。

192

目を温める

「目は心の窓」と言われますが、目は脳と直結している特殊な器官です。

脳から出ている末梢神経は12種類ありますが、そのうち3つの神経、三叉神経、視神経、動眼神経が目につながっています。そして、脳が処理している情報のうち8割以上が、視覚を通して集められているのです。

それだけ多くの情報の入り口である**目を休めることは、その後の思考力、集中力の回復につながります。**

その具体的な方法として、目を温めましょう。すると、目のまわりの筋肉の血流が改善されます。**血の巡りがよくなることで、筋肉を動かすためのエネルギーが円滑に運び込まれ、同時に疲労物質が排出**されます。その結果、目の疲れが軽減されるわけです。

電子レンジで温めた蒸しタオル、ドラッグストアなどで購入できるホットアイマスクなどを使い、5分ほど目元を温めると、ぽかぽかして筋肉がゆるみ、眼精疲労のほか、ドライアイなどのつらさも軽減されます。

自己信頼感

効果

思考力、集中力アップ。疲労回復。眼精疲労。ストレスコントロール力アップ。

193

「パン！」と
手をたたく

自己信頼感

私たちは区切りがないとだらだらとしてしまうもの。それは悔いても変わらない過去の失敗についての振り返りであったり、考えても仕方がない未来への不安であったりといったネガティブな思考でも同じです。
暗い気もちになりながら、さらに怖い想像を膨らませて、抜けられなくなります。そんなとき「パン！」と手をたたいてみてください。
一気に「今、ここ」のあなたに戻ることができ、思考を切り替えることができます。

効果

気もちを切り替える。ストレスコントロール力アップ。柔軟性が身につく。

194

スマホ・PCから 離れる時間をつくる

「なかなか疲れがとれない」
「心が休まらない」

そんな悩みを抱え、自分を信じる力が弱まっているなら、スマホやPCなどのデジタルデバイスから離れる時間をつくり、**「デジタルデトックス」**しましょう。というのも、スマホのある生活が当たり前になりすぎた現代では、知らず知らずのうちにSNS疲れなどでメンタルのコンディションが落ちてしまうからです。

デジタルデトックスとは、一定の期間デジタルデバイスとの距離を置いたり、自分なりのつき合い方を見直したりするとり組み。もちろん、スマホやPCを完全に使わない！ という極端な方法ではありません。

たとえば、スモールステップとして次のようなルールを設けます。

- 一人、カフェで過ごすときは使わない
- 友人と過ごすときはスマホに触れない
- 寝る前、２時間は電源をオフにする

１つクリアできたら、また違うルールを設定して、少しずつスマホやPCから離れる場面を増やしていきます。そして、**できた時間を自分のため、親しい人と過ごすために使いましょう。**

効果

デトックスできる。メンタルが安定。柔軟性が身につく。

195

仮眠をとる

心理学の研究で、睡眠不足は自己肯定感を低下させることが明らかになっています。

そこで、昼休みなどの休憩時間、目を閉じ、じっと休息することで疲れと眠気をとり、脳を回復させる**「パワーナップ」**という仮眠の方法を試してみましょう。

パワーナップは、コーネル大学の社会心理学者ジェームス・B・マースが提唱する仮眠の方法で、15〜20分、目を閉じ、うとうと休息をとるというもの。その効果は夜の3時間の睡眠に匹敵すると言われています。

パワーナップを行う際は部屋の明かりを消した状態で横になり、目を閉じ、ゆっくり呼吸する状態が最適とされています。

しかし、**椅子に座った状態で目を閉じ、腕を枕に呼吸のペースを落とすことでも同様の効果が得られる**こともわかっています。周囲の物音や光が気になる場合は、耳栓やアイマスクを用意しておくといいでしょう。

効果

疲労回復。集中力、ストレスコントロール力アップ。主体性が高まる。

196

胸を張る

ストレスから神経が高ぶった状態が続くと、全身の筋肉がこわばってしまいます。そんなときは**体をメンテナンスすることで、感情の「憂うつ度」をぐっと下げることができる**のです。

手軽な方法として、立ち上がり、胸を張ってみてください。

たったこれだけのアクションで、血流がよくなります。また、コロンビア大学の研究で、胸を張った姿勢をとると、脳内で不安や恐怖を感じたときに出るコルチゾールが下がり、勇気のホルモンと呼ばれる「テストステロン」が増えることもわかっています。

つまり、**胸を張るとストレスが緩和され、やる気が出る**のです。

仕事中、ちょっとしんどいなと感じたら、立ち上がってグッと胸を張りましょう。

このシンプルな習慣が、「快」の感情をつくり出し、「しんどいなー」という気分を、「もうちょっとがんばるかー！」というテンションに変えてくれるのです。

効果

やる気が出る。ストレス緩和。実行力が高まる。ポジティブ思考になる。

197

部屋の空気を入れ替える

私は真夏でも真冬でも、朝、起きたらすぐに窓を全開にします。外気をとり込み、部屋の空気を入れ替え、ゆっくりと深い呼吸をし、脳に酸素を送り込みます。

もちろん、住宅事情はそれぞれだと思いますので、窓の開け方は許せる範囲で。ただ、**部屋の空気を入れ替え、新鮮な空気を吸うことで気分は確実にリフレッシュ**します。

そして、頭がスッキリしたところで、その日の予定（もしくは、その後の予定）を整理しましょう。というのも、多すぎる選択肢は、人間から意思決定力を奪い、選択できない状態にさせるからです。

日々の「なにかをやる／やらない」「どちらにする／しない」「Aか、Bか、Cか、決める」といった選択をくり返すたび、私たちの意思決定力は減少していき、物事に集中できない状態に陥っていきます。

そこで、フレッシュな気分のうちに、その日のスケジュールをざっくり組み立ててしまいましょう。

会社に着いたら、最初にとり掛かる仕事は？

何時を目処に終わらせる？

次に優先させる作業は？

これから起きそうな選択を予測し、準備しておくわけです。ざっくりとした**行動プランをつくる習慣が身につくと、「選択疲れ」を遠ざけることも**できます。すると、自己信頼感を含め、自己肯定感が高まります。

効果

リフレッシュ効果。決断力、状況把握力が高まる。主体性が身につく。

カレンダーに〇をつける［習慣トラッカー］

［始めたいこと　　　　　　　　　　　　　　　　　］

1	2	3	4	5	6	7	8	9	10	11	12	13	14	15	16
17	18	19	20	21	22	23	24	25	26	27	28	29	30	31	

［習慣化したいこと　　　　　　　　　　　　　　　］

1	2	3	4	5	6	7	8	9	10	11	12	13	14	15	16
17	18	19	20	21	22	23	24	25	26	27	28	29	30	31	

［やめたいこと　　　　　　　　　　　　　　　　　］

1	2	3	4	5	6	7	8	9	10	11	12	13	14	15	16
17	18	19	20	21	22	23	24	25	26	27	28	29	30	31	

カレンダーに「これから始めたいこと」「やめたいこと」など、習慣にしたいことを箇条書きし、できた日は「〇」、できなかった日は「×」といったマークを書き込んでいきましょう。上記を使ってもOKです。

これは**「習慣トラッカー」**と呼ばれるテクニックで、習慣ができたかどうかを毎日チェックする一覧表のようなものです。

できた実感を「見える化」していけばいくほど、その経験があなたの自信につながり、自己肯定感を大きく引き上げてくれます。

効果

習慣力、継続力アップ。自信がつく。計画力が高まる。

SNSから距離を置く

私たちの生活に切っても切れない身近な存在となったSNS。私もTwitter、Instagram、Facebookを活用し、楽しんでいますが、自己肯定感を切り口にSNSを考えると、少し心配な点もあります。

それは「他人との比較」の機会が増えてしまうことです。

SNSを通じて見る友人、知人の日常が自分のそれよりも華やかで、充実しているのではないか、と。自分と誰かの差が目につき、知らず知らずのうちに比較して、焦りやいら立ちといった不快の感情を覚えることで自己肯定感はゆっくりと下がっていきます。

しかも、他人との比較で自己肯定感が揺らいでしまったとき、私たちは周囲から認められたいという承認欲求が強くなります。

つながっている友人、知人に認められたい。

そんな思いからの行動は、動機が「やりたい」ではなく、「承認欲求を満たすため」なので、充足感を得られません。むしろ、「次は何をしたらいいのだろう？」と周囲の反応を見てしまい、そんな自分に無力感を覚えて、自己肯定感をさらに低くすることになってしまうのです。

SNSを使ううえで気をつけたいのは、「認めてもらいたい！」という気もちが強くなったら、「自己肯定感が低くなっているのかも」と疑ってみること。そして、違和感を感じたなら、SNSから距離を置く時間をもちましょう。**「1日に30分しかアプリを開かない」などとルールを決め、他人との比較と承認欲求の罠から逃れる**ことをオススメします。

効果

人と比べなくなる。人の評価が気にならなくなる。状況把握力が高まる。

200

ルーティンを
つくってみる

ここまで自己肯定感の上がるさまざまなテクニックを紹介してきました。これら１つ１つは単体で実行しても効果的ですが、**うまくルーティンとして生活に組み込むとより効果を発揮**してくれます。

繰り返されていく毎日の質が向上すると、それだけ自己肯定感も高まり、安定するからです。

たとえば、朝、昼、夜にこんなルーティンをとり入れてみてください。

- 朝起きたら、外の空気を室内にとり入れ、ぐーっと伸びをする。やる気のホルモン「テストステロン」が分泌されて、モチベーションが高まる
- 昼休みに散歩をする。精神を安定させる作用がある神経伝達物質「セロトニン」が脳から分泌されて、不安感情が減少し、心身が安定する
- 帰宅後、５分と決めて家のなかの気になる場所を掃除する。「きれいになった！」と目に見えるスッキリ感から小さな達成感を得る

こうした**シンプルなルーティンを日常に組み込むことで、１日のリズムにメリハリができ、生活の質が向上**します。

効果

1日の質が向上。計画力が高まる。習慣力が身につく。

201

空を見上げる

気もちがふさぎ込んでしまっているとき、なんとなくうまくいかないなと困っているときなど、私たちは自己信頼感が落ちてくると、自然と背中を丸め、うつむきがちになります。すると、気道が押されて狭くなり、どうしても呼吸が浅くなってしまいます。

つまり、うつむき、浅い呼吸を繰り返す状態は、体に緊張とストレスをもたらし続けるのです。

だからこそ、空を見上げましょう。

おでこが天に向かい、視線が上がれば、気道も開き、呼吸が深くなります。

そして、「空が青いな」「雲が流れていくな」「夕焼けが真っ赤だな」「月がきれいだな」と感じるうち、心配ごとや困りごとが少しだけ遠くにいってくれるのです。

また、大阪市立大学健康科学イノベーションセンターの研究によると、**きれいな空には癒やし効果があり、疲労が和らぎ、集中力や能率の低下を抑えることができる**ことがわかっています。

疲れたときは、空を見上げましょう。

効果

ストレス緩和。リフレッシュ効果。ポジティブ思考になる。想像力が高まる。

202

自分と相手のあいだに ゆるやかに線を引く

「私は私だし、人は人」

目の前で悩んでいる人がいたとして、あなたから手を差し伸べることはできても、苦しみから抜け出すか、そのままとどまるかは相手が決めることです。

自己肯定感が高い人は、対人関係でそんなふうに適度な距離のとり方ができます。なぜなら、相手の感情に「移入」することと、相手の感情に「思いを馳せる」ことの違いをわかっているからです。

距離感がうまく保てず、対人関係で悩む人は、相手に感情移入してしまいがち。すると、相手と自分との境目がわからなくなってしまいます。

そして、相手の問題や悩みをまるで自分ごとのように感じてしまい、消耗するのです。

一方、相手の感情に思いを馳せるというのは、相手の状況や感情を想像して、まるで映画を見るかのように眺める感覚。

相手が今どんな思いを抱いているのか、めいっぱい想像力を巡らせます。それは感情移入とは一味違う感覚です。

感情の主導権を握っているのはあくまで相手。

あなたは寄り添うだけで、踏み込みません。この距離感がよい人間関係を育み、自己肯定感を安定させてくれるのです。

効果

対人関係の改善。主体性が高まる。問題解決力が身につく。

203

目標を達成するための ビジョンとノウハウを明らかにする

［イメトレ文章完成法］

目標の設定	私が実現したい目標は「　　　　　　」です。
メリット	なぜなら、その目標を達成すると「　　　　　　」だからです。
ブレーキ	しかし、「　　　　　　」が私の目標を妨げています。
現状把握	そのため、私は今、「　　　　　　」という状況になっています。
新しい方法	そこで、私は目標に近づくために「　　　　　　」という新しい方法を試みるつもりです。
コンピテンス	なぜなら、私の強みは「　　　　　　」であり、それが目標を達成するために役立つと思うからです。
協力者	また、目標に向かうにあたり、「　　　　　　」さんが協力してくれます。
環境	目標に向かうにあたり、「　　　　　　」という環境が味方してくれると思います。
ノウハウ	私は目標を達成するために、「　　　　　　」というノウハウを持っています。
やる気	私は目標を達成するために「　　　　　　」という方法でやる気を引き出します。
最初の一歩	私は目標を達成するために、まずは「　　　　　　」から始めます。

ここで紹介する**「イメトレ文章完成法」**は、11の定型文を埋める言葉を書くだけで、効果的なアファメーションとなり、あなたを行動に移させてしまう強力な方法です。ビジョンと、そこに向かうためのノウハウが明らかになり、自己肯定感がぐんぐん高まっていきます。

効果

目標、やるべきことが明確になる。計画力が身につく。実行力が高まる。

204

「自分は絶対運がいい」と思い込む

思い込みには力があります。

なぜなら、**人間の脳は鮮明に思い浮かべたイメージと現実を区別できない**からです。

私たちは毎日、目覚めてから眠るまでたくさんの行動を起こしています。ベッドから起き上がり、窓を開け、トイレに行き、顔を洗い、朝食の準備をし……と、そのすべての行動を意識して「こうしよう」と決めてとり掛かっているかというと、そうではありませんよね？

たしかに「取引先の〇〇さんに連絡をしよう」「今日は次の旅行の手配をする」など、考えて段どりを決めてから行動する場合もありますが、それはほんの一部にすぎません。

研究によると、私たちがとっている日常的な行動の８割以上が無意識下、もしくは習慣によって促されているといいます。

だから、自転車に乗りながら音楽を聞き、「昔、このあたりを通ったとき、友だちと会ったな」と過去を思い出すこともできます。

話は遠回りをしましたが、**「自分は絶対に運がいい」と思い込むと、あなたにとって運のいいと感じられた場面のイメージが強く印象に残る**ようになります。

すると、**徐々に「自分は運がいい」と信じられるようになり、それが無意識的に行動に反映され、実際に運がよくなっていく**のです。

思い込みとイメージの力は成功を引き寄せてくれます。

効果

運がよくなる。行動力が上がる。ポジティブ思考になる。主体性が高まる。

205

直感を信じる

学生時代や社会人になってからできた友だちを思い浮かべてみてください。きっと初対面のとき、「あ、この人とは気が合いそう」と感じたケースが多かったのではないでしょうか。

こうした人との出会いや日常生活でのトキメキ、仕事上の重要な決断でも「よくよく考えたけど、最初からA案に引かれていた」と直感が働くことがあります。

しかし、その直感を無視してしまうのもまた、よくあることです。

「こっちがいいと思うけど……、上司のウケがよさそうなのはB案だな」

「かわいいカバンだけど……、衝動買いはよくないから」

「この人とは気が合いそうだけど……、仕事相手だからね」

大人な対応かもしれませんが、じつは大きなチャンスを逃しています。というのも、直感や心の声にはあなたのこれまでの経験が凝縮されているからです。たとえば、膨大なチェスの棋譜（きふ）を分析した研究によって、**「ファーストチェス理論」**と呼ばれる直感の重要性を指摘する理論があります。これはチェスにおいて、「5秒で考えた手」と「30分かけて考えた手」の86%が同じ手になるというもの。

じっくり考えて導き出した答えと直感によって決めたことの間に大きなへだたりはないのです。そう考えると、「この人とは気が合いそう」という心の声も、あなたのこれまでの人間関係を通じて養われた経験知。信じて進んだ先に幸運が待っているのです。

効果

正解がみつかる。幸福感が高まる。発信力が高まる。計画力が身につく。

206

疲れたら
とにかく休む

まだやらなければならないことがあるし、やりたい気もちもあるのだけれど、どうしても体、頭が追いつかないときは、潔くサクッと休んでしまいましょう。**休むという行為は後退しているのではなく、前に進むエネルギーを貯めるために切り替える時間**です。

自己肯定感の高い人は、「自分はこの先もどんどん進めるだろうから、今はいったん休んでおこう」と、自分を大切にできます。それは同時に「自分は価値ある存在だ」と認められているということです。

疲れは、溜めてしまうと解消するのになかなか時間がかかります。でも、疲労感を覚えたらすぐに対処すれば、「疲れすぎて動けない……」ということにはなりません。また、**自分に適した解消法がわかっていれば、休むためにすぐに行動を起こすことができます。**

たとえば、私は日中に疲れを感じたとき、疲れ具合によって昼寝時間を決めています。集中力がなくなってきたときは５分、寝不足で疲れているときは10分、体力が続かなくなってきたときは30分。

なぜこのように時間を設定しているのかというと、疲れを感じるたびに「どうすればすぐに疲れを抜くことができるだろう？」と、寝る時間をいろいろ設定して実験してみたからです。

疲れを感じたときは、自分を理解するチャンスでもあります。あなたも自分に適した休み方を探りつつ、体と脳を回復させる休息をとっていきましょう。エネルギーあふれる自分をとり戻すことができるはずです。

効果

疲労回復できる。ストレスコントロール力アップ。

207

「とりあえず2分」やってみる

興味のない作業、乗り気ではない仕事でも手を動かすうちにやる気や集中力が出てくる現象を**「作業興奮」**と名づけたのは、ドイツの精神医学者エミール・クレペリンです。

研究によると、**行動を起こしたことで脳の側坐核が刺激を受け、アセチルコリンというやる気に関連するホルモンが分泌される**ことがわかっています。

たとえば、読んだ本を戻そうとしたら本棚から本が落ち、そのまま本棚の整理を始めていつの間にかやる気になり、１時間かけて部屋を掃除してしまった、と。そんなときに作用しているのが、作業興奮です。

このしくみを意図的に引き起こし、**面倒な仕事をやっつけたり、途切れそうになる習慣を持続させたりするテクニックが「とりあえず２分やってみる」**です。

- 書類仕事が溜まって、つらい。でも、やりたくない……なら、「１枚だけと決めて伝票を書いてみる」
- ストレッチやヨガの運動習慣なら、「ヨガマットをとり出す」

手や体を動かし始めたら、「せっかく始めたら、続けるか」と感じ、行動が持続します。最終的に「最初はしんどかったけど、やれた。うれしい」と達成感を得ることができ、自己信頼感も高まるのです。

効果

やる気が出る。集中力、行動力が上がる。実行力が身につく。一歩踏み出せる。

208

夢がかなったときの風景、風、香りをありありとイメージしてみる
［サブモダリティ］

自分のやりたいことがわからない？

自分がこれでいいのかわからなくなってしまった？

そんなとき、いくら深刻に悶々と考えても、正解はわかりません。大事なのは、思い切り五感を開くこと。「なんでもやってみよう！」の精神で、好奇心に任せてあちこち歩き、動き回ってみましょう。

本当にやりたいことは、頭で考えるものではなく、ハートで感じるものです。心と体を結ぶ「五感（視覚・聴覚・味覚・嗅覚・触覚）」を大切に。直感を信じましょう。

そのうえで、**やりたいことが見えてきたら、それがかなったときの風景をありありとイメージ**します。

臨場感が重要です。

「シベリア鉄道でユーラシア大陸を横断する！」なら、達成した自分を白黒写真ではなくカラーの動画で思い描きましょう。そして、そのときに感じる列車の振動、伝わってくる音、車窓からの風景、食べもののにおいなどをありありとイメージします。

あるいは、「自分にとって最高のパートナーと一緒に暮らす！」なら、２人の新生活を総天然色（そうてんねんしょく）で描き出しましょう。

それがまるで現実に起きているかのように、五感をフル活用してください。すると、**やりたいことが「未来の記憶」とも言える具体的なイメージとなって残り、実現に向けて潜在意識が働き始めます。**

効果

夢が叶いやすくなる。計画力、状況把握力が高まる。主体性が身につく。

209

成功したらどんな暮らしをしているか 成功の先をイメージする

［メタアウトカム］

「夢が叶ったときの風景、風、香りをありありとイメージしてみる」と関連する**「メタアウトカム」**を紹介します。

「メタ（meta）」とはギリシャ語で「超える」「高次の」という意味。そして、「アウトカム」は「適格な形に整えられた目標」「ゴール」のこと。すなわち**メタアウトカムとは、「アウトカム（目標、ゴール）の先のイメージをもつこと」**です。

これはNLPで実践されているテクニックで、よりやりたいことの実現率を高めてくれます。

具体的には、未来の記憶になるくらいありありとイメージしたビジョンが実現したと仮定して、自分に次のような質問を投げかけます。

「そのとき、どんな成長が訪れるのか」
「そのとき、未来にどんな可能性が生まれるのか」

すると、新たな気づきがあり、それが実現への推進力となるのです。

自己信頼感

効果

計画力が身につく。プラス思考になる。実行力が高まる。ワクワクする。

210

二の腕を手のひらでなでる

不安な気もちが高まっているとき、ソワソワと落ち着かない気もちになっているとき、二の腕を手のひらでなでてみてください。

安心感を得られるはずです。

これは**手のひらの体温を感じて、副交感神経が優位になるだけでなく、愛情のホルモンであるオキシトシンが分泌**されるから。39ページで紹介したセルフハグにも似た効果が得られます。

とくに自己肯定感が低下しているときは、自分のネガティブな側面にフォーカスして、不安になったり、後悔したりするもの。そんなときは二の腕をなでながら、自分に声をかけましょう。

「大丈夫だよ」
「ゆっくりよくなっていくよ」
「うまくいく、うまくいく」

最初はちょっと恥ずかしいかもしれませんが、徐々に自分を信じる気もちが増していくはずです。

効果

安心できる。不安の緩和。ストレスコントロール力、柔軟性、主体性が高まる。

211

1日1回 足裏をさわる

肩が凝ったな……と思わず、そこに手を置いたり、お腹が痛いぞ……と無意識に手でさすったり。不調を感じると患部にさわるのは自然なことです。そして、痛みやつらさが軽減するのを感じるはずです。

これは**触れることによって、愛情のホルモンであるオキシトシンが分泌**されるからです。

オキシトシンには、次のような効用があります。

- 幸せな気もちになる
- ストレスを緩和する
- 不安や恐怖心が減少する
- 心身の健康につながる

もし、あなたがなんとなくの体調不良を抱えているなら、１日の終わりに１回、足裏にさわることをオススメします。**足裏には多くの神経が集まり、さまざまなツボがあります。**

そんな足裏を両手で包み込み、やさしくさすっていくと、体がポカポカと温まってくるはず。気もちが落ち着き、リラックスできます。また、ボディクリームをていねいに塗り込み、足裏のツボを刺激するようにマッサージするのもいいでしょう。

自らの身体をいたわることで、心の安定につながります。

効果

安心できる。ストレスコントロール力が高まる。

212

香水を買いにいく

私は、リラックスしたいときはオレンジの香り、ストレスを感じているときはペパーミントの香りのするアロマをシュシュッと部屋にまきます。

オレンジの香りにはリラックスやエネルギーを循環させる効果があり、ペパーミントのスーッとした香りは呼吸を楽にしてくれるからです。ちなみに、オレンジとペパーミントの２つのアロマをミックスさせると、頭と心がスッキリします。

このように香りには心と体に働きかける力があります。

また、脳神経科学の研究では、特定の香りが思い出と結びつき、あるにおいをかぐとそれが引き金となって、意図せず記憶が呼び起こされる現象があることもわかっています。

これは**「プルースト現象」**と呼ばれ、マルセル・プルーストの小説『失われた時を求めて』で、紅茶に浸したマドレーヌの香りをかぎ、主人公が幼少期を思い出す場面が由来です。

ですから、**何かうまくいったことがあったときにつけていた香水はラッキーアイテムに**なります。また、**自分の好きなにおいの香水を買い、「これをつけているとうまくいく」と考えるのもいい方法**です。

香りと成功や幸運が結びつき、「ここぞ！」という勝負どころで、その香水を使えば、自己信頼感が増していきます。

効果

ラッキー体質になる。実行力、状況把握力が身につく。想像力が高まる。

213

いつもは選ばないものを買ってみる

いつもの店のいつもの席、食べ慣れたメニュー、着心地がよくてリピート注文しているシャツなど、自分にとっての定番には安心してお金を出すことができます。

でも、ときには別の刺激を脳に与えていきたいものです。

いつもは入らない雰囲気の店、食べないジャンルの料理、ちょっと派手すぎるかな、思い切りが必要かな……と感じる洋服など、**好奇心を刺激する挑戦的な消費は、心のスパイスになります。**

脳神経科学の視点で言うと、新しい発見があり、ちょっとした勇気が必要な買いものをしているとき、脳内ではドーパミンが分泌されます。すると、新しいものを受け入れようとする意欲が高まるのです。

また、「えいや！」とレジに足を運んだり、購入ボタンをクリックしたりするときなど、**切迫感を感じる瞬間には一時的に集中力を高めるノルアドレナリンも分泌**されます。

そうして今まで見たことのない新しいものと接することは、あなたの脳を活性化させ、学習能力や記憶力も向上させるのです。

新しい刺激に興味をもつ感覚、変化する環境に対応するための本能を磨くためにも、ときには「いつもは選ばないものを買ってみる」という冒険に出てみましょう。

それが新たな自分を発見することにもつながり、意外とやるね！　と自己信頼感も満たしてくれるのです。

効果

好奇心を刺激する。脳を活性化。決断力が強くなる。

214

朝起きたら、布団のなかで伸びをする

目覚めたら、布団のなかでぐーっと伸びをしましょう。
時間は30秒ほどでかまいません。たったこれだけのアクションで、感情が「快」の状態になり、1日のスタートが上向きます。これは**伸びをすることで血流がよくなり、脳内で恐怖を感じたときに出るコルチゾールが下がり、勇気のホルモンと呼ばれるテストステロンが増える**からです。

自己信頼感

効果

1日のよいスタートが切れる。血流改善。プラス思考になる。毎日が楽しくなる。

215

「できるようになったね、すごい！」と過去と比べてできたことをほめる

ここまで何度も紹介してきた「アファメーション」は、自分にポジティブな言葉をかけることで持続的かつ勝手に自己肯定感が高まる方法でした。そんなアファメーションの一種であり、より瞬間的に強く自分を励ますことができるのが、**「ペップトーク」**です。ペップトークは４つのステップを踏み、モチベーションを高めていきます。

自己信頼感

❶ 現状を受け止める言葉を投げかける

大切なプレゼンの前に「昨日は緊張であまり眠れなかったみたいだね」

❷ 現状の捉え方を変換する

「それはあなたが本気でプレゼンを成功させたい証拠だよ」

❸ どう行動してほしいか伝える

「準備したものを出し尽くそう」

❹ 背中を押す励ましの言葉をかける

「大丈夫、あなたならできる！」

さらに、ここに５つ目のステップとして過去の自分との比較を加えるのが、中島流です。

「あなたは前よりもできるようになったね、すごい！」と。過去の自分を思い出し、それから積み重ねた経験によって現状がよくなっていることをほめます。その結果、自分はできるという自己信頼感が増すのです。

効果

モチベーションアップ。自信がつく。実行力が高まる。

216

「応援しているね！」と言葉に出す

会社の仲間や家族、友だちなど、あなたの周囲にも応援したいと思える人たちがいるはずです。できれば、その気もちを素直に言葉に出して「応援しているね！」と伝えてあげてください。

当然、**応援された側はうれしいですし、じつは応援することであなたの自信も深まっていく**のです。

応援の仕方は、258ページでとり上げた「ペップトーク」を使いましょう。

もともとペップトークは、スポーツ選手のモチベーションを高めるために指導者が試合前や大事な練習の前に行う短い激励のメッセージのこと。サッカーの日本代表チームに密着した作品など、スポーツを題材にしたドキュメンタリーでは必ず見せ場の１つとして、監督やキャプテンがペップトークを行うシーンが盛り込まれています。

４ステップに分かれているペップトークの最後に繰り出す「背中を押す励まし」の言葉に「応援しているね！」をプラスすれば、あなたなりの応援メッセージができあがります。

そして、相手を承認し、応援したという事実があなたの自信にもなるのです。それは**応援された相手の笑顔や、その後の行動を目にすることで「自分も誰かの力になれる」と再認識できる**から。

そういうことができる自分を知ることで、自信が深まり、自己信頼感が増していくのです。

効果

自信がつく。働きかける力が高まる。柔軟性が身につく。

217

「〇〇さんが、あなたのことほめてたよ」と伝える
［ウィンザー効果］

「この間、一緒にランチした友だちが、あなたのこと『すごく気もちいい人だね』って言っていたよ」
「取引先の部長が君のことを『仕事がていねいで信頼できる』と言っているみたいだよ」

私たちは人からほめられると喜びを感じます。しかも、それが**第三者がほめていた……という伝聞になると、さらに信憑性があるように感じ、喜びが増していく**のです。

こうした心理は**「ウィンザー効果」**と呼ばれ、マーケティングの世界ではよく使われています。代表例は、飲食店の口コミサイト。あなたもレストランや居酒屋を探すとき、利用したことがあると思いますが、匿名の情報でも第三者の評価だから信頼してしまうのです。

そんなウィンザー効果を普段の人間関係で積極的に使っていくと、あなたの自己信頼感が上がります。たとえば、「笑顔が素敵だな」と思える先輩がいたら、「いつも笑顔が素敵だって、社内で評判ですよ」と伝えてみましょう。すると、先輩の自己肯定感が高まり、あなたにお返しをしたいという「返報性の原理」が働きます。

先輩はあなたのいいところに注目し、それを伝えてくれるはずです。**ウィンザー効果を意識していると、ほめる視点のコミュニケーションが増えていき、ポジティブな人間関係が築けるようになる**のです。

効果

人間関係がよくなる。想像力が高まる。発信力が身につく。

218

今を変えれば未来が変わるので過去はスルーする

私は過去の出来事に囚われて深く悩んでいるクライアントさんには、**「原因を考えず、目的を見ましょう」**と伝えるようにしています。

過去は変えることができません。ですから、今の不調の原因が過去に起きたことなら、そこに意識を向けていてもつらさが増していくだけです。でも、「悩みを解消したい」「前向きになりたい」など、目的にフォーカスすると変化のきっかけをつかむことができます。なぜなら、今から未来に向けてやるべきことが見えてくるからです。

未来志向の「目的論」の心理学であるアドラー心理学では、次のように考えます。

- **人が「何かをしよう」と決意するときは、かならず未来に向けての意志が働いている**

ですから、自分に向けて発するもっとも重要な問いは「なぜ、こうなった？」ではなく、「どこに向かって？」です。

たとえば、「1年後、3年後、5年後、どんな自分になっていたい？」と。向かう先を描くことで、過去の原因へのこだわりが薄れていきます。

幸せになる、と。そう決めるのはあなたです。**何があっても、あなたが自分の味方になって、あなたがあなたの、最大の勇気づけの存在になってください。**目的にフォーカスすることで勇気が湧いてくるはずです。

効果

勇気が湧く。悩みが解消される。柔軟性が高まる。

219

幸運は不運という出来事の姿でやってくると知る

幸運は、ときとして不運の姿をしてやってきます。

詳しくは過去の本に書きましたが、私は25歳からの10年間、パニック障害と過呼吸の症状に苦しめられ、外に出られない生活を送っていました。

当時は「どうして自分にばっかり、こんな不運が起きるのだろう」と悩み、自己肯定感は低空飛行を続け、何度、眠れない夜を過ごしたかわかりません。

でも、今の私は「あの苦しい日々があったから、今の自分がある」と強く感じています。

不運だと感じる出来事が起きたとしても、それがより大きな幸運につながっていく、と。そう信じることができるので、何が起きても自己肯定感が大きく揺らぐことはありません。

きっと、あなたにも「あの苦労があったから、大切なことを学べた」「あの失敗のおかげで、成長した」「あの挫折の後だから、決断できた」といった経験があるはずです。

まさに、それが「不運の姿をしてやってきた幸運」との遭遇です。

大切なのは、その経験を生かしてその後のものごとの捉え方を変えていくこと。**起きた出来事を肯定的に捉える力こそが、「不運」を「幸運」へと転じていく力になる**のです。

効果

運がよくなる。主体性が高まる。実行力が高まる。

220

出会いたい人を
イメージしながら生きる

「一期一会」

これは千利休が残したとされている名言です。

「人との出会いを大切にしましょう」と解釈されることの多い「一期一会」ですが、私はそれ以上の意味があると捉えています。

私たちの人生は、二度と繰り返されることがありません。

出会いは、一度きりの人生のなかに訪れる貴重な瞬間です。その緊張感を心のど真ん中に置いて、お互いに誠意を尽くすこと。それが千利休の言った「一期一会」の心構えなのではないでしょうか。

貴重な出会いに向けて、あなたも「出会いたい人」をイメージしながら生きていきましょう。

こんな人と知り合いたい、あの人と話してみたい、と。**具体的なイメージをもつことで、潜在意識が働き、いい出会いの瞬間がやってくる確率が上がります。**

ですから、自己肯定感が高い人は出会いを「必然」と捉え、自己信頼感高く、誠意をもって立ち振る舞うことができるのです。

効果

いい出会いが増える。働きかける力が身につく。計画力が身につく。

221

「これがすべての終わりじゃないよ！」と自分に言ってあげる

大きな失敗をしてしまったとき、長く続けてきた習慣が途切れてしまったとき、大切にしていた恋が終わってしまったとき、**ショックを受けている自分に「これがすべての終わりじゃないよ」と声をかけて**あげましょう。

これは心理学で**「セルフトーク」**と呼ばれるテクニックで、ものごとの捉え方を変化させてくれます。

そして、「これがすべての終わりじゃないよ」の後に、あなたがもっているポジティブな面を思い浮かべ、今の状況に対して役立ちそうな部分に注目します。

自己信頼感

- 落ち込みやすいけど、立ち直りが早い
- 飽きっぽいけど、好奇心が旺盛で新しいもの好き
- 好きになった人を大事にできる

すると、**つらくてしんどい状況のなかでも、「自分にはできることがある」「自分はこの先、うまくやることができる」と、ものごとをプラスに捉えられるように**なります。

セルフトークで、気もちを切り替えていきましょう。

効果

気もちの切り替え。ストレスコントロール力が身につく。

222

「ちょっとバイバイ！」と不安・心配事を横においておく

私たちの脳にはぼんやりと気にかかっていることほど忘れられず、きちんと整理でき、区切りがついたことは忘れられるという性質があります。

一方、ネガティブなものごとに注目してしまう**「ネガティビティ・バイアス」**も備えているので、「忘れたい」「こだわりたくない」と意識している不安なこと、心配事ほど、「忘れられず」「こだわってしまう」のです。しかも、自己肯定感が下がっているとネガティビティ・バイアスが強くなるので、ますます忘れられなくなります。

そこで、「ちょっとバイバイ！」です。不安や心配事を思い浮かべてください。そして、**「ちょっとバイバイ！」と言いながら、イメージのなかで横にどけておく**のです。遠くに走り去ってもらうとさらにいいでしょう。

トラックが不安や心配事を入れたダンボールを載せて走っていく。

不安や心配事が形を変えた飛行機が飛び立っていく。

そんなイメージを描くことで、ネガティブなものごとを手放すことができます。

効果

不安や心配事を手放せる。ストレスコントロール力、状況把握力アップ。

223

1週間に1回、何も気にせず好きなものを食べる

心臓や血管の細胞をつくるのも、思考や感情をつかさどっている脳の働きを支えるのも、自分が口にする食事です。できれば、体が喜ぶものを食べたいもの。そこで以前、本のなかで体が喜ぶ食事法として、しっかりとしたエビデンスのある「地中海食」を紹介したことがあります。

ただ、毎食を地中海食にすることは難しいですし、ほかの食事法にしてもこだわり続けると、それがストレスになってしまうことも。

そこで、基本は体が喜ぶ健康的な食事を意識しつつも、**週に1回は「何も気にせず食べる！」というチートデイを用意しましょう。**

ジャンクフード、全然OKです。気もちを抑え込まず、食べたいものを食べてください。

とくに自己肯定感が下がっているときは、脳内で幸せホルモン、セロトニン、ドーパミンが不足中です。**好きなものを食べてセロトニン、ドーパミンの分泌をサポートすれば、自己肯定感が回復し、リラックス効果も得られます。**

ちなみに、私も普段は体を気遣ったメニューにしていますが、週に1回のチートデイはマクドナルドのフライポテトを食べています。ちょっとだけ罪悪感のある、あの油のにおいとほどよい塩辛さが「今週もがんばっているなー」という充実感と達成感を味わわせてくれるのです。

効果

リフレッシュ効果。柔軟性が身につく。計画力が高まる。

224

自分の能力ではなく、自分の可能性を信じる

「人生は能力の差ではなく、どんなセルフイメージをもてるかで変わってきます」

これは私がよく講座で伝えているメッセージです。

自分をどんなイメージで捉えるか。あなたがあなたについて考えるときに思い浮かべるイメージ。それがセルフイメージです。

自分の能力を客観的に把握することも大事ですが、それよりも自分の可能性を信じてあげること。大きな可能性を秘めた自分というセルフイメージをもつことが、よりよい人生につながっていきます。

どんなに「成功したい」「幸せになりたい」と努力をしていても、自分は「成功できる」「幸せになれる」というセルフイメージがなかったら、それは実現しないでしょう。努力や能力は「自分のセルフイメージに早く近づくことができる」乗りもののようなものです。

あなたはセルフイメージを高くもっていますか？

「自分には可能性がある。だから、これくらいの成果が出て当たり前」

そう思って努力している人のほうが、人生を突破して新しい世界に進んでいきます。**人は心のなかで考えたとおりの人間になる**のです。

「いや、自分なんて……」と思っていたら、それが現実になってしまいます。あなたの可能性をほかでもないあなたが信じ込むことです。

効果

幸福力が高まる。ポジティブ思考になる。実行力が身につく。

225

朝起きたら、お気に入りのコップで白湯を飲む

白湯（さゆ）は、水を沸騰させ続けたお湯・熱湯のこと。煮沸することで殺菌効果、不純物をとり除く効果が期待できます。

水道水からつくる場合は、強火で沸騰させたのち、弱火にかえて10分ほど火をかけ続けます。当然、そのままでは飲めないので、50℃前後になるまで自然に冷まし、ゆっくりといただきます。

白湯を飲む習慣の起源は古く、おおよそ5000年前までさかのぼるとされています。もともとはインドの**「アーユルヴェーダ」と呼ばれる健康法の１つとして活用されていて、身体を整えるもの**として考えられていました。

実際、白湯を飲むと胃腸などの内臓機能を温めることができ、飲んだ直後から全身の血の巡りがよくなります。**血流がよくなると、デトックス効果が高まり、体内の老廃物が排出されやすくなる**のです。

その結果、肌トラブル、むくみ、便秘の解消、冷え性の改善につながります。また、身体が元気になることで自己信頼感も高まります。

そんな美容法、健康法の一環としても役立つ白湯を毎朝、起きたとき、お気に入りのコップで飲む習慣をとり入れましょう。

深部体温が上がり、穏やかな目覚めのスイッチが入るだけでなく、お気に入りのコップでゆっくり味わうことで自己肯定感も高まっていきます。

効果

冷え性の改善。デトックスできる。元気になる。主体性が高まる。

226

ハンカチに
アイロンをかける

私たちの脳には、モヤモヤと「これでいいのかな？」と気にかかっていることほど忘れられない性質があります。

この性質をアメリカの心理学者ダニエル・ウェグナーは**「何かを考えないように努力するほど、かえってそれが頭から離れなくなる」**と分析し、**「皮肉過程理論」**と名づけています。

このモヤモヤを解消する心理効果もあります。それが「カタルシス効果」。たとえば、映画やドラマを観て思い切り泣いてしまったとき、お笑いライブで腹筋が張るくらい大笑いした後など、涙や笑いとともにモヤモヤがどこかに消えていきます。

ただ、いつも映画やお笑いを観るわけにはいきませんよね。そこで、家にいて手軽にカタルシス効果を引き起こすことができるのがアイロンかけです。ピシッと折り目正しくハンカチにアイロンをかけると、すっきり。アイロンがなければ洗濯ものをピシッとたたむのもいいでしょう。

集中した単純作業がカタルシスを呼んでくれます。

効果

モヤモヤがはれる。スッキリする。ストレスコントロール力アップ。

227

わたしは体がやわらかいと言いながら前屈する

「前屈するとき、『わたしは体がやわらかい』と言いながら、やってみてください」

これは講座のブレイクタイムによくやっているエクササイズです。

実際、「わたしは体がやわらかい」と言って前屈してもらうと、全員がいつもの自分よりも深く体が曲がります。逆に「わたしは体がかたい」と言ってやってみると、いつもより前屈ができなくなるのです。

これは**「アファメーション」や「セルフトーク」の効果を実体験する手軽なエクササイズ**になるので、ぜひ、あなたも自宅で試してみてください。

肯定的なイメージの言葉を使うことがフィジカルな動きに作用すること、行動が変化することを体感レベルで理解できるようになるはずです。もちろん、ストレッチによって血行がよくなり、気分もリフレッシュします。

効果

リフレッシュ効果。自律神経が整う。ストレスコントロール力アップ。

228

今年の夏は思い切って ノースリーブを着てみる

旅先やリゾートホテルでは気分が解放されて、ノースリーブのワンピースやタンクトップを着たり、水着でプールサイドを歩いたり……。普段は肌を見せるのを恥ずかしがる人も開放的になります。

そのとき、心理的にもある変化が起きています。それは**「防衛機制（ディフェンス・メカニズム）」からの解放**です。

防衛機制は19世紀末にジークムント・フロイトが提唱した概念で、簡単に言うと、自分の心を守るため、無意識に起こる思考や感情のこと。通常、防衛機制は、ありのままに受け止めると苦しくなる現実、耐えられないような体験から心を守るために働きます。

ただ、この防衛機制が働き続け、変化に乏しい小さくまとまった生活を続けていると、徐々に自己肯定感が落ちていきます。

私たちのメンタルには、開放感を楽しむ瞬間が必要なのです。

そのきっかけの1つとなるのが、肌の露出度が上がるファッション。**ノースリーブやタンクトップ、ミニスカートや短パンなど、肌を見せることで身体的な解放を味わうと、それに連動して防衛機制もゆるんでいきます。**

効果

リフレッシュ効果。主体性が身につく。実行力が高まる。

229

「今日は目立ちたい！」という日は赤を着る

赤は視覚的に訴える力が一番強い色だと言われています。

周囲から注目を浴びたいとき、今日は目立ちたいという気分のとき、力強さをアピールしたいとき、赤色のアイテムを身に着けましょう。

色彩心理学は臨床心理学の一部で、「色」と「人間の関係性」を心理学的に解明する学問です。心の問題を解決するために、色の見え方や感じ方など、色に対しての人間の行動（反応）を研究していきます。

そんな色彩心理学で赤は、闘争心をかきたてる色だとされています。炎を連想させる色でもあるので、「赤い壁の部屋に入ると、体感温度が上がる」という実験結果も。ユニクロやトヨタなど、日本の企業でロゴとして一番多く使用される色でもあります。

その鮮烈なイメージを味方につけて、あなたの存在を周囲にアピールしていきましょう。

• 赤の心理効果

興奮させる、闘争心をかきたてる、温かみを感じる、目を引く、いら立たせる

• 赤の与えるイメージ

情熱、興奮、熱狂、挑戦、元気、明るい、力強い、生命、エネルギッシュ、鮮烈、闘争心、祝いごと、長寿、暖かい

効果

目を引く。やる気になる。実行力が高まる。発信力が身につく。

230

悩みごとを抱えて不安になったら「ファイト！」と自分に言う

言葉には私たちの脳を変える作用があります。それは、**言葉が「ミラーニューロン」と呼ばれている脳細胞に影響を与える**からです。

ミラーニューロンは、モノマネ細胞とも呼ばれています。

- スポーツを見ていて、緊迫した場面に思わず手に汗を握ってしまう
- 誰かが甘いものを食べている姿を見て、そんなつもりはなかったのにデザートを頼んでしまう

感情が高まったとき、ミラーニューロンが実際の行動を引き起こすことがあります。そして、よい言葉、悪い言葉にかかわらず、イメージを喚起する言葉はミラーニューロンに影響を与えます。

その結果、言葉の意図するような感情、意欲が湧いて、行動が生じるわけです。悩みごとを抱え、不安になったら「ファイト！」と自分に声をかけましょう。**ミラーニューロンが反応し、よい行動を引き出してくれる**はずです。

効果

元気が出る。行動力、ストレスコントロール力アップ。

231

規則正しい生活をすることが一番のキレイの土台

キレイの土台となるのは、規則正しい生活です。ポイントは、**「睡眠」「運動」**の２つ。当たり前のアドバイス……と思うかもしれませんが、改めて日々の暮らしと照らし合わせてチェックしてみてください。

❶ 最低でも６時間以上の睡眠

毎日６～７時間ぐっすり眠って、すっきり目覚めている人に体調不良を訴える人はまずいません。一方、自己肯定感がゆらぎ始める１つのきっかけが、「ぐっすり眠れない」「寝つきが悪い」といった眠りの悩みです。

仕事などで大きなストレスがかかる状況でも、十分な睡眠がとれていればストレスを軽減、解消できます。最低でも６時間の睡眠時間を確保しましょう。

❷ 週に２時間半の運動

うつ病などの治療方法として運動療法が注目されていますが、**週に２時間半以上の有酸素運動を行うと、薬物療法と同程度かそれ以上の効果がある**と報告されています。

ランニングや水泳などの有酸素運動、あるいは普通の散歩、ヨガのような軽い運動でも気分の改善や向上の効果が。まずは休日に体を動かすところから始めてみましょう。

効果

ストレス緩和。リフレッシュ効果。状況把握力が高まる。想像力が身につく。

232

いろいろあった日は花屋さんか本屋さんへ寄って気分転換してから帰る

生きているといろいろありますよね？

人間関係のすれ違い、仕事上のトラブル、子育ての心配事……ストレスは尽きないわけですが、いろいろあったときほど気分転換が必要です。

ストレスばかりに意識が向くと、はまりこんでしまって心の余裕がなくなってしまいます。それではいいアイデアも出ませんし、なにより自己肯定感がどんどん下がっていってしまいます。

ですから、**うつむき加減な１日を過ごしたときは花屋さんや本屋さんに寄って、気分転換してから家に帰りましょう。**

もちろん、一種の逃避行動ですから、ストレスのもとになっている根本的な問題が解決するわけではありません。

でも、花屋さんで心がおどる花を買ったり、本屋さんで行ってみたい旅行先の写真を眺めたり、楽しみにしていたマンガの新刊を買ったりするうちに、一時的にストレスの原因を忘れることができます。

すると、**気もちの余裕が生まれ、視野が変わり、問題を解決してしまうアイデアが出てくる**ことも。また、そこまでの劇的な効果がなかったとしても、家に帰る前の気分転換によって、ストレスで疲れていた脳に休息時間をプレゼントできたはずです。

自分をいたわれるやさしさが自己信頼感を回復させ、心に余裕が生まれます。

効果

気分転換。心に余裕が生まれる。ストレスコントロール力、課題発見力が高まる。

233

月2回はランチで贅沢をして1人時間を楽しむ

あなたは自分自身とじっくり向き合う「1人時間」をつくっていますか？ 日頃、私たちは次の3つの自分を使い分けています。

- 周囲の人たちと関わる自分
- 1人でいながらも、意識を外に向けている自分
- 1人で自分の内側に意識を向けている自分

自己信頼感

現代を生きる私たちには最後の「1人で自分の内側に意識を向けている自分」の時間が圧倒的に不足しています。

月2回、自分のためのごほうびランチタイムを用意して、おいしい食事に刺激を受けながら、自分会議の時間をもちましょう。

すると、思いがけないアイデアが浮かんだり、自己分析することで周囲の人への理解が深まって共感力が高まったり、人間関係に費やすエネルギーが充電されたりと、さまざまなメリットを得ることができます。

効果

リフレッシュ効果。共感力が高まる。問題解決力が高まる。

234

週1回、平日18時以降の予定を空けておく日をつくる

毎日忙しくて、気づけば脳がフル回転状態。そんなとき、やる気や思考能力は低下しがちです。

仕事に時間を押されているあなたに必要なのは、脳をリセットするための空白時間。週に1回、平日の仕事の後のスケジュールを空っぽにして、自分のためだけに使いましょう。

月曜日から金曜日まで仕事で土日が休みという人なら、週のなかばの水曜日。ここに何をしてもいい自分の時間を確保しておくと、生活にメリハリとリズムが生まれます。

その夜はすぐに家に帰って、ワインを片手に海外ドラマを観て過ごしてもかまいませんし、サウナによって"整う"ことを味わってもかまいませんし、おいしいお店をはしごしてもかまいません。

好きなことを好きなようにやりましょう。

その自由があなたにはあります。改めてその事実に気づき、その自由を味わっている自分を感じることで、自信が湧き、モチベーションが上がり、自己信頼感もぐんぐん高まっていきます。

自由を謳歌しましょう。

効果

モチベーションアップ。主体性が高まる。実行力が身につく。

235

溜まりまくった仕事を全部片づける日を月1日予定に入れておく

やるべきことをリスト化し印をつけましょう

1.

2.

3.

4.

5.

6.

7.

8.

9.

10.

月に１日、溜まった書類整理や掃除など、片づけたい仕事に集中する日をつくりましょう。そして、その日やらなければいけないこと、やりたいことなどを「やるべきことリスト」として書き出し、それらに「重要で緊急／◎」「重要ではないが緊急／○」「重要だが緊急ではない／△」「重要でも緊急でもない／×」の４つの印をつけ、振り分けていきます。

すると**緊急で重要なことと、そうではないことが「見える化」され、優先順位が決めやすくなります。**

効果

スッキリする。決断力が高まる。やるべきことが明確になる。

236

「私なんて」ではなく「私だからこそ」と思う

否定語		肯定語
あー自分が情けない	➡	大丈夫なんとかなる
この頃、忘れっぽくなってきた	➡	年齢相応の磨きがかかってきた
だからダメなんだ	➡	素直に弱音が吐けるなんていいじゃない
また怒ってしまった	➡	感情的になってもいい
なんてドジなんだろう	➡	ありのままの自分が好き
また食べ過ぎた	➡	あー、おいしかった！
私って、いいかげんだな	➡	こだわらないのがいいところ
せっかちで嫌	➡	反応が早くていい
負けず嫌い	➡	向上心がある
飽きっぽい	➡	好奇心旺盛で身軽

マイナスな言葉をプラスに言い換えること。これを**「リフレーミング」**(70ページ) と言います。

たとえば、「私は話すのが苦手なんです」という人がいたら、「あなたは、話を聞くのが得意な方なんですね」と言い換えます。すると、「私なんて」と思っていた人も「あっ！ 大丈夫かも」と自信をとり戻せます。

同じように、あなたも「私なんて」と思うことがあったら、上記の言い換えを参考にリフレーミングを行いましょう。自己信頼感が回復します。

効果

自分が好きになる。柔軟性、状況把握力が高まる。

237

1日3回「幸せだな」と言って口ぐせにする

「悪い知らせはたちまち通り過ぎていくが、いい知らせはいつまでも留めておくことができる。その操縦はすべてあなたに任されている」

何かの詩集で目にしてから、心に留めている言葉です。

人生は、自分次第で、なんとかなります。

「『幸せだな』を1日3回言って口ぐせにする」はまさにアファメーションです。その先にあるのは、「当然、幸せになっちゃった！」という境地。

私は愛犬のメアリーと散歩しながら、よくこんなふうに言っています。

「幸せ！ 幸せ！ 幸せ！ 幸せだな～!!」

完全に口ぐせになっていて、私は3秒で幸せな気分になれます。

心の底から「幸せだな～」と繰り返していると、幸せであることも自分で決められるのです。

すべてのことは自分がどう捉えるかで変わってきます。

だから、どんな1日も「今日も当然、幸せになっちゃった！」と始めれば、大丈夫。幸せになってしまいます。

効果

幸福感、主体性、計画力が高まる。ポジティブ思考になる。

238

ちょっとしたことでイライラしたら「ちまちま考えない！」と鏡に向かって3回唱える

ムカムカ！ イライラ！ と、私たちが怒りを感じ始めたとき、脳の「大脳辺縁系」と呼ばれる部分が活発に動きます。

大脳辺縁系は、サルや犬、トカゲのような動物も共通してもっている原始的な部位で、人間を含めたそれぞれの動物の本能的な行動や感情に関わっています。

たとえば、「危ない！ 逃げろ！」「敵だ！ 戦え！」など、情動が即行動につながるとき、大脳辺縁系が活性化しているのです。

一方、怒りなどのさまざまな感情をコントロールしたり、理性的に判断したり、論理的な思考をするのが前頭葉。「膨大な仕事量を前にして不安になっても、パニックにならず、『目の前のことからコツコツやっていけばいつかは終わる』と思い直せる」など、情動に押し流されずに冷静になれるのは前頭葉のおかげです。

ところが、私たちには、ムカムカ！ イライラ！ が爆発してしまう瞬間があります。その理由は**怒りの発生と理性の発動には時間的なズレがあるから。ちょっと待つことができれば、前頭葉が情動を抑えてくれます。**

そこで、カッとなったら「ちまちま考えない！」と3回唱えましょう。これはリフレーミングでもあり、情動を抑えるための時間稼ぎでもあります。いずれにしろ、**3回唱えるあいだに冷静さが戻ってくる**はずです。

効果

怒りを抑える。冷静になれる。ストレスコントロール力、問題解決力が身につく。

239

年齢を重ねれば重ねるほど、楽しいことをしてたくさん遊ぶ時間を満喫する

「主観年齢」という言葉を聞いたことがありますか？

これは気もちの若さを表したもので、自分自身が客観的に見た年齢のこと。じつは最近の心理学の研究では、**年齢を重ねたとき、活気にあふれている人と枯れてしまっている人との差に、主観年齢が深く関わっている**のではないかと考えられています。

複数の研究が指摘するのは、「自分は年寄りだと思い込んだ人は、枯れてしまう」という身も蓋もない傾向でした。逆に言うと、気が若い人、主観年齢が実年齢よりも若い人は若々しくいられるのです。しかも、それは単なる気もちだけの問題ではありません。

フランスのモンペリエ大学が１万7000人以上の中高年を追跡した長期研究では、**主観年齢が実年齢よりも若いことがうつのリスクを下げ、認知症のリスクを軽減し、入院の可能性を低くする**など、身体的な健康にも影響することを明らかにしました。

では、どうすれば主観年齢を実年齢よりも若く保つことができるのでしょうか？

ポイントは、旅行や新しい趣味を楽しむこと。また、運動や好奇心をもつこと、会話でのコミュニケーションの機会を増やすことも有効だと指摘されています。

つまり、年齢を重ねれば重ねるほど、楽しいことをしてたくさん遊ぶ時間を満喫していく姿勢が、あなたを幸せにするのです。

自己信頼感

効果

健康でいられる。柔軟性が身につく。実行力が高まる。

「すみません。」ではなく、「ありがとう。」

高名なお坊さんや心理学の大家、精神科医、いろいろな人が感謝の言葉をつねに口にしなさいといいます。

その理由は、**「ありがとう」のような感謝の言葉を発すると、脳にとっても心にとってもよい作用を及ぼす**からです。

「ありがとう」は能動的で、「すみません」は受動的。感謝の気もちを表すときは、「ありがとう」を贈りましょう。自己肯定感が高まります。

効果

幸福感アップ。主体性、実行力が高まる。問題解決力が高まる。

241

近所のお出かけにも、1つだけおしゃれして出かけることを心がける

「内面が大事」と思って内面を磨いている人ほど、外見をちょっと気にかけることで魅力が伝わります。なぜなら、おしゃれには、セルフイメージを高める力があるからです。

街を歩いていると、おしゃれな人とたくさんすれ違いますよね？

すれ違っただけなのに、心をつかまれるような人もいます。それは容姿がいいという話ではなく、颯爽とした歩き方であったり、芯のある自信を纏ったオーラだったりが醸し出す魅力です。

何も言葉を交わさなくても、「この人素敵だな〜」と。そう思ってもらえたら、たくさんの人とのご縁が生まれます。

内面が大事。人としての器が大事。命の根っこが大事。

だからこそ、その大事な中身を相手に感じてもらえるように、普段から外見にも手をかけていきましょう。

ここぞというときにいくら着飾っても、普段だらしない服装をしている人は、そのだらしなさがにじみ出てしまうものです。

予定のない日曜日、近所へお出かけするときも、お気に入りのアクセサリー、バッグ、靴、ヘアピンなど、１つだけでもおしゃれして出かけましょう。

ちょっとしたことにも手をかける。その日常がオーラとして表面に現れます。そして自分に手をかけられる自分に、自信がもてるようになります。それだけで、豊かな心で満たされることでしょう。

効果

心に余裕をもてる。セルフイメージがアップ。発信力、柔軟性が高まる。

242

人がいないところで思いっきり大きな声をだす
［シャウト効果］

スポーツ選手がここ一番の場面で大声を張り上げるシーンを見たことがありませんか？

陸上競技のハンマー投げ、重量挙げなど、すべての選手が叫び声を上げ、もてるすべてを出し切ろうとしています。じつは、あの大声は気合の表れというだけでなく、パフォーマンスを高める効果を狙ったものなのです。

私たちの体の故障を防ぐため、普段はもてる力を無意識にセーブしています。また、競技中のアスリートも全力を出しているように思っていても、実際は70〜80％ほどの力しか発揮できていないとも言われています。そんなとき、**大声で叫ぶことによってリミッターを解除し、余力を引き出すのが「シャウト効果」**です。

じつは、このシャウト効果、ストレス解消にも役立ちます。

腹が立ってどうしようもないときは、「腹が立つ！！」「ムカつく！！」「いいかげんにしろー！」と大声で叫びましょう。抑え込んでいる感情のリミッターが外れて、すっきりします。

また、**大声を出すときは体内に多くの酸素をとり込むので、筋肉への血流も増加します。自律神経を整えてストレスを解消する効果が期待できる**のです。

効果

ストレス解消。状況把握力、問題解決力が高まる。

243

自撮りをする

自撮りしていますか？ じつはスマホのカメラを自分に向けることがポジティブなマインドセットをつくるのに役立つようです。

カリフォルニア大学のユニークな研究があります。研究チームは実験に参加した学生にオリジナルのカメラアプリを配り、毎日の気分を記録しつつ、以下の3パターンで写真を撮るよう指示を出しました。

❶ 笑っている表情での自撮り
❷ 自分が幸せな気分になるものを撮る（猫、花、子どもなど）
❸ 他人を幸せにできそうなものを撮る（美しい風景、めずらしい建物など）

これを1ヵ月ほど続けてもらった後、参加した学生のメンタルをチェックすると、全体的に幸福度が上昇。なかでも❶の**「笑っている表情での自撮り」をしたグループは自信が高まり、快適な気分になっていることが明らかになった**のです。

ちなみに、❷の「自分が幸せな気分になるものを撮る」グループは思慮深さが増し、❸の「他人を幸せにできそうなもの撮る」グループは対人関係のストレスが減っていきました。スマホのカメラには、あなたのメンタルをよい方向に導く力があるようです。とくにポジティブさを手に入れたいなら、自撮りをオススメします。

効果

ポジティブになる。自信がつく。プラス思考になる。発信力が高まる。

244

お墓参りにいく

「運がよかったという人は、まわりの人に助けられてきたという『感謝』の気もちのある人。たとえ逆境に陥っても、すべて有難しと前向きにとり組める人」

これは松下電器具製作所（現パナソニックグループ）の創業者である松下幸之助さんの言葉です。運は周囲の人への感謝の気もちをもつ人、逆境すらありがたいと受け止められる人に回ってくる、といった意味だと解釈しています。

私は感謝の気もちを真っ直ぐに表す場として、お墓参りの時間を大切にしています。

あなたや私が存在するのは、ご先祖様のおかげです。10代さかのぼれば、1024人。誰一人欠けても、私たちは存在しません。命のかけがえなさを思い、感謝します。

すると、その空間にいるだけで、別世界に来たような心が洗われる感覚になります。ときには心を穏やかにする時間をとっていきましょう。

効果

メンタルが安定する。状況把握力、ストレスコントロール力が高まる。

245

体を ぶらぶらさせる

緊張や疲れを感じたら、体をぶらぶら動かしましょう。

❶ 足を肩幅に開いて、両手を頭上で交差させ、ゆっくり深く呼吸しながら、20秒間、体を左右にぶらぶら倒します。
❷ ❶と同じ姿勢で、ゆっくり深く呼吸しながら20秒間、上体を左回し、右回しとぐるぐる回します。
❸ 足を肩幅に開いて、力を抜き、だらりと立ちます。そのまま肩甲骨を意識しながら肩を前方向と後ろ方向に30秒ずつ回します。

人間関係のストレスから神経が高ぶった状態が続くと、全身の筋肉がこわばってしまいます。そんなときは体をメンテナンスすることで、力が抜けていきます。**ぶらぶら、ぐるぐるした動きをすると筋肉がほぐれ、副交感神経の働きがよくなり、リラックス状態をつくってくれる**のです。腰と腕を左右に回転させてぶらぶらさせるだけでも効果的です。

効果

リラックス効果。メンタル安定。主体性が身につく。ポジティブ思考になる。

第 **5** 章

「自己決定感」を高める・貯める

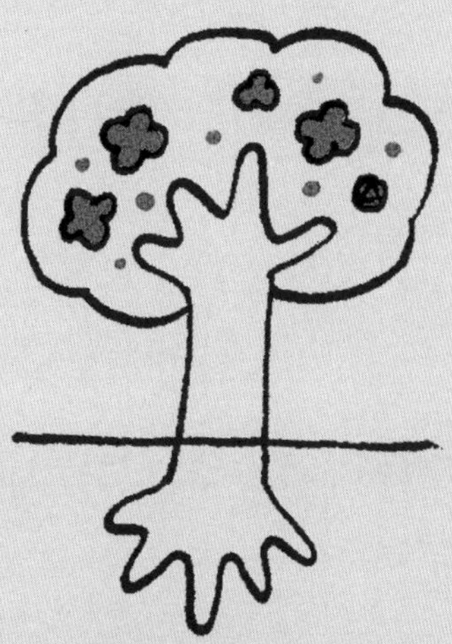

自己決定感とは、自分で決められるという感覚。自己決定感が高まれば、どのような状況でも複数の選択肢を見つけ出し、決定することができるようになります。自立して自分で人生を切り拓くことができるのです。

毎日みたらチェックしよう！

［習慣トラッカー］

自己決定感の項目は246から307まで。順番に読んでも、気になるところからでも、パッと開いたページからでもOK。読んだらその番号のマスをぬりつぶしましょう。自己決定感がどんどん貯まり、達成感もアップします。

［ チェック方法の例 ］

■ ぬりつぶす　▨ 斜線でぬりつぶす　◪ 斜線を引く　◯ 丸をつける

246	247	248	249	250	251	252	253	254	255	256	257	258	259	260

261	262	263	264	265	266	267	268	269	270	271	272	273	274	275

276	277	278	279	280	281	282	283	284	285	286	287	288	289	290

291	292	293	294	295	296	297	298	299	300	301	302	303	304	305

306	307

よくできました！

246

サイコロで決める

「あなたは、自分の人生のどのくらいをコントロールできていると感じていますか？」

こんな質問を受けたら、あなたはなんと答えるでしょうか。

人間の感じる幸福度は、「私が決めた！」という「人生を自分でコントロールできている感覚」に比例することがわかっています。

それも自分自身が成長していると実感できる方向に人生をコントロールできているとき、私たちはもっとも幸せを感じるのです。

このコントロールできている感覚と自己決定感は、深く関係しています。**自己決定感は自分で主体的に決めたことをやっているという感覚。これが十分に得られていると、モチベーションの高い状態を維持できる**のです。

しかし、ときには決断に迷うこともありますよね。

あれもいいし、これもいい。こっちが正解かな、あっちにすれば間違いがないかな……。二択三択まで絞り込んだけど、決められない。

そんなときはサイコロを使いましょう！

これは「ここまで考えたんだから、サイコロで決めちゃおう！」と自己決定するという意味でもあり、「サイコロで決めよう！ と決めた途端、あっちの目が出てほしい！ と祈っていることに気がつき、自分の本音がわかる」という解決策でもあります。いずれにしろ、「私が決めた！」と自己決定感を高められる決断方法です。

効果

迷いがなくなる。決断できる。実行力が高まる。

247

「私ってイイ人！」と思ってあいさつをする

今からあいさつするときは、「私ってイイ人！ と自分を肯定しながらあいさつする」と決めてください。すると、**苦手な人、嫌いな人が一瞬で普通の人に変わります。対人関係にプラスの効果が出て、自己肯定感も高まるのです。**上司や同僚、取引先の人など、ちょっと苦手だなと感じている相手と会うとき、その日、初めて顔を合わせて緊張しているとき、必ずあなたから「私ってイイ人！」と自分を肯定しながらあいさつをするようにしましょう。

自己決定感

（私ってイイ人！）「おはようございます」
（私ってイイ人！）「今日もよろしくお願いします」
（私ってイイ人！）「お時間をつくっていただき、ありがとうございます」

どんな状況でもあいさつが無視されることはまずありません。

そして、意外とフレンドリーな反応が返ってくるものです。

「おはよう」に「おはよう」が返ってくることで、**自分からアクションを起こし、それに対して肯定的なリアクションがあったと感じ、ささやかながらも自己決定感、自己有用感が満たされます。**

あなたがキラキラしていると、周囲もキラキラを返してくれるのです。その積み重ねが自己肯定感を高め、相手への苦手意識や嫌悪感、その場への緊張感をほぐしてくれます。

効果

対人関係が良好になる。感情をコントロールできる。主体性が高まる。

248

「ま、いっか」と口にしてみる

私たちはものごとを見聞きしたとき、とりあえず**自分なりの評価を下す性質があります。これは「自己防御機能」と呼ばれ、安全を確保しながら生きていくための知恵として備わってきた本能**です。

しかし、そうやって下した評価はその瞬間の自分が決めた一時的で主観的な印象でしかありません。同じものを見ても、同じ話を聞いても、同じことがあっても、時と場合によってはまったく評価が異なるのはめずらしいことではありません。

「ま、いっか」と思える日もあれば、「ちょっとショック」と凹んじゃう日もありますし、「信じられない！」と憤慨する出来事も「おもしろいねー！」と笑えてしまうこともあります。大切なのは、今、自分が下した評価、感じた気分というのは一時的で主観的なものに過ぎないと知っておくこと。そこで、**「ま、いっか」。この言葉は、どんな状況でも心に余裕をもたらしてくれるマジックワードです。**

（にわか雨にあって）「ま、いっか。たまに雨に濡れるのも悪くないよね」
（思わぬ出費があって）「ま、いっか。いいこともあるしね」
（朝から体が重い）「ま、いっか。今日は調子が悪いなりにどう凌(しの)ぐかな」

日常に「ま、いっか」を組み込むと、低くなっている自己肯定感をひょいっともち上げてくれます。

効果

気持ちの切り替え。余裕ができる。ストレスコントロール力が高まる。

249

寄り道をする

自己肯定感を高い状態に保つためには、１日のなかにごほうびの時間を用意することが有効です。

たとえば、好きなものを売っているお店に寄ってみる。ジムに行って汗をかいてみる。高級スーパーでちょっといいお菓子を買ってみる。駅前でぶらぶらウィンドウショッピングを楽しみながら、試着したり、帽子をかぶってみたり、アクセサリーを眺めたり。

刺激となる時間をあなたが決めてつくりだしましょう。

お風呂が好きな人は、銭湯に寄って大きな湯船で一汗流し、すっきりするのもいいかもしれません。

本当にどんな寄り道でもかまいません。

私たちの心はつねに新しい刺激を求めたがる性質をもっています。ですから、変化の少ない生活をずっと続けていると、「今日もいつもと同じことの繰り返し」と日常がマンネリ化。自己肯定感も低空飛行を始めます。

そんなときにする**大人の寄り道は、「自分の自由な時間に戻ってきたよ」というスイッチ**となります。また、必要性ではなく、好奇心を優先してものごとを決めることで自己決定感を満たし、あなたを元気にしてくれるのです。

効果

元気が出る。楽しくなる。ポジティブ思考になる。想像力が高まる。

250

「私が決めた！」
「私はコレがいい！」

心理学の世界でモチベーションという言葉は「動機づけ」とも言われます。そして、**動機づけには大きく分けて「内発的動機づけ」と「外発的動機づけ」の２種類**があります。

スポーツでたとえると、「内発的動機づけ」は選手が「好きだから練習する」「うまくなりたいから練習する」と、**自ら主体的に活動している状態**です。

自分が好きで目標をもってプレーしているので、モチベーション高く練習や試合に臨むことができます。

一方、「外発的動機づけ」は「コーチに『やれ』と言われたから」「みんなもやっているから」と人からの指示や同調圧力によって動かされ、練習に臨んでいる状態。プレーしていることに変わりはないですが、「内発的動機づけ」に比べるとモチベーションは低い状態になります。

さて、あなたの仕事や暮らしはどうでしょう？

人生を楽しむためには、内発的動機づけが欠かせません。

「自分に○（マル）」をつけ、自己肯定感が高まっていくためには、「私が決めた！」「ワクワクするから、コレがいい！」という感覚が必要不可欠。

自分で決めたから楽しむ。楽しそうだから自分でコレを選んだ。そんな場面を増やしていきましょう。

効果

モチベーションが高まる。計画力が高まる。実行力が高まる。

251

迷ったとき、決められないときは、憧れの人になりきる

人生は選択と決断の繰り返し。でも、重要な場面ほど悩むもの。判断に迷ったとき、どんな決断を下そうか悩んだときに役立つのが、**「レファレント・パーソン」**というテクニックです。

レファレント・パーソンとは、自分のあり方や生き方の価値基準の参考になる人のこと。歴史上の人物でも、フィクションのヒーロー、ヒロインでもかまいません。

あなたが今までの人生のなかでとても重要な判断をしたとき、進むべき道を教え、好影響を与えてくれた人がいれば、その人があなたにとってのレファレント・パーソンです。

そして、悩んだときに、「もし、私がレファレント・パーソンだったら？」と考えます。その人の生き方、価値観、思考法、行動を参考にし、自分の問題を客観視するのです。

ノートに「もし、私が○○だったら……？」と質問を書き出してみましょう。○○には、あなたのレファレント・パーソンの名前が入ります。

「もし、私が○○だったら、どう考えるかな？」
「○○が私の今の悩みを知ったら、どうアドバイスしてくれるかな？」

その後、レファレント・パーソンになりきって答えを書いてみます。すると、迷いから抜け出す決断のヒントがみつかるはずです。

効果

決断できる。迷いがなくなる。目標がみつかる。

252

尊敬する人だったらどうするか？を考える

［レファレント・パーソン］

実際に書き出してみましょう

困難や大きな壁にぶつかると、私たちはマイナス思考になりがちなので、視点を変えてものごとを考えることが大事。そんなとき、**自分の生き方の指針になる人物をイメージする**こと。296ページで紹介した**「レファレント・パーソン」**のワークをしてみましょう。歴史上の偉人、学生時代の恩師、祖父母や両親、好きなアスリートなど、尊敬している人物なら何人でもOKです。**レファレント・パーソンならこんなときにどうするか？　その人の価値観を参考にすると、今、自分が向きあっている問題を客観的に捉えられるように**なります。

効果

決断できる。客観視できる。課題発見力が高まる。計画力が高まる。

253

優先順位を決める

やりたいこと・やるべきことを書き出しましょう

1.

2.

3.

4.

5.

6.

7.

8.

9.

10.

やりたいこと、やるべきことがたくさんあって迷ってしまうときは、優先順位を決めましょう。

いったん、やりたいこと、やるべきことを箇条書きですべて書き出し、急ぐもの、重要なもの、後でいいもの、重要ではないものに分けて、優先順位を決めます。

そして、**順位の高いものから順番に番号を振って、リスト化。目に見える場所に張り出し、「見える化」すると直感が働き、自然と実現のための行動が増えていきます。**

自己決定感

効果

スッキリする。行動力アップ。状況把握力が高まる。問題解決力が身につく。

254

好きなものだけを見る時間をつくる

「最近、おもしろいことがないな」
「仕事ばっかりになっていて、つまらない」

そんな感覚が続くと、自己肯定感が下がり、とり組むべきことに対するモチベーションも低下していってしまいます。

そこで、意識的に自分の好きなものだけを見る時間をつくりましょう。

アメリカの心理学者エドウィン・ロックは**「目標を設定することが、人に高いモチベーションをもたらす」**として**「目標設定理論」**を唱えました。休日のひととき、仕事中の昼休みなどの休憩時間、日常からいったん、自分を切り離し、好きなものを見る時間をとりましょう。

- 旅行好きの人なら、ガイドブックや旅ブログ、海外の風景写真を見ながら「今度の休暇はここに行こう」
- スイーツ好きなら、過去に食べたスイーツの写真を見たり、人気店の新メニューをチェックしながら「来週末は友だちとこのお店に行こう！」
- サッカーが好きなら、前夜の試合のダイジェスト映像を眺めながら、「いつか海外へ観戦に行きたいな」

自分の好きなこと、楽しいことへの目標を設定します。こういった時間を10分とるだけでも自己決定感が回復し、仕事へのモチベーションも高まります。その前と後では大きく気もちが変わっているはずです。

効果

モチベーションアップ。気もちの切り替え。想像力が高まる。

255

立ち上がってみる

仕事中、「ちょっと気詰まりだな」「なんか集中できなくなってきた」「座りっぱなしでモヤモヤする」など、自己肯定感の低下を感じたら、立ち上がってみましょう。

最近はスタンディングデスクを使う人も増えていますが、**脳神経科学の研究によると、立つだけで私たちの脳の情報処理能力が向上する**ことがわかっています。

気詰まりになったとき、ちょっと立ち上がってみるだけで失われつつあった集中力をとり戻すことができるのです。

とはいえ、意味なく立ち上がるのは人目が気になるかもしれません。社内にオープンスペースのある会社や自宅での作業中なら、少し歩いてみましょう。

ノートパソコンをもって行き、作業スペースを変えてみる。10分だけ、とコンビニに行く。自動販売機で飲みものを買う。トイレに行って、手を洗う。キッチンでコーヒーをいれる。

そんなふうにして、ちょっと目に入る景色を変えるだけで自己効力感、自己決定感が回復し、自己肯定感が高まります。

「あ、無理」と思ったら、すっと立ち上がって気分を変えましょう。

164ページで紹介した「ヤッター！」のポーズを組み合わせると、さらに効果的です。

効果

気分転換できる。集中力回復。思考が柔軟になる。

256

休日は何もしないで ダラダラすると決定して楽しく実行する

休みの日にあえて「1日中、家のなかでボーッとする」「今日は雨だし、ダラダラして過ごす！」と決めて、実行してみましょう。

着心地のいい部屋着で、おいしい飲みもの、おやつ、あとはひたすら自由です。

大切なのは、自分で決めて楽しく実行すること。すると、1日をしっかり過ごしたという充実感と幸福感が味わえます。

実際、2016年にアメリカのアイダホ大学が800人の休日を調査した研究でも、計画的な休日の過ごし方の重要度は立証されています。

この研究によると、**自分で休日の予定をコントロールできていると思う人の幸福度は高く、新しいことにチャレンジしている人ほど自己肯定感を高めている**ことがわかったのです。

ただし、休日があっても何のプランも立てず、ぼんやり過ごしていると幸福感は低いままでした。でも、同じように家でぼんやりしていたとしても、**「この週末は本気でぼんやりする！」と決めていた場合、ダラーッとしているだけで幸福度が高まる**という結果になりました。

つまり、自分で決めて段どりした過ごし方ができると、人は幸せを感じ、自己肯定感を高めることができるのです。

効果

幸福度アップ。ポジティブ思考になる。計画力が高まる。

257

ガムを噛む

誰でも、とくに思い当たる理由もないのに気もちが不安定になることがありますよね。これは自律神経の働きと関係しています。自律神経は、交感神経と副交感神経のバランスがよいと適切な状態に保たれるもの。ところが、ストレスや疲労などが原因でバランスが崩れると、気分が落ち込んだり、考えがまとまらなかったりしてしまうのです。

基本的には、**集中力を発揮したいとき、行動的になりたいときは交感神経優位に、ひらめきを求めるとき、落ち込んだ気分を整えたいとき、考えをまとめたいときは副交感神経優位にしていくと効果的。**

ですから「考えても考えても、ヒントが出ない」「ミーティングを重ねても打開策が見えない」「モヤモヤしている」といった場合、粘り強くとどまるのではなく、「ま、いっか」といったん手放し、散歩に出たり、シャワーを浴びたり、ガムを噛んだりしましょう。

気を紛らすことで副交感神経優位になって、考えがまとまったり、いいアイデアが出たりするはずです。

私もガムをもち歩き、困ったらポイッと口に放り込んでいます。**ガムを噛んでいると、アゴが動き、ストレスホルモンのコルチゾールが減少。緊張状態を弛緩状態に変えていく効果がある**からです。メジャーリーガーもよくガムを噛んで打席にたっていますが、これもリラックス効果を狙ってのものでしょう。ガムが苦手だったら、グミもオススメです。カラフルな色味も刺激となって、気分を変えてくれます。

効果

リラックス効果。アイデアが出る。不安の緩和。自律神経が整う。

258

フカフカのところで寝る

- 解決しなければならない憂うつなことがあるけど、何から手をつけたらいいかわからない
- 十分、考えたんだけど、いいアイデアが出てこない
- こじれた友人関係を修復したいけど、どうやって声をかけたらいいか悩んでいる

パッと答えの出ない問題、すぐに決められない選択に悩んでいる夜は、いったん決断を先送りにして、休んでしまいましょう。

それもフカフカの布団に包まれて、ぬくぬくと眠ってしまうのが一番です。**脳は睡眠中にストレスを解消し、いろいろな考えを整理するというすばらしい性質を備えています。**

「あとはよろしく！」としっかり眠れば、起きたときには前向きな気もちになれているはずです。

効果

気もちの切り替え。ストレス解消。安心感が生まれる。問題解決力が高まる。

259

緊急で重要なことは何か確認する

［タイムマネジメント］

	緊急	緊急ではない
重要	すぐやる	後で必ずやる
重要ではない	時間があればやり、なければ人に任せる	やらなくていい

決めなければいけないことが増えて混乱したとき、必要なのは交通整理です。付箋とノートを準備しましょう。はじめに、いま自分が抱えている業務ややるべきことをリストアップし、付箋に書きます。

次にノートに線を引いて４分割の枠をつくり、枠左に「重要」「重要ではない」、枠上に「緊急」「緊急ではない」と書き込み、付箋を適した場所にペタペタ貼っていきましょう。あとは「緊急」で「重要」の枠に入ったやるべきことからとり組むと決めて、行動開始です。

効果

行動力アップ。優先順位がわかる。状況把握力、計画力が高まる。

260

手伝ってくれそうな人リストをつくる

手伝ってくれそうな人を書き出しましょう

1.

2.

3.

4.

5.

6.

7.

8.

9.

10.

「手伝ってくれそうな人リスト」は、306ページの「解決ノート」と連動したワークです。

仕事やプライベートで、あなたのまわりにいる人たちのことを思い浮かべましょう。そして、何か問題が起きたときに手を差し伸べてくれそうな人、手伝ってくれそうな人、アドバイスをくれそうな人を書き出し、リストにしていきます。

プライベートなら「友人」「家族」「恋人」「パートナー」「外部の専門家」、仕事であれば「上司」「同じ課の○○」「別の課の○○」「取引先の人」「外部の専門家」……。思いつくまま、リスト化していきましょう。

手伝ってくれそうな人がいる！と知るだけで安心感が得られます。

効果

安心感が得られる。状況把握力が身につく。実行力が高まる。

261

まわりの人の力を借りて問題を解決する
［解決ノート］

<table>
<tr><td colspan="2">家族
（親・パートナー・子どもetc.）</td><td>専門家
（病院・役所・心理カウンセラーetc.）</td></tr>
<tr><td>友人</td><td>〈解決したいこと〉</td><td>職場・学校
（上司・先生etc.）</td></tr>
<tr><td colspan="3">〈解決したらしたいこと〉</td></tr>
</table>

「解決ノート」のワークは、あなたが今解決したいと思っていることを中央に、その周囲に手助けをしてくれる人（305ページでリスト化した名簿を参考に）と「どんな手助けをしてくれるか」をそれぞれ書き込んでいきます。結果、**自分ですべきことも明確になり、決断の手助けとなります。**

効果

問題解決力が高まる。働きかけ力、発信力が身につく。

262

青、赤、緑の色をとり入れる

色彩心理学は臨床心理学の一部で、「色」と「人間の関係性」を心理学的に研究する学問。心の問題を解決するために、色の見え方や感じ方など、色に対しての人間の行動（反応）を調べています。

そんな色彩心理学の研究成果から、自己決定感に影響を与える３つの色をピックアップしました。

①**青……青は鎮静効果があり、集中力が高まる色**とされています。決断に向けて集中してものごとを考えたいときは、青を基調としたインテリアのある空間、晴れ渡った青空の下などに身を置きましょう。また、青のアイテムを身につけると、賢い人、仕事ができる人といった印象を与えられるので説得力も増していきます。

②**赤……赤は、闘争心をかきたて、視覚的に訴える力が一番強い色**だと言われています。勝負をかけるとき、自分で決めた事柄を周囲に納得させたいとき、力強さをアピールしたいとき、赤のアイテムを身につけましょう。

②**緑……緑は、安心感や安定、調和を表す色。**決断を下す前にリラックスしたいとき、新たなアイデアが欲しいときは、木や森などをイメージさせる空間に身を置きましょう。

効果

ストレスコントロール力が身につく。思考が柔軟になる。問題解決力が高まる。

263

目標を紙に書く

実際に書き出してみましょう

299ページでも触れたように、「目標設定理論」では、「目標を設定することが、人に高いモチベーションをもたらす」と考えられています。

一方、**目標を紙に書くことと目標達成率の因果関係を調べた研究では、達成率が1.4倍になることが明らかに**なっています。これは紙に書くことで、脳の神経組織RAS（網様体賦活系）が刺激されるからです。

RASが刺激されると、紙に書いたことへの注意力や集中力が増し、細かな情報を見逃さなくなります。つまり、**目標を紙に書くことで、目標達成のために必要な情報を脳がキャッチしやすくなる効果がある**のです。

効果

目標達成率、集中力アップ。計画力が高まる。課題発見力が高まる。

264

一駅歩く

都市部で電車を使って通勤、通学されている人向けですが、最寄り駅の１つ先の駅まで歩いていくのも自己肯定感を上げる瞬発系テクニックとして有効です。

習慣化して毎日ひと駅歩くというよりも、**「今日はちょっと気分が乗らないな」という日にあえて30分ほど早く家を出ましょう。**見慣れた風景から離れるだけで意識が切り替わり、「どんどん進もう」「知らない道を歩くだけで楽しいね」と前向きな発想が生まれやすくなります。

また、体を動かすことは「不快」だった気分を「快」の状態に変えていく効果があります。これは脳内でセロトニンが分泌されるためです。セロトニンは「幸せホルモン」とも呼ばれ、思考を前向きにし、ストレスを軽減してくれます。

朝、ひと駅歩くことでものごとへの評価の下し方がポジティブな方向に変わっていき、１日をアクティブに過ごすことができます。

また、逆に**夜、自宅の１つ手前の駅から歩くのも脳のリフレッシュになります。**

「あのお店、おいしそう」「こんな路地があったんだー。楽しそう」とワクワク。仕事の後、家に帰ってからもうひとがんばりしなければならないとき、資格試験の勉強などが控えているときなどは、事前に体を動かすことが気もちを切り替える「スイッチ」になり、再度、やる気のある状態をつくってくれます。

効果

リフレッシュ効果。モチベーション、ストレスコントロール力が高まる。

265

やる気が出るまで待ってみる

- やらなければいけないけれど、どうしてもやる気が出ない
- 人からやらされる感覚が抜けなくて、やりたくなくなってしまう
- やるか、やらないかで、ずっと葛藤している

誰もが経験したことのある状況だと思います。これは295ページで触れた「動機づけ」に当てはめると、「外発的動機づけ」を強制されている状態です。

学校の宿題を「やらなければいけないことはわかっているけど、どうしてもやる気が出ない」、上司に資格をとれと言われて「やらされる感覚が抜けなくて、やりたくなくなってしまう」、部屋が限界まで汚くて「でも、掃除するか、もうちょい耐えられるか、葛藤している」と。

義務感に迫られたとき、どう向き合えばいいかと言うと、やる気が出るまで待ってみるのも1つの手です。

- やってもいいかなと心から思えるようになるまで待つ
- すべてを完璧にやる必要はないと割り切る

心は自分の状況に応じて変わっていき、つねに一定ではないため、内側からむくむくとやる気が出てくることがあります。つまり、好奇心や探求心などの内発的動機づけが立ち上がってくるのを待つわけです。

効果

やる気が出る。行動力、主体性が高まる。

266

明日やろうでOK

1日の仕事量の多さに悩んでいる人は、タスク管理法で有名な**「マニャーナの法則」**を参考に、サクサク決断を下していきましょう。

マニャーナはスペイン語で「明日」という意味。つまり、**マニャーナの法則は「明日できることは明日やろう」という考え方**です。

たとえば、304ページで紹介した「緊急で重要なことは何か確認する（タイムマネジメント）」で担当している仕事を振り分けていったとしましょう。その結果、「緊急ではない」に分類された仕事や作業は、全部、明日に送ってしまうわけです。すると、今日やることに集中することができ、効率が上がります。**結果的に今日のぶんの仕事が早く片づき、余力を残しながら明日に向かうことができる**のです。

逆に明日やってもかまわない仕事を今日やってしまうと、そのぶん、時間が奪われます。使ってしまった時間は戻りません。挽回するには、オフィスにいる時間を延ばして対応することになります。

残業が続けば、疲れが残り、明日の能率が落ちるわけで、どちらが自己肯定感の上がる働き方かは明確です。

効果

効率が上がる。疲れが残らない。思考が柔軟になる。

267

寝室には嫌なものを置かない

「よく寝たなー！」とすっきり目覚めると、朝から気分爽快ですよね？

これは十分な睡眠をとると、脳がメンテナンスされるからです。睡眠には、成長ホルモンを分泌して心身を修復したり、日中に経験・学習したことを脳に定着させて記憶の整理をしたりする働きがあります。

自己肯定感は脳の状態と密接に関連していますから、質のいい睡眠がとれるかどうかはとても重要。そこで、寝室の環境です。

寝室は、大切な充電スペース。明日へのパワーをチャージするところです。だからこそ、「最高に気もちいい！」「落ち着く」「ホッとする」という自分の感覚を大事にしてください。

シーツや布団カバー、枕カバーは最高に肌触りのいいものを選び、カーテンは心が落ち着く色にして、あまりものを置かず、見て癒やされるアイテムだけに絞りましょう。

とくに仕事に関連したもの、悩んでいることを思い出すきっかけになるものなどは、寝ているあいだに潜在意識に潜り込ませないよう、扉の向こうに追いやってください。

そのためにも可能な限り、眠る場所はリビングや仕事部屋などの生活空間から離しましょう。そして、お気に入りのアロマオイルを入れた加湿器つけるなど、心地よさを重視した演出を。

安眠は、あなたの自己肯定感を高く保ってくれる魔法のひとときです。

効果

主体性が高まる。安心感が得られる。

268

自分の「推しメン」をつくる

あなたには「推しメン」がいますか？

「推し」とは、「人にすすめたいほど気に入っている人やもの」という意味。もともとはアイドルなどの「一推しのメンバー」が略されて、「推しメン」となりました。

日本のアイドル、韓国のアイドル、アニメのキャラクター、海外ドラマの出演者、スポーツ選手など、推しの対象となる人は誰でもかまいません。

大切なのは、心躍ること。そして、推しメンを通じて新たな仲間と出会うことです。

この２つの要素が重なると、次の３つの欲求が満たされます。

❶ 関係性欲求：周囲の人とよい関係でありたい
❷ 有能性欲求：有能な人間でありたい
❸ 自律性欲求：自分の行動を自分で決定したい

この３つの欲求が満たされると何が起きるかというと、人生の幸福度が高まるのです。

推しができて考え方がポジティブになった、打ち解けられる仲間ができたなど。つまり、推しのいる生活は人を幸せにしてくれるのです。

効果

幸福度が高まる。プラス思考になる。実行力が高まる。

269

あえて高いところに上ってみる

日本一、アジア一、世界一のビルやタワーに限らず、高い建物には展望室があります。そして、多くの人がその眺めを楽しむため、お金を払ってエレベーターに乗り込むのです。

なぜ、私たちは高いところに上ることを求めるのでしょうか？

それは刺激が得られるからです。

日々の生活では目にすることのない眺め、遠くまで見通せることの開放感。もし、落ちたら……というイメージからくる恐怖感。高い場所にいる非日常的な感覚。

こうした刺激が影響するのか、心理学の研究では、**地上にいるときに比べて高所にいるときはリスクをとる意思決定を下しやすくなる**ことがわかっています。

決めなければいけないことがあって、でも、もう１つ勇気が出ないとき、あえて高いところに上ってみるのは悪くない選択です。

効果

非日常感を味わえる。決断力が高まる。課題発見力が高まる。

270

簡単なパズルを解いてみる

私たちには誰にも思い出したくない嫌な記憶があるものです。こうした嫌な記憶を繰り返し考えてしまう**「反芻思考」**は、うつ病の根本原因とも言われています。普段は忘れていても、何かのきっかけで「あー、あのときなー」「なんであんなことを言っちゃったのかな」「失敗する前に準備すればよかった」と、苦い思い出がよみがえってしまうのです。

そんなとき、気もちを切り替えるのに有効なのが、簡単なパズルゲームをプレーすること。じつは世界的な大定番パズルゲーム**「テトリス」には、不安とストレスを軽減する効果がある**ことがわかっています。

これは落ちてくるブロックに次々と対処するうち、**ゲームに集中し、無我の境地とも呼ばれるフロー状態に入るから**です。瞑想によるマインドフルネスにも似ていて、ストレス解消効果があります。

- ネガティブな記憶や感情から注意がそれる
- リラックスさせてくれる
- 人間のコントロール感覚を高めてくれる

ただし、ロールプレイングゲームや格闘ゲーム、FPSなどの複雑な意思決定が必要になるゲームでは同じ効果は得られないので要注意。シンプルなパズルゲーム限定です。**1日の終わりのリラックスタイムにパズルゲームを楽しむのは、気分転換にオススメ**です。

効果

マインドフルネス。リラックス効果。ストレス解消。

271

行ったことのない街に行ってみる

いつもと違う場所を歩くことは、次の3つのいい効果をもたらします。

❶ ものごとの捉え方のバランスが整う

ものごとの捉え方がアンバンラスになっていると、極端な決めつけをしてしまいがちになります。小さなミスに対して「自分はなんてダメなんだ」と必要以上に落ち込んだり、パートナーの欠点が気になって「だから君は」とレッテルを貼り、喧嘩になってしまったり……。初めての場所を歩くと、新鮮な発見があり、ものの捉え方を修正してくれます。感情が落ち着き、客観的にものごとを捉えられるようになるのです。

❷ ストレスが軽減する

歩くことのストレスの軽減効果は、脳神経科学の研究でも証明されています。10分程度の散歩でも、幸福感を与えてくれるホルモン、セロトニンやドーパミンが分泌され、ストレスホルモンの1つとされるコルチゾールが減少。気もちがすっきりするのです。

❸ いいアイデアが出る

歩くことで脳内の血流が改善。仕事への集中や予想外の出来事への対処などをつかさどる機能が高まります。その結果、歩いているあいだに創造的なアイデアが降りてくる確率が上がるのです。

効果

主体性が高まる。実行力が高まる。想像力が身につく。

272

ルームウェアにこだわる

ルームウェアにこだわると、自己肯定感が高まります。国内の大手ルームウェアメーカーの研究所が、室内でゆったり過ごし、夜、眠りにつくときから、朝、すっきりと目覚めるまで、本当に心地よく過ごすために必要な3つの感覚を定義しています。

- 動きの心地よさ
- 温度の心地よさ
- 肌への心地よさ

動きの心地よさで一例をあげれば、**ズボンのウエストがきつめだと自律神経のバランスが崩れます。**ゆるめで締めつけないもののほうが副交感神経優位になり、リラックスできるのです。季節によって変化する温度の心地よさ、個々人で好みの変わる肌触りの心地よさ。この3つのポイントにこだわって自分を大切にするルームウェアを選び、安心に包まれながら過ごすよう心がけると、自己肯定感が高まります。

効果

安心感を得られる。ポジティブ思考になる。柔軟性が高まる。

273

人の印象は3回で10割決まることを知っておく

［スリーセット理論］

第一印象でいまいちいい印象を残せなかった……初対面では、うまく自分を表現できないのはよくあることです。たしかに人間関係をつくる上で第一印象は重要ですが、じつは**人の印象は2回目、3回目と続く3回の接触で固定化される**という説があります。

たとえば、最初は「怖い人かな」と思っていたけど、3回目には「人情味のあるやさしい人」という印象に。

こうした変化の理由を明らかにしたのが、**「スリーセット理論」**です。第一印象が悪くても大丈夫。十分に挽回することができるので、安心してください。スリーセット理論を発表したのはイギリスのセントアンドリュー大学の研究チーム。彼らの指摘によると、**1回目で第一印象が決まり、2回目で印象の再確認が行われ、3回目で印象の固定化が進む**とされています。

ですから、**重要になるのが2回目に会うタイミングです。ここで第一印象のしくじりを挽回する**ギャップのある対応を見せられれば、「意外にいい人かも」「本当はやさしいみたい」「人見知りだっただけかも」と好意的な解釈を引き出すことができます。それが成功したら、3回目に会うときは2回目の印象が固定化するよう、いつものあなたで臨みましょう。

悪印象は挽回できると知っておけば、ドキドキせずに初対面の場に向かうことができます。

効果

対人関係の改善。状況把握力が高まる。実行力が高まる。

274

二者択一で提案する
［ダブルバインド効果］

「今日のランチ、イタリアンにする？ 中華にする？」
「今度、旅行に行きたいよね？ 温泉宿と夜景のきれいなホテルだったら、どっちが好き？」
「このワンピースがいいなと思っているんだけど、グリーンとブルー、どっちの色がいいかな？」

友だちや恋人、パートナーと一緒にいるとき、あなたの好みに合う決定を下してもらいたいな……というときに役立つ提案の仕方です。

これはいずれも**「ダブルバインド」という心理的テクニックの肯定的な使い方。**ランチや旅行に行く前提、買いものはする前提で、二者択一で「どちらがいい？」と提案します。

すると、相手は自分で決めた感覚になりながら、するっとあなたの望みの方向に動いてくれるわけです。こっそり使ってみてください。

効果

人を動かす。働きかける力が身につく。計画力が高まる。

275

ストレスを感じたら、迷わず自分のためになることをする

私は「疲れたなー」と感じたとき、スキマ時間ができたらすかさずマッサージに行くと決めています。また、考えが煮詰まり気味かも……と思ったら、「3時間いなくなるね！」とスタッフに伝えて、海を眺めに行きます。

モヤモヤ、ストレスを感じたら、迷わず自分のためになることをする！ と決めているのです。

こうすると、「モヤモヤ、ストレスを感じても大丈夫」と安心できますし、**「いざとなったとき、モヤモヤやストレスに対処する方法がある！」と迷わず行動に移すことができます。**

あなたも、自分だけのうれしくなる、楽しくなる、ストレス対処リストをつくっておきましょう。迷わず自分のためになることをしちゃってください。

効果

ストレス解消。安心できる。問題解決力が高まる。

276

「決めつけなくっていいよ！」とほかの視点を探してみる

自己決定感は、自分で主体的に決めたことをやっているという感覚です。ただ、決めたことが「絶対！」というわけではありません。

一度、決めて始めたことでもつらくなったら、「やーめた！」と手放してしまいましょう。

「ハーバード大学」の心理学教授ダニエル・ギルバートの研究によると、人は10年という期間でも、同じ人物でいることはないそうです。

価値観や関心、目標は変わっていきます。ところが、多くの人は「自分は10年前の自分と少ししか変わっていない」と決めつけてしまっているのだとか。

ギルバート教授は「人間はつねに変わり続けているのに、自分を確立した、変わらないと勘違いしてしまう生きものだ」と指摘しています。

「小さい頃から人見知りだから」「昔からこんな性格で……」と。もちろん、10年前と同じ感覚、同じ対処法でうまくいくこともあるでしょう。でも、それがつらさや苦しさにつながっているなら、いつでも「決めつけなくていいよ」とほかの視点、やり方を探してみましょう。

「自分はこういう人間だ」と決めつけず、つねに変われる、つねに変わりたいと思うのが自己肯定感を高く保つ秘訣かもしれません。

「やーめた！」と手放すと決めることもまた、自己決定感を高めてくれるのですから。

効果

気もちの切り替え。状況把握力が高まる。問題解決力が高まる。

277

「明日のゴールはこれ！」と毎日のゴール設定をしてみる

もし、あなたが今、うまく結果に結びつけたいと願っている目標があるなら、「実現したい目標」と「実現する日付」を書いたメモをつくり、普段から目に入る場所に張り出しましょう。

目標を「見える化」して、日付で締め切りを定めると、それを実現するためのとり組みが増え、興味と準備と経験の下地づくりが進んでいきます。すると、直感が働きやすくなり、心の声があなたの味方となってくれるのです。

これは**「リマインダー・テクニック」**と呼ばれる方法ですが、さらに細かく分けると**「スモールステップの原理」**が働き、目標達成に近づきやすくなります。

たとえば、前日の夜に実現したい目標のためにできることを考えます。

英語力を上げたいなら「英単語を５個覚える」、資格試験の合格を目指しているなら「参考書を２ページ音読する」と。

こうやって**「明日のゴールはこれ！」と目標を手帳などに書き出して、毎日１つ目に見えるゴールをつくる**ようにしてみましょう。すると、大きな目標に向かって徐々に近づく自分を実感。自己肯定感が高まっていきます。

効果

目標達成率、実行力、計画力が高まる。

278

「これをやれば必ずこうなっちゃった」と楽しい未来を自分で予言しておく

実際に書き出してみましょう

心理学には**「未来はこうなる」と明確に予言するだけで、それが現実になる効果を説明する理論「自己成就予言」**があります。

これはアメリカの社会学者ロバート・K・マートンが提唱したもので、ある思い込みを信じて行動するうち、それが実現する現象です。

たとえば、「〇〇したい」という希望を「〇〇になる」と明確な宣言に変えて、書き出してみましょう。「〇〇をやれば、必ず〇〇になっちゃった」と完了形の予言にするとより効果的です。**書くことでアウトプット効果が働き、その方向に意識が導かれ、実現のための具体的な行動につながります。**

効果

目標実現率、行動力アップ。計画力、実行力が高まる。

279

やることが見つからないなら、まずはお金を稼ぐことを考える

私は就活中に「やりたいことが見つからない」と悩んでいる学生、転職活動で「天職を見つけたい」と悩んでいる社会人の方たちには、「やることが見つからないなら、まずはお金を稼ぐことを考えましょう」とアドバイスしています。

というのも、**天職と思える仕事は見つけるものではなく、見つかるもの**だからです。

実際、自分の仕事を「天職」だと考えている人たちを調査したジョージタウン大学のカル・ニューポート准教授は、**「天職に就くことができた人の大半は、事前に『人生の目的』を決めていなかった。彼らが天職を得たのは、ほとんどが偶然の産物だった」**と指摘しています。

悩んで立ち止まって動けなくなるくらいなら、目の前の仕事でお金を稼ぐことに集中すると決めてみましょう。

すると、見えてくるものがあります。それは自分の適性であったり、能力であったり、社会のニーズであったり、です。

また、何をするにもお金は必要ですから、稼いでおいて邪魔になるものではありません。**働きながら視野を広げて、見つかるのを待つ。そんなスタンスでいると、天職が見えてくる**はずです。

もし、あなたが働くこと、働き方で悩んでいるのなら、目標額を決めて稼いでみるところから始めてみてはいかがでしょうか。

効果

天職が見つかる。自分の適性が見える。課題発見力、実行力が高まる。

280

今やっていることから、いったん完全に離れてみる

- このゲーム、本当はもうやめたいんだけど、これまでかけてきた時間がもったいなくて……
- 損が出ている株式投資、損切りをしてすっきりしたいけど、投資したお金のことを考えると……
- 苦手なあの人とのつき合いを減らしたいけど、今後の仕事のことを思うと……

このように何かを手放せない心理状態を**「コンコルド効果」**と呼びます。これはよくないとわかっていながら、「もったいない」という執着を手放せない状態です。

この苦しさから抜け出すには、「今やっていることから、いったん完全に離れてみる」と決めることが一番。でも、現実にはなかなかできません。

そこで、役立つのが**「ゼロベース思考」**です。

「今までは今まで、これからはこれから」と、割り切って考えましょう。

今までを切り捨てることができれば、自由な未来が待っています。

私たちは、理性を使って今をしっかり認識し、執着という我欲を捨てる決意をすることができます。

あなたの心を自由にできるのは、あなたです。

効果

決断できる。状況把握力、想像力が高まる。

281

勝負服を
あらかじめ決めておく

アメリカには**「ドレス・フォー・サクセス」**という言葉があります。これは**「おしゃれのためではなく、成功するために装う」**という意味です。

営業マンなら、「今日はこの服で、契約を決める！」「今日はこの服を着ているから、第一印象は完璧！」と、クライアントに会う前にそう思うだけで、普段と違うパワーが出る勝負服。

背丈（高くても、平均的でも、低くても）、骨格、姿勢、話し方、表情、声質、バランス、髪質、体形（太っていても、痩せていても）、目、気品など、人から褒められたことのあるポイントを強みとして、それを活かす服を選びましょう。

それがあなたの勝負服になります。これに決めたという勝負服は、あなたを前に押し出す勇気もくれるのです。

効果

勇気が出る。自信がつく。主体性が身につく。ポジティブ思考になる。

282

食材の色と味を しっかり意識して食べる

食事を通じてマインドフルネスになれる方法があります。それがハーバード大学公衆衛生大学院で推奨している「マインドフル・イーティング」です。五感をフルに使って食べることだけに集中。その結果、心をリラックスさせ、ストレスを軽減し、不安、恐れ、心配といった感情を遠のかせてくれる食事法で、３つのステップに分かれています。

①適度な空腹状態で食卓に向かう

お腹がペコペコな状態で食卓に着くと、胃袋を満たすことを優先してしまい、食事に集中することができません。おいしく味わえる適度な空腹状態で食事を始めましょう。

②五感を料理に集中させる

目で食べものの色や形を、手で食材の触感を、鼻で料理の香りを、耳で噛んでいるときの音を、舌で食べものの噛み応えや舌ざわりを感じます。そしてなにより、味を楽しみましょう。

③少量を口に入れ、よく噛む

少しずつ口に入れ、ゆっくり噛むことで、食事への集中度が増していきます。またよく噛むことでどか食いを防ぐこともできます。

人生はシンプルです。すべての感情は美しい。食事をひと口ひと口、味わいましょう。

効果

マインドフルネス。満足感を得られる。

283

両手の親指と小指を交互に立てるエクササイズをする

即効性があり、「ここぞ！」というときの集中力と決断力を高めるエクササイズを紹介します。やり方は簡単です。

❶ 右手の親指と左手の小指を同時に立てる
❷ 左手の親指と右手の小指を同時に立てる
❸ ❶と❷をリズムよく繰り返す

でも、慣れるまでは、やり方がわかってもなかなか思うように指が動きません。それは右脳と左脳のバランスが崩れているから。

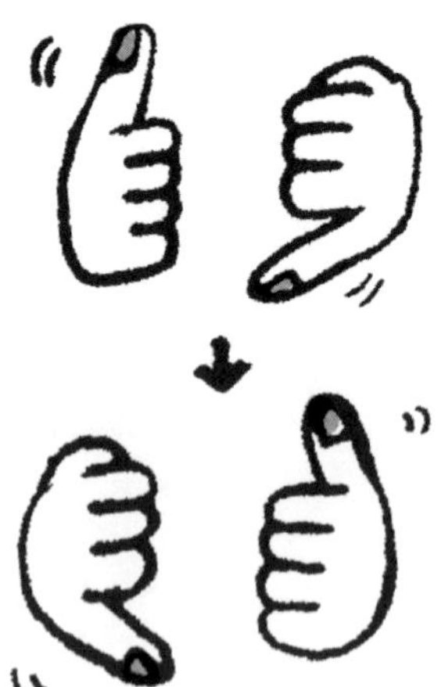

この動きがスムーズにできるようになったら、論理的思考、感覚的思考のバランスがとれてきたということ。よりよい決断が下せるようになります。

効果

集中力、決断力が高まる。思考がクリアになる。

284

手を真横に伸ばして、首を回して中指の先を見る

疲れから決断力、判断力が鈍くなっているかも……と感じたときに、視野が広がるストレッチです。

❶ 足を肩幅に開いて立ち、首をぐるぐる回してほぐします
❷ 片方の手を真横に伸ばし、もう片方の手は腰に置きます
❸ 首を回して、伸ばしている手の中指に視線を向けます
❹ もう片方の手も❷→❸の順に行います

ストレッチにはリラックス効果があり、副交感神経を優位にしてくれます。すると、心に平静さをとり戻すことができます。また、首がよく回って文字通り視野が広がります。**視野が広がることで判断力が上がり、決断力も高まる**のです。

効果

判断力が上がる。決断力が高まる。自律神経が整う。

285

トイレを
ピッカピカにする

「決めたら、やり抜く！」という意志力を鍛える方法があります。

それがトイレをピッカピカに磨くことです。

ポイントは、自分の行動を意識的に選択し、実行すること。ノースウェスタン大学の研究で、「利き手ではないほうで食事や歯磨きをしたり、ドアを開けたりする」という些細な動作でも、**意識的に繰り返し行うと意志力が鍛えられる**ことがわかっています。

そこで、トイレ掃除です。

なかなか自分から率先してやりたいと思う人は少ないはずですが、だからこそ、意志の力で毎日ピッカピカに磨き上げていくと、意志力、決断力、行動力、自制心は向上します。

「決めたんだけど、サボってしまう」「中途半端に途中で投げ出してしまう」と悩んでいる人は試してみてください。

決めたことを実行する意志力の強さが身についていくはずです。

自己決定感

効果

意志力がアップ。実行力が高まる。

286

単調な作業を5分間してみる

大事なことを決めようとしているとき、うまく集中できないと感じたら、5分間、単調な作業をしてみましょう。

行動療法の1つとして、炊事や洗濯、掃除など日常に関わる雑事をこなし、規則正しい生活を徹底するというやり方があります。

これは、じっとしていると不安やいら立ちといったネガティブな感情に呑み込まれてしまうことがあるから。ほかの**単純な作業をすることによって雑念が入るのを抑える**わけです。

大事なことを決めなければいけないのに、心がストレスフルではうまくいきません。そこで、目の前の雑事に集中すると、イライラや怒りや悩みごとが忘却の彼方へと消えていきます。

オフィスなら、会議用の資料をコピーする。溜まった不要書類をシュレッダーにかける。家庭だったら洗いものをする、洗濯ものを干すなどの家事をする。こうした**「あまり頭を使わずにできる作業」に精を出すことで、ネガティブな感情を紛らすことができる**のです。

しかも、集中して続けるうちにだんだん気分が盛り上がり、熱中してきます。これはドイツの精神科医エミール・クレペリンが「作業興奮」と名づけた作用。

つまり、単調な作業を5分間続けると、雑念が消え、よりよい判断をするための集中度が高まり、いい決断を下せるようになるのです。

効果

集中力アップ。ストレス解消。状況把握力が高まる。

287

自分の感覚で選んだ好きなアートを飾る

アートに触れると、3つの効果があると言われています。

❶ リラックスできる

美しい風景写真や風景画などを眺めているうち、凝り固まっていた気もちがほぐれていきます。

❷ 脳が活性化する

現代アートのような解釈の幅が自由な作品を見ていると、創造性や論理的思考力が刺激されます。これはどういう作品なんだろう？ と考えることが脳を活性化させるのです。

❸ 自分を再発見する

アートに描かれているテーマと過去の自分を結びつけ、イメージが広がることがあります。すると、今の自分が浮かび上がってくるのです。

自分の感覚で選んだアート作品にふれることは、自己決定感が下がっているときのバイアスをほぐし、決断力をとり戻す助けとなってくれます。

効果

プラス思考になる。決断力が高まる。実行力が高まる。

288

気分が落ちた日は黄色を身につけて出かける

気分を盛り上げたいとき、元気を出したいときは黄色のアイテムを身につけましょう。

色彩心理学は臨床心理学の一部で、「色」と「人間の関係性」を心理学的に解明する学問。心の問題を解決するために、色の見え方や感じ方など、色に対しての人間の行動（反応）を研究していきます。

そんな色彩心理学で**黄色は、明るく、活動的で、希望のあるイメージを連想させる色。**有彩色のなかで一番明るく、視覚に訴える力の強い色でもあります。

見た人に陽気さや楽しさを伝え、フレンドリーでユーモラスな印象を残します。活動的で陽気な自分を演出したいときに黄色のもつ力を借りましょう。

・黄色の心理効果

気分が明るくなる、活動的になる、注意を促す、判断力が上がる、緊張を和らげる、注目させる、活力が湧いてくる、アイデアを思いつく

・黄色の与えるイメージ

明るい、華やか、天真爛漫、無邪気、陽気、軽快、ポジティブ、楽しさ、喜び、活発、素直、純粋、幸福、幸運、希望、フレンドリー、ユーモア、躍動感、幼い

効果

気分が向上。ストレスコントロール力、行動力が高まる。ポジティブになる。

289

自分の嫌いなところをリスト化してその理由を書いてみる

嫌いなところとその理由を書いてみましょう

1.

2.

3.

4.

5.

6.

7.

8.

9.

10.

自分の嫌なところを理由とともに書き出しましょう。これは**心理療法の「筆記療法」に似たやり方で、書き出すことで気もちがアウトプットされ、楽になっていきます。**そして、「こんな自分も自分」「そんな自分もOK！」と受け止めましょう！

- 嫌なところ「会社の同僚の◯◯さんに嫉妬している」
- 理由「◯◯さんは私より能力が高くて、人当たりもいいから、嫉妬している」
- 嫌なところ「とにかく1日中、イライラしている」
- 理由「子どもの夜泣きがひどくて、睡眠時間が削られる。夫は仕事で疲れていると言って、手伝ってくれない」

効果

気もちが軽くなる。ネガティブな自分を受け止められる。

290

「自分の気もちはこう！けれども仕事は仕事！」と割り切る

働いていると、仕事に関する悩みは尽きません。誰もが一度は本当に大好きな仕事ができたらなぁと考えたことがあるのではないでしょうか。

しかし、その憧れは憧れのままにしておき、今、目の前の仕事の悩みと自分の気もち、これを分けて考えていったほうが自己肯定感は上がります。

というのも、**オックスフォード大学が行った研究では「好きを仕事にした人ほど長続きしない」との結論が出ている**からです。研究チームは北米の動物保護施設で働く男女にインタビューし、次の３つのグループに分け、追跡調査を行いました。

- 「自分はこの仕事が好きだ」と感じながら仕事にとり組むタイプ
- 「この仕事で社会貢献するのだ」と情熱をもって仕事にとり組むタイプ
- 「仕事は仕事」と割り切って日々の業務にとり組むタイプ

すると、**仕事の継続率とスキルの向上の面でもっとも優れていたのは、「割り切りタイプ」だった**のです。好き派と情熱派は燃え尽き、離職する傾向がありました。

割り切りタイプになったほうが幸福度も上がり、自己肯定感も安定する可能性が高いのです。

効果

ストレスコントロール力、判断力が高まる。

291

トリプトファンを食事にとり入れる

ここまで何度も登場してきた**幸せホルモンのセロトニンは脳内でつくられます。その際、材料として不可欠な必須アミノ酸が「トリプトファン」**です。

ただ、トリプトファンは体内で生成することができないので、食事からとる必要があります。トリプトファンが多く含まれている食材は主に、豆腐、豆乳、納豆、味噌、しょうゆなどの大豆製品、チーズ、牛乳、ヨーグルトなどの乳製品、米などの穀類、レバー、アーモンドなどです。

摂取したトリプトファンは、日中は脳内でセロトニンに変化し、夜になると睡眠を促すメラトニンに変化します。ですから、トリプトファンが不足すると、睡眠の質の低下を引き起こすことも。

食材を意識しながら継続的にトリプトファンをとって、気分や感情をコントロールし、心の安定を保つセロトニンを増やしましょう。それが自己肯定感の高まりにも役立ちます。

自己決定感

効果

ストレスコントロール力、計画力が身につく。

292

週1回、好きなことにどっぷりつかる

最近、しっかり遊んでいますか？ もし、仕事が忙しくて、他にやらなきゃいけないことが多くてという状態だとしても、週1回は1時間でも2時間でも好きなことにどっぷりつかれる機会をつくりましょう。それが後々の自己肯定感の高さに効いてきます。

シカゴ大学の研究チームが、70代、80代の高齢者294人を対象に行った6年間の追跡調査があります。高齢者が子どもの頃、大人になってから、高齢期に入ってからの情報収集活動（本を読む、映画を観る、仕事をするなど）の量から、1人ひとりの認知能力の変化を調べました。

研究チームは調査に参加してくれた高齢者の方々と定期的に会い、彼らの死亡後には脳の検死解剖によって一般的な脳病変や認知症の兆候の有無を確認。すると、ある傾向が明らかになりました。

それは、**生涯を通してクリエイティブまたは知的な娯楽に多く興じた人ほど、脳を使う活動に参加する機会が少なかった人に比べて、高齢期での認知機能低下率が32％も低かった**のです。とりわけ若い頃のメンタル的な活動量は、高齢期の記憶力保持に強く関連していました。

つまり、**10代、20代、30代、40代に好きなことにどっぷりつかり、知的な刺激を受けていることが、お年寄りになってから認知機能の低下、記憶力の低下を防いでくれる**のです。生活にメリハリをつけて、しっかり遊んでいつまでも自己肯定感高く生きていきましょう。

効果

健康でいられる。ストレスコントロール力、ポジティブ思考が身につく。

293

両親との関係がこじれたら「見守っていてほしい」と伝える

私たちは何かを学ぶとき、**自分で直接体験して吸収する「直接強化」、ほかの人の行動とその結末を観察することで学習する「代理強化」**という方法をとります。心理学の世界で「観察学習」や「モデリング」とも呼ばれる代理強化は、関係が密接な親子のあいだでより強く働きます。子どもは自然と「親のやっていることを真似しよう」とするので、家族の価値観は似てくるのです。

ただ、成長すると直接強化の機会が増えます。

友だちや恋人との時間、仕事や趣味を通じた社会経験……。１人ひとりに自分の価値観が育ってくるわけです。

すると、当然、親子間で衝突が生じます。そのとき、自己肯定感が低い子どもは親のために我慢してしまいがち。でも、そこで我慢してしまうと自尊感情、自己信頼感、自己決定感が低下。人の意見に頼る傾向のある大人になってしまいます。

親と衝突したときは素直に「見守っていてほしい」と伝えましょう。「ほっといて」ではなく「見守っていて」です。あなたらしさをあなたが知り、自らを尊重することが大切です。

人は十人十色で、それぞれに個性という色＝らしさをもっています。親子でも、パートナーでも、まったく違うらしさがあるのです。ですから、意見の食い違いがあるのは、当たり前。認め合える関係性を築いていきましょう。

効果

主体性が高まる。状況把握力が身につく。発信力が高まる。

294

本のジャケ買い・タイトル買いをしてみる

「自分で決めた！」と自己決定感を大切にするのはいいことです。

ただ、趣味嗜好がしっかり定まってくると、新しい情報、切り口、ものごとの捉え方に触れにくくなってしまうというデメリットがあります。

最近、同じジャンルばっかり読んでいるな、観ているな、似た音楽ばかり聴いているな……とマンネリを感じたときは、「今日は直感で決める！」とジャケ買い、タイトル買いを試してみましょう。

直感的に気になった作品を読んだり、観たり、聴いたりすることで、あなたの世界が広がります。

また、**直感にはあなたの過去の経験がにじみ出るので、大きく好みから外れることはありません。**イスラエル大学の研究では、人間の直感の90%は正しいというデータもあります。今まで知らなかった好きなものに遭遇するはずです。

効果

視野が広がる。楽しみが増える。主体性、想像力が高まる。ポジティブ思考になる。

295

連休中は食べすぎてもOK！ 連休明けから エクササイズの時間を増やす

「ダイエットする！」と決めて、でも、うまくいかなくて「ダメだった」と落ち込んだ経験はありませんか？

ダイエットの失敗は自己決定感をはじめ、自己効力感や自己信頼感を低下させ、体重が目標値まで減らなかったことに加え、自己肯定感にもダメージを与えます。

そこで、もし次にダイエットをするときは、何を食べてもいいチートデイを設けて、メリハリをつけながら食事制限をするよう心がけてみてください。それがダイエットの失敗の確率を下げてくれます。

ダイエット中に食べたくなるのは、食事のコントロールやきつい運動をすることで、我慢を重ねているからです。

我慢しすぎると、脳内にコルチゾールというストレスホルモンが分泌されます。コルチゾールは筋肉を分解し、代謝を下げるので、脂肪が燃えづらい体をつくってしまいます。しかも、**体がコルチゾールの分泌を抑えようとするため、甘いもの（糖質）を欲するようになる**のです。この悪循環を絶つのに役立つのが、チートデイ。

「連休中は食べすぎてもOK！ 連休明けからエクササイズの時間を増やす」とルールを決め、ダイエットの休息日を楽しみましょう。

それがストレスを軽減し、コルチゾールの分泌を抑えてくれます。ときには食べすぎたって大丈夫です。チートデイを挟んで、またがんばっていきましょう。

効果

継続力アップ。主体性、計画力が身につく。柔軟になる。

296

たまには有休をとって、芝生でゴロゴロしたりゆっくり過ごす

大学などの研究機関で始まり、今では一般企業でも導入が進んでいるサバティカル休暇。これは年度ごとの有給休暇とは別に安息や自己研さんなどを目的とした休業制度です。

安息日を意味するラテン語「SABBATICUS(サバティクス)」に由来するもので、イスラエル、アメリカ、ニュージーランドの研究チームが、サバティカル休暇をとった研究者の健康状態、ストレスレベル、対人関係についての調査結果を発表しています。

それによると、**休業をとった職員は、よりエネルギッシュになり、新鮮な気もちで研究にとりくみ、プロ意識が向上。なにより健康状態がよくなり、ストレスレベルが在職中よりもはるかに下がった**のだそうです。

それもできる限り街を離れ、仕事と関係のない場所で過ごした職員のほうが、どこか仕事につながっているよりもよい結果になっていました。

この研究を知ってから、私は自主的に、芝生のある公園でゴロゴロしたり、京都の定宿でリラックスしたりする時間をもつようになりました。

緑に囲まれた場所での休息は、目や心を癒やし、疲労の回復が早いという実験結果があります。あなたも自主的なサバティカル休暇をとり入れて、ゆっくりゴロゴロ、自分をいたわってあげる時間をつくりましょう。

効果

疲労回復。癒やし効果。ストレスコントロール力が身につく。

297

大事な会議やプレゼンの日は カチッとジャケットで気合を入れてみる

自己啓発書のバイブルとして世界中で読み継がれている『「原因」と「結果」の法則』の著者ジェームズ・アレン。彼の出している本のなかに、こんなタイトルがあります。

『人は考えたとおりの人間になる』

私もそう思います。心のなかのセルフイメージを上げると、ものごとはうまくいき始めます。

大事な会議、プレゼンの日はカチッと決まるジャケットで気合を入れて臨みましょう。鏡に映る自分の姿が「イケてる」「説得力ありそう」「仕事ができる感じ」なら、大丈夫。**よいセルフイメージのまま本番に挑めば、きっと望んでいる結果が出ます。**

あなたを活かすジャケットは、スポーツ選手のユニフォームのようなもの。セルフイメージがザーッとポジティブな方向に動く一着には、投資を惜しまず、形から入ってイメージとメンタルを高めていきましょう！

自己決定感

効果

セルフイメージ、主体性が高まる。計画力が高まる。

298

テレワークに最適なスペースを2つ見つけておく

新型コロナウイルスの流行は、私たちの生活様式を変えました。テレワークやオンライン授業が当たり前になった人も多いのではないでしょうか。

そこで、質問です。

１人だと仕事や勉強がはかどるときと、停滞するときがありませんか？

私たちの集中力が持続する時間は限られています。さまざまな研究によって定義が異なりますが、最長で２時間、最短で８秒とするものもあります。いずれにしろ、１人でコツコツ集中するのには限界があるのです。

そこで、私は「テレワークに最適なスペースを２つは見つけておく」をオススメしています。

１つは自宅や個室のあるレンタルスペースなど、１人で静かにとり組める場所。集中力が持続している限り、成果は高くなります。

もう**１つは、カフェや図書館、オープンなワークスペースなど、人の眼がある場所**です。**周囲に見ている人がいるとモチベーションが上がる「ホーソン効果」と呼ばれる心理効果**が働きます。

つまり、１人きりでのとり組みに限界を感じ始めたら、場所をサクッと変えて、気分転換。ホーソン効果をうまく味方につけ、途切れていた集中力を復活させるというわけです。

効果

集中力アップ。ストレスコントロール力、課題発見力が高まる。

299

リモートDayは
ルーティンを用意する

テレワーク、リモートワークが広まるにつれ、私の講座やカウンセリングでも「オンとオフの区切りがなくなった」「誰にも会わないで１日が終わってしまう」といった声を聞くようになりました。

実際、民間企業が行ったテレワーク、リモートワークについてのアンケート調査によると、経験者の７割以上が「仕事とそれ以外のメリハリがつけにくい」「１日中時間に追われている」と答えたそうです。

以前は外回りのついでにカフェや公園に寄ってひと息ついたり、喫煙スペースや休憩室で会った同僚と愚痴をこぼし合ったりと、気晴らしのできるスキマ時間がありました。

でも、リモートワークではそれもやりにくく、家のなかで1人、落ち込んでしまう方もかなりいらっしゃるのではないでしょうか？

これはメンタル面での悪影響が心配です。

リモートワークの日だからこそ、**午前中、午後の仕事の区切りをしっかりつけ、箇条書きのTODOリストをつくりましょう。**それを家族や同僚と共有することで、一体感が生まれます。また、公言することでモチベーションも高まります。

そして、ランチタイムやおやつの時間には、ひと手間かけたおいしいものを用意して、自分を甘やかしましょう。

メリハリのあるルーティンが、１人で仕事をするあなたを支えてくれます。

効果

メンタル安定。計画力が高まる。ストレスコントロール力、主体性が身につく。

祝日は本屋さんに行って次のレジャーの予定を立てる

未来の計画をもっている人ほど、幸せを感じながら今を過ごせます。

現在の幸福度と未来の計画の関係について調べたカナダのウォータールー大学の研究があります。それによると、**未来の予定や計画をもっている人ほど幸福度が高い**ことがわかりました。

「今年の夏は仲のいい友だちとキャンプをする」
「家族で海外旅行に行く」
「２人で結婚資金を貯める」
「語学を学ぶ」

レジャーから自身の成長に関することまで、さまざまな面での未来に向けた目標をもち、それに向かって努力することが私たちに幸せを感じさせてくれるのです。

そこで、お休みの日は本屋さんに行って次のレジャー、次にとり組みたいことの計画を立てましょう。

「○○をしたい」「○○をしよう！」とメモ書き出すだけで、脳の認知機能を司る前頭葉を活性化させ、不安やストレスに反応する扁桃体という部位の活動を抑える効果があります。

つまり、**計画を立て、やってみようと決め、リストアップするだけでストレスが解消されていく**のです。

効果

ストレス解消。幸福度アップ。ポジティブ思考になる。主体性、判断力が高まる。

301

ネガティブになったら「今のはなし！」と自分で邪気払いする

私たちは、不安や緊張感、恐れを感じているとき、頭にネガティブなイメージを思い浮かべます。そのネガティブなイメージをつくり出しているのは、悲観的な思考です。

そこで、**ネガティブなイメージが思い浮かんでしまったら「今のはなし！」と声に出し、スマホやタブレットのページを変えるようにシュッと指を横にスワイプ**させましょう。

この動作で嫌なイメージを頭から消し去ります。この技法は**「思考停止法」と呼ばれ、クリニックなどでも使われている心理療法の１つ**で、日常的なストレス対策にも有効です。

「今のはなし！」で、根拠のない不安や極端に悲観的な思考を停止させ、頭を空っぽにして、安心感やリラックス感をとり戻しましょう。

効果

不安解消。ストレスコントロール力、状況把握力、柔軟性が高まる。

302

なんでもいいから、
毎日新しい1個を積み重ねる

居心地のいい毎日のことを「コンフォートゾーン」と呼びます。

コンフォートゾーンにいるとき、私たちの行動は日常の出来事やルーティンになっている習慣と合致していて、感じるストレスやリスクが最小限に抑えられています。安心できる、とてもいい状態です。

ところが、人間という生きものは不思議なものでコンフォートゾーンに居続けると、発揮できるパフォーマンスが、ゆっくりとわずかずつ低下していきます。

これを避け、**成長を続けるためにはコンフォートゾーンのちょっと外にはみ出し、少しストレスを受ける適度な不安を感じる必要がある**のです。何も大冒険をすることはありません。

- 仕事に向かう道を変えてみる
- ネット検索をせずに新しいレストランに行ってみる
- １週間ベジタリアンをやってみる
- 晩酌で飲んでいるビールの銘柄を変えてみる

そんな小さな新しい１個にとり組むことで、あなたの生産性は高まり、予期せぬ変化への対応力が上がり、好奇心も旺盛になっていきます。

ちょっとお試し。この感覚を大切にしていきましょう。

効果

成長できる。想像力が高まる。計画力が高まる。決断力が高まる。

悔しいときは「悔しい！」と言う、つらいときは「つらい！」と言う

悔しいとき、つらいときは、その気もちを溜め込まず、言葉にして外に出しましょう。

すると、**「カタルシス効果」が働き、少し気もちが落ち着き、すっきり**します。カタルシス効果はオーストリアの精神科医であるジークムント・フロイトが広めた用語で、心の浄化作用のことです。

人間は不安や恐怖、苦痛、悩みを言葉にして吐き出すと、それらが軽減し、心の安定が得られます。

もちろん、１人でいるときに「悔しいな……」とつぶやいたり、「もー、つらい！」と大声を出したりすることでも効果はあります。でも、できれば気の許せる友だちに話を聞いてもらいましょう。

話すことによるカタルシス効果は、１人でのつぶやきや叫びよりも大きく、聞いて、受け止めてくれて、悔しさやつらさを承認してもらえた感覚は、あなたの心を癒やしてくれます。

また、**相手に伝わるように言葉を選びながら話すうち、考えが整理され、客観的に自分の状況を眺めることもできるようになります。**

その一連の作業が、あなたのなかに新たな気もちを形づくり、異なる見方を受け入れる余裕も生まれ、前向きなモードに入るきっかけも与えてくれるはずです。

効果

痛手からの回復。ストレスコントロール力、発信力、共感力が高まる。

月に1回は盛り上がる イベントに参加する

頭を空っぽにする時間をもつと、メンタルにプラスの影響があります。

好きなミュージシャンのコンサート、お笑いのライブ、スポーツ観戦、地域のお祭り、音楽フェスティバル、ハロウィンやクリスマスなどのパーティなど、盛り上がるイベントには可能であれば月１回ペースで積極的に参加しましょう。

ポジティブな雰囲気の場に身を置くこと。楽しんでいる人たちの輪のなかに入っていくこと。たくさんの人の笑顔を見ること。こうした体験そのものが、共感力を鍛え、あなたの幸福度を高めてくれます。

忙しい日々を送っている人ほど、頭を空っぽにする時間を大切にしてください。仕事のことも、さまざまな悩みについても考えず、高揚した場に飛び込んで、心をリフレッシュさせましょう。

効果

リフレッシュ効果。幸福感、共感力アップ。実行力が身につく。

305

食事日記を書いてみる

健康のためにはバランスのいいメニューを選ぶべきとわかっていても、少し後ろめたい気もちになりながら5分、10分で食べられるファストフードで済ましてしまう。その感覚、私もとてもよくわかります。

しかし、絶え間なく全身に血液を循環させている心臓や血管の細胞をつくるのも、思考や感情を司っている脳の働きを支えるのも、あなたが毎食、口にしている食事です。

たとえば、塩分や動物性脂肪の多い食事が血管に悪影響を与えること、ブドウ糖が脳のエネルギー源となることはよく知られていますよね？

食べものから得る栄養は、あなたの体、あなたのメンタルに強い影響を与えているのです。そこで、毎日、何を食べたかを「食事日記」としてつけていってみましょう。

ジャンクフードを食べたら、×！　深夜にラーメンを食べちゃって、最悪……など、自己否定をするためにではありません。

何を食べたかの記録があるだけで、自然と食事に意識が向き、暴飲暴食をしなくなります。また、日々の体重も書き加えることで、自然と健康的なダイエット効果も発揮します。

メニューをノートに書き残してもいいですし、スマホで写真に撮るだけでも十分です。週1回ペースで食事日記を見返し、何を食べた後に心身のコンディションがよかったかを把握していきましょう。その積み重ねによって、あなたにぴったりの食習慣がみつかるはずです。

効果

ダイエット効果。健康になる。状況把握力、計画力、実行力が高まる。

ラッキーだったことをノートに貯めていく

［ラッキーメモ］

自分に自信をもってものごとを決断する自己決定感をもつには、セルフイメージを高めることが役立ちます。

そこで、簡単にできるセルフイメージのトレーニング方法を紹介します。それは**「自分が達成したこと、うれしかったこと、ラッキーだったこと」をメモにまとめていく「ラッキーメモ」づくり**です。

❶ ノートとペンを用意します

❷ ここ1ヵ月の出来事を振り返ります

❸ 達成したこと、うれしかったこと、ラッキーだったことを書き出していきます

❹ 箇条書きのメモができたら、ゆっくり眺めます

こうして自分とその周囲で起きたポジティブな事象に注目すると、自然と高いセルフイメージができあがっていきます。

1週間に1回、2、3分程度、**ラッキーメモをつくっていくと、自分でも気づいていなかった「できている自分」を発見することができ、自己決定感も高まっていく**のです。

自己決定感

効果

セルフイメージが高まる。ポジティブ思考になる。想像力、計画力が高まる。

307

「1人戦略会議」をする

いいと思ったらすぐにとりかかろう！

考えるな、感じるままに動け！

いやいや、急いてはことを仕損じます。

いったん寝かしたほうが、いいアイデアが出るものですよ。

決断するとき、直感と熟考のどちらがいいかは永遠のテーマです。

当たり前のように両極端なアドバイスをしてくる人がいて、混乱しますが、どちらか一方のやり方が正解なのではありません。

直感と熟考。どちらもあるからうまくいくのです。

たとえば、シャワーを浴びているとき、外を散歩しているときに突然、いいアイデアがひらめくことがありますよね？

それは直感のようであって、じつはどこかのタイミングでそのテーマについて熟考していたからの結果です。

こうした直感と熟考のよさを味方につけたいなら、「無心になれる時間をあえてつくるように心がけましょう」とアドバイスします。

1日のどこかに1人で考える「1人戦略会議」の時間をもちましょう。

その日のテーマを心のおもむくままに決めたら、1人でじっくりと考えます。この熟考の時間があることで、どこかのタイミングで「あ！」と思えるひらめきが降りてくるのです。

効果

ひらめき、アイデアが出る。主体性、判断力が身につく。計画力が高まる。

第 6 章

「自己有用感」を高める・貯める

自己有用感とは、社会の役に立っていると思える感覚。自己有用感が高まれば、多くの人に支えられている自分を認められ、自分も誰かの役に立ちたいと思えるように。社会のなかで自分らしさを発揮できるようになります。

毎日みたらチェックしよう！

［習慣トラッカー］

自己有用感の項目は308から365まで。順番に読んでも、気になるところからでも、パッと開いたページからでもOK。読んだらその番号のマスをぬりつぶしましょう。自己有用感がどんどん貯まり、達成感もアップします。

［ チェック方法の例 ］

ぬりつぶす　斜線でぬりつぶす　斜線を引く　丸をつける

308	309	310	311	312	313	314	315	316	317	318	319	320	321	322

323	324	325	326	327	328	329	330	331	332	333	334	335	336	337

338	339	340	341	342	343	344	345	346	347	348	349	350	351	352

353	354	355	356	357	358	359	360	361	362	363	364	365

よくできました！

308

「ありがとう」を
1日3回言って口ぐせにする

自己有用感とは、周囲の人や社会とのつながりのなかで自分が役に立てているという感覚です。

そして、「ありがとう」は人とのつながり、社会とのつながりを深めるマジックワード。誰かの役に立つことができたときにかけられる「ありがとう」の声は、あなたの自己有用感、自己肯定感を高めますよね？

同じように、あなたが誰かに投げかける「ありがとう」にも同じ効果があります。

「ありがとう」が循環することで、やさしさや喜びが人の輪に広がり、ますます気もちのいい関係が続き、広がっていくわけです。

そんなマジックワードを口ぐせにしましょう。それはまさに、アフォメーションが日常化している状態。いいことばかり起こるようになります。

効果

いいことが起きる。人間関係がよくなる。

自己有用感

309

休日だからこそ早起きする

脳神経科学の研究によると、**脳は目覚めてから2時間のあいだにもっともクリエイティブなワクワクした思考力を発揮する**ことがわかっています。

このゴールデンタイムを活用するため、休日こそ、早く起きましょう。もし、眠たくなってもお休みの日ならいつでもパワーナップ（仮眠）が使えますから、ご安心を。

そして、早く起きた朝、静かな1人時間で、今後の人生のプランを練ったり、興味のあるジャンルの本を読んだり、将来につながる勉強をしたり、次の買いものや旅行の計画を立てたり、自分へのごほうびの時間として使っていきましょう。

睡眠によって回復した脳をフル回転させることで、大きな充実感を得ることができます。

早起きができた。

朝のゴールデンタイムを活用した。

将来に向け、役立つ知恵を身につけることができた。

その確かな実感は、自己肯定感を高めてくれます。

ですから、休日の朝に寝だめするのはあまりオススメできません。一番ワクワクする時間を眠りに使うのはもったいないこと。どうしても寝だめしたいなら、日中に仮眠をとるか、夜、早い時間に寝ましょう。

効果

ワクワクする。主体性が高まる。実行力が身につく。プラス思考になる。

310

鏡の前に花を飾る

鏡を見るとき、どう感じるかによって自分の自己肯定感の変化を知ることができます。

朝、顔を洗うとき、鏡を見て「シワが増えたかも」「くすんでる」「むくんでる」など、嫌なところを探して気にしているときは、自己肯定感が下がり気味かもしれません。

逆に「今日もいい感じ」「新しい化粧品が合っているかも」など、ポジティブな評価を下せるときは自己肯定感が上がっている証拠です。

そこで、**できるだけポジティブに捉えられるよう鏡の前に好きな花を飾りましょう。**

小さな一輪挿しでかまいません。そこに花があるだけで、気分が「快」になります。**花の可憐さ、美しさとそれを用意した自分や家族への感謝の気もちがあなたの自己肯定感をスーッと高めてくれる**のです。

効果

プラス思考になる。ストレスコントロール力、幸福感が高まる。

311

ペンにネガティブな思いを込めて、ギュッと握って、離す
［ペンワーク］

自己有用感

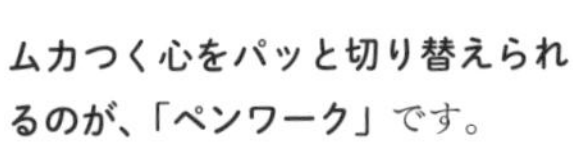
ムカつく心をパッと切り替えられるのが、「ペンワーク」です。

❶ ペンを握り、ムカつくことや人を思い浮かべます
❷ ギュッとペンを握りしめ、ムカついた出来事を思い出します
❸ イライラ？っとしたところで、パッとペンを離し、机の上に転がしましょう
❹ あら、不思議。すっきりします！

効果

気もちの切り替え。ストレスコントロール力、問題解決力アップ。

312

もし5年後死ぬとしたら
これだけはしたいということを5つ書く
［バケットリスト］

もしあなたが5年後に死んでしまうとしたら、「これだけはしておきたい！」と思うことは何ですか？ 思いつくままに書き出してみましょう。

書き出したなかから5つだけ選び、「これをしなければ絶対に後悔する」と思う順番にランキングをつけましょう。

順位	ランキング	その理由
1位		
2位		
3位		
4位		
5位		

「バケットリスト」は、死ぬまでにしたいことを書き留めるワークです。
　死ぬまでにしたいことを想像し、書き出す時間が、過去を正しく振り返り、今を確認し、未来に向かって、着実に進んでいこうと思わせてくれます。

効果

主体性、計画力、判断力が高くなる。状況把握力が身につく。

いいことをしたら日記に書く

［いいことした日記］

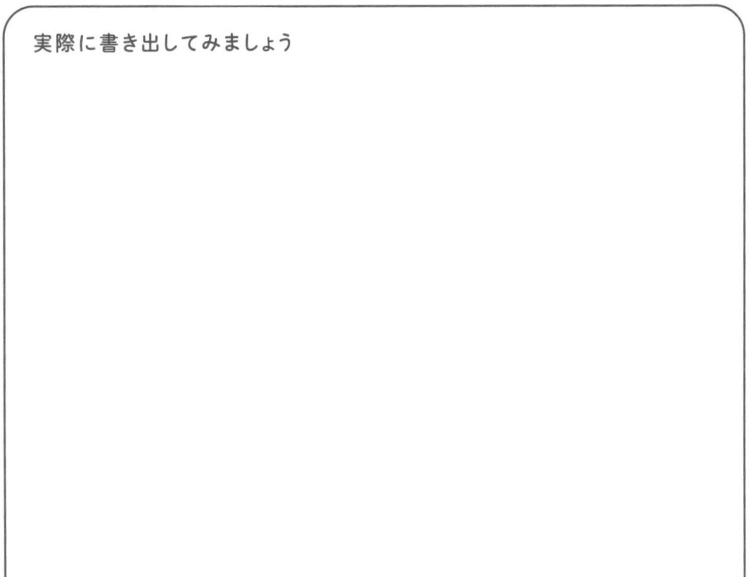

自己有用感

「いいことした日記」は、あなたがその日にしたいいことを書くワークです。

たとえば、「カフェのトイレの鏡が汚れているのに気づいたから、きれいに磨いてみた」「電車でお年寄りに席を譲った」など、ちょっとしたいいことを思い出し、日記に書きましょう。

自分がしたいいことを日記にまとめることは、自己有用感を回復させることに役立ちます。なぜなら、**社会に役立っている自分、人の役に立てた自分を再認識できる**からです。

効果

ポジティブ思考になる。幸福感、実行力が高まる。

314

「ねば、べき思考」に気づく

「男なんだから、やらねば」
「女なんだから、我慢するべき」
「子どもは、親を敬わねば」
「親は、いつもしっかりしているべき」

多様性が認められる社会になってきた一方で、世間には「ねば、べき思考」が強く根づいています。それが同調圧力となって、多くの人を苦しめ、十分がんばっているのに「私はできていない」「まだがんばりが足りないのかも」と自己肯定感を低下させることになっています。

できること、できないこと。やりたいこと、やれないこと。強い面と弱い面。どちらもあるのが、その人らしさです。

「らしさ」があるから、個性が光ります。ところが、世間はときとして「らしさ」を「ねば、べき」で封じ込めようとしてきます。

そんな「ねば、べき」の壁に気づいたときは、ネガティブワードである「ねば、べき」を「リフレーミング」（70ページ）していきましょう。
「コツコツと努力せねば、うまくいかない」なら、「コツコツ努力すると、うまくいく」に、「やるべきではない」と言われたら「やらなくてもいい」に。「ねば、べき」の**背景にある前向きな思いを汲みとりながら、ポジティブワードに書き換えていきましょう。**すると、潜在意識にポジティブな働きかけとなり、自己肯定感は自然と高まっていくのです。

効果

ポジティブ思考になる。働きかけ力、主体性が身につく。

315

スケジュールは埋めない

スケジュールが空いている＝充実していない。社会とつながっていないと感じてしまうことがあります。

でも、いつもアンテナを外に張り続け、神経も張り続け、仕事と人の世話だけの日々ではすり減っていきます。そして、予定で心の穴を埋めようとするとどうしても疲れがでてしまいます。

「キャリアは公の場で生まれる。才能は私生活から生まれるもの。だから、１人の時間に自分をとり戻すの」

これはマリリン・モンローの言葉ですが、ときには、ゆっくりとしてもいいのです。

１人で何もしない時間があっていいのです。

１人で自分だけのために自分時間をもちましょう。

あなたの心をゆるめ、自由を与えられるのはほかの誰でもないあなた自身です。心がゆるめば、自然と空間ができます。空間ができれば、自然と新しい何かが心に入ってきます。

心に新しい何かが入れば、あなたの魅力は増していきます。

あえてスケジュールを埋めないようにすること。焦らずゆったり構えたことで得られたものが、またいつか誰かとつながるときにあなたの助けとなってくれるはずです。

効果

自分をとり戻せる。ストレスコントロール力、柔軟性が高まる。安心感できる。

ほかの人の立場で考えてみる
［ポジション・チェンジ］

なぜ、あの人はあんなことを言うのだろう？

対人関係の悩みがあるとき、「ポジション・チェンジ」というテクニックを使って、立場を変えて考えてみるとすっきりすることがあります。

たとえば、あなたが上司から叱責されたとしましょう。

厳しい指摘を受け、自分の仕事の仕方に不安を感じています。そして、上司からまた叱られるのではないかという恐れも抱いています。

そんなとき、身の回りのものを使ってネガティブな負の感情をポジション・チェンジさせましょう。

たとえば、手元にあるコーヒーカップを上司、スマホをあなたと見立てます。そして、コーヒーカップの立場からスマホを眺めるのです。

上司はなぜあなたを叱責したのか。上司の立場から考えてみます。

叱責するのにもエネルギーが必要です。時間もかかります。嫌われるかもしれない……とも考えるでしょう。それでも上司はあなたを叱りました。なぜでしょう？

「今後、あなたが大きなミスをしないよう、今注意している」

「期待しているから、成長してほしくて厳しくしている」

ポジション・チェンジを使うと、上司の叱責の裏にある愛情や期待が見えてきます。こうして、**何か近くにあるものを使って擬人化し、自分と相手のポジションをチェンジさせてみると、今まで執着していた自分の色メガネをパッと外すことができる**のです。

効果

対人関係がよくなる。客観視できる。問題解決力が高まる。

317

夕暮れどきは明るいところへ行く

日中は楽しく過ごしていたのに、夕暮れどきになったら気分が落ち込んできたり、休日の終わりになると憂うつになったりする人はたくさんいます。

これは**日没に向けて精神を安定させる作用があるセロトニンの分泌が少なくなり、憂うつな気分を引き起こすことがあるから**です。

また、自律神経は交感神経と副交感神経のバランスがよいことで適切な状態に保たれますが、夕方になると車でいうブレーキの役割を果たす副交感神経が優位になります。

これは眠りに向かうための当たり前の変化ですが、そこに１日の疲労や自己肯定感の低下した状態が重なると、気もちが落ち込んでしまうことがあるのです。

そんなときは、思い切って「明るい場所」に行きましょう。私たちは本能的に明るいところへ行くとワクワクして「快」の感情のスイッチが入ります。

ショッピングモール、コンビニエンスストア、デパートなど、ざわざわと賑やかな場所に身を置いてみてください。行き交う人の存在を感じることで社会とのつながりを再確認し、自己有用感が回復するはずです。

完全に日が落ち、夜になってから帰宅することで、休日の終わる寂しさをうまくやり過ごすことができます。

効果

気分転換。メンタル安定。主体性、柔軟性が高まる。

318

趣味の仲間をつくる

年齢が上がるにつれて生活環境の変化に伴い、同世代の友人とのつき合いは減っていきます。

友だちが結婚した。子どもが生まれ、親になった。自分はまだ独身……となると、どうしても比較して考えてしまいがち。しかも、真面目な人ほど「独身の自分は……」と考え、自己有用感を低下させていきます。

しかし、結婚も子どもも自分だけでは解決できない問題。悩んでいても仕方がないことです。

そんなとき、自己有用感を確実に高めるには、**興味のある分野で人とのつながりをつくり、そこに参加している、役立っているという感覚を得る**のが早道です。

- 歌うことが好きな人は、合唱やゴスペル、カラオケのサークルに入ってみる
- 運動が好きな人は、フットサルやバレーボールのチームに入ってみる
- 食べ歩きが好きな人は、食べもの好きが集まる会に参加してみる
- 歴史が好きな人は、街ブラや古地図を歩く会に参加してみる
- ゲームが好きな人は、オンラインゲームで仲間を増やしてみる

仕事ともプライベートとも違うコミュニティに身を置くこと。一緒に好きな趣味を楽しむことで、自己有用感を高められます。

効果

ポジティブ思考になる。コミュニケーション力、幸福感が高まる。

誰かのいいところを探してみる

［誰かのいいとこ探しノート］

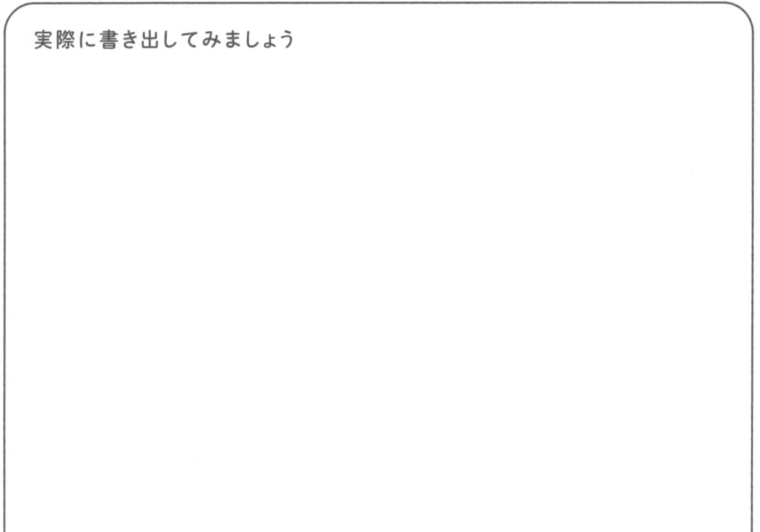

「誰かのいいとこ探しノート」は、あなたのまわりにいる人たちについて、「あなたが気づいたその人のいいところ」を書き出していくワークです。

職場の同僚、家族、友人、恋人、あるいは電車のなかで見かけた人、買いものをしたショップの店員など、一期一会でもう会わない人たちでもかまいません。

些細なことでも、相手のいいところを書き出していきます。

人のいいところを発見して書くという行為は、自己有用感を高め、幸せな気分を運んできます。なぜかというと、**相手を承認し、尊重することは、自分を承認し、尊重することでもある**からです。

効果

プラス思考になる。幸福感が高まる。

自己有用感

320

自分から歩みよる

あなたは「人間として素晴らしい」と言われる人は、どんな人だと思いますか？ 私は、たくさんの人に信頼され、慕われる人だと思います。とはいえ、どうすれば、そうなれるのでしょうか。そこで、質問です。

- あなたは、たくさんの人を慕っていますか？
- あなたは、自分から後輩を誘えていますか？
- あなたは、自分から先輩に声をかけていますか？
- あなたは、困っている人がいたら、助けようとしていますか？
- あなたは、周囲が困難なとき、真っ先に声を上げていますか？

自己有用感

さて、何個に◯がついたでしょう？

自分から歩みよる、共感・共有のコミュニケーションができてこそ、初めて人とのつながりは深まっていくものだと思います。

人と人とのつながりは、助け合いで、おかげさま。まずは歩みより、あなたのできることをしていきましょう。

人の役に立てたという実感は、自己有用感を高めてくれます。

小さな視点で、ちまちまと現在だけを見て、行動する前に一喜一憂ばかりして、人と比べ、世間と比べて、愚痴をこぼしていては何も変わりません。千里の道も一歩からです。

あなたから歩みよりましょう。

効果

人とつながる。共感力、主体性、コミュニケーション能力アップ。

321

「ギブ＆テイク」ではなく「ギブ＆ギブ」

他人に親切にできるのは、人間の特権です。

私はビジネスホテルに泊まったとき、チェックアウト前に必ず洗面所の鏡を磨き、トイレをピカピカに掃除します。そして、「ありがとうございました」とメッセージカードを書き、すっきりした気分で部屋を出ます。

このすっきり感には科学的裏づけがあります。

心理学を中心に「親切」に関する研究は頻繁に行われており、次のような効果があることが突き止められているのです。

- 親切にすると、幸福感の向上につながる
- 親切にすると、時間に対する焦りがなくなる
- 親切にすると、自信が得られる

カリフォルニア大学が主導し、実際の企業で行われた実験では**同僚に親切にした社員の仕事への満足度が向上し、不安が減少。親切にされた側はほかの社員へ親切な振る舞いをするようになった**そうです。

しかも、親切にした側、された側ともに仕事への自信が向上したこともわかっています。

「ギブ＆テイク」ではなく、「ギブ＆ギブ」。惜しみなく与えましょう。

相手が誰であれ、どんな状況であれ、人に親切にすることは私たちのメンタルによい効果を与えてくれるのです。

効果

スッキリする。幸福度、想像力が高まる。柔軟性が身につく。

322

実際に手紙を書くように感謝の手紙を書いてみる
［グレイトフルメッセージ］

実際に書き出してみましょう

今までの人生のなかで、あなたがもっとも感謝を伝えたい人に、実際に手紙を書くようにメッセージを書き出していきましょう。

これは**「グレイトフルメッセージ」**と呼ばれるワークです。

大切な人に「ありがとう」の手紙を書くと、幸福度が高まります。

また、**感謝の気もちをもつと衝動的な欲求に負けず、長期的なことに目を向けるセルフコントロール力が高まる**こともわかっています。

つまり、大切な人への感謝は、じつはあなた自身の思考や行動を改善してくれるのです。

効果

セルフコントロール力、幸福感、主体性、想像力が高まる。

323

週に1回、「一日五善」をこころがける

これはさまざまな心理学の研究が指摘していることですが、**私たちは自分のために何かをするよりも、他人のためによいことをしたとき、幸福度が高まります。**

では、どういうふうによいことをすると、効率的なのでしょうか。この疑問に答える実験を行ったのが、カリフォルニア大学のソニア・リュボミアスキー教授の研究チームです。

実験では、被験者に「週に5回、6週にわたって親切な行いをしてください」と指示が出されました。1日1つを5回でも、3つと2つを1日ずつでも、1日に5回でもかまいません。

結果は、週に1回5つのよいことをすると、もっとも幸福度が高くなったのです。もちろん、一日一善で1日1つのよいことをしたグループも幸福度は高まりました。しかし、毎日行っているうち、脳が慣れてしまい、感じる幸せは小さくなっていったのです。

というわけで、**「一日五善」、週に1回1日5つのよいことをすると、ぐんと幸福度が上がります。**

ちなみに、よいことの内容は「ゴミをリサイクルに出す」「献血をする」「道案内をする」「席を譲る」「礼状を書く」など、具体的なほど効果的。1週間に1回「親切デー」をつくり、幸せを感じましょう。

効果

幸福感が高まる。プラス思考になる。思考が柔軟になる。

324

1人時間を楽しむ

人といる時間が多すぎると1人になりたくなり、1人でいすぎると人恋しくなり、人間は不思議です。みんなと一緒にいる時間は「動」、1人でいる時間は「静」。静の時間は、**集中のベクトルが内側を向き、自分が今何を感じているか、どんなことを考えているのかを味わう時間**です。

現在は、スマホを片手にリアルで顔を合わせていなくても、いつでもどこでも他者とコミュニケーションがとれます。それは便利なことですし、気が置けない相手とのコミュニケーションは安らぎを与えてくれるという面もあるのですが、動の時間が増えすぎると自分と会話する感覚が失われてしまうのです。**充足感のある人生にするためには、自分と会話する力を育てていく必要があります。**

「私は何をしたいんだろう？」
「今後、どんなふうに生きていきたいんだろう」

意識のベクトルをぐいっと内側に向け、心の奥底から答えが返ってくるのを、耳をすませて待っていなければなりません。夜、寝る前のほんの数分でも、バスや電車に乗っている移動時間でも、湯船に浸かっている時間でもいいので、心のなかに眠っている「本当にしたいこと」を見つけるために自分との会話を楽しんでみてください。**自分の内側に耳を傾けるのが上手になると、行動と決断に迷いがなくなってきます。**

効果

迷いがなくなる。やりたいことがみつかる。状況把握力、実行力、決断力が高まる。

325

自分に「いつもありがとう」

毎日、がんばっている自分をセルフハグでじんわり抱きしめて、「いつもありがとう」と言ってあげましょう。

1日が終わってゆっくりしているとき、ふとその日を振り返ることがあると思います。そんなとき、あなたの頭のなかには何が浮かんできますか？

自己肯定感が低くなっているときは、できなかったこと、やり残したこと、明日への不安などが浮かんできてしまいます。そうなると、反省会をしてしまいがちですが、**できなかったことがあったとしても、考えてみれば、その日をただ生き抜いただけですばらしいこと**です。

「今日もありがとう」
「お疲れさま」
「よくがんばったね」

そうやって自分をほめてあげてください。がんばりすぎていると視野が狭くなり、自分が「したこと」や「できたこと」を見過ごしてしまいがちです。でも、あなたは今日も、できる限りのことをしたはずです。**自分をほめることは、明日を元気に過ごすためのエネルギーになります。**

両手でじんわりゆっくり、自分を抱きしめながら、10秒から20秒、自分に愛を与えてあげましょう。

効果

ポジティブ思考になる。幸福感、ストレスコントロール力が高まる。

326

相手の心を読みすぎない

あなたが異動になり、知り合いのいない職場で働くことになったとしましょう。「初めまして」の状況下で、私たちは「他人にどう思われるか？」という不安を感じます。

ただ、それを気にしすぎると、自己肯定感が低下します。そんなとき、役立つのが、232ページで紹介した「課題の分離」です。

感じている不安の正体を「自分の課題」と「他人の課題」に分けていくと、「自分がどう思われるか？」は「他人の課題」であって、基本的にあなたにはどうすることもできないことに気づきます。

つまり、**「相手が自分のことをどう思うか？」はあなたが不安に感じ、真剣に悩むべき課題ではない**のです。

アルフレッド・アドラーはまわりの顔色を見て、ものごとを選択する姿勢は責任の放棄だと戒めています。

相手の心を読みすぎず、「自分が思う、最善の選択をすること」に集中しましょう。

自分は自分、相手は相手。必要であれば、ノーと言う。自分で考え、選択したからには、まわりがどう思おうと関係ありません。

自信をもって対人関係を築いていきましょう。

効果

自信がつく。不安がなくなる。ストレスコントロール力、判断力が高まる。

327

模様替えをしてみる

時間のとれる日に部屋の掃除や模様替えをすることで、自己肯定感を高めることができます。

たとえば、部屋のインテリアのなかで大きな割合を占めているカーテンをとり替えると、こんな効果が得られます。

- **青いカーテンに替える**……青は集中力を高める効果があるので、人間関係が入り組み、自己信頼感、自己有用感が低下気味のとき、回復させる効能が期待できます。
- **赤いカーテンに替える**……赤は興奮や情熱を与える色で、発想力を高めてくれます。仕事で勝負をかけたいときなど、赤の力を借りることで自尊感情、自己決定感を高めることができます。
- **緑のカーテンに替える**……緑は安心感を与える色。仕事やプライベートでストレスを感じているとき、自己受容感、自己効力感を回復させます。

また、玄関マットやトイレマットなど、日常使いのアイテムをとり替えるのも気分転換になります。

いつもの場所にちょっとした刺激を加えることが、自己肯定感を高めてくれるのです。

効果

気分転換。想像力が高まる。思考が柔軟になる。

328

良好な関係の人と話をする

職場や学校、趣味のコミュニティのなかで、「いい人」でいるのはそれなりに疲れますよね？ 自己有用感の高い人は、対人関係で問題が起きないよう、コミュニティの雰囲気が悪くならないよう、自分から相手側に合わせることができます。

でも、一歩引いたコミュニケーションを繰り返していると、じわじわとストレスが溜まっていきます。まわりからは、人づき合いが上手で友だちも多く、ムードメーカー的な存在と見られても、心のどこかで「誰も本当の自分をわかってくれる人はいない」「気兼ねなく言いたいことを言いたい」と思ってしまうこともあるでしょう。

いい人である自分を広めてしまった場所で、いきなりありのままの自分を出し始めるのはハードルの高いチャレンジです。

ですから、そういった**オフィシャルの場から離れたところで、「そのままのあなた」を受け止めてくれる昔からの友人、恋人、家族などと会う時間をつくりましょう。**愚痴を聞いてもらうのもいいですが、できれば、あなたの性格がよく出ているエピソードや昔から変わらないところなどを話してもらいましょう。

気を許せる相手との深いつながりを再確認できるような時間を過ごすと、ストレス解消になり、自尊感情や自己有用感が満たされ、自己肯定感が回復。必要に応じて、いい人を続けるエネルギーも満たされるはずです。

効果

ストレス解消。状況把握力、セルフコントロール力が身につく。

329

遠慮なく頼んで、受けとる

「こんなこと、頼むのは悪いかな……」と人に頼みごとをするのが下手な人、「手助けしてくれるって言ってくれたけど、彼も忙しそうだから遠慮しておこう」と相手からの申し出を受けとるのが苦手な人がいます。

また、「これ頼んで、嫌われたらどうしよう」「頼んで断られたらつらい」と、依頼することに臆病になってしまう人も。

こうしたタイプは、相手のことを考えすぎてしまうやさしい人です。

ただ、気配りして、遠慮していくうち、考えすぎて対人関係に疲れてしまい、自己有用感を失っていくケースがあります。

しかし、**人はそれほど負担にならないことを頼まれたとき、手を差し伸べ、相手の助けになることに喜びを感じます。しかも、自分が助けた人に対して好意をもつようになる**のです。

こうした心理を**「ベン・フランクリン効果」**と呼びますが、遠慮なく頼み、相手の助力を受けとることはお互いの喜びになるのです。

もちろん、週末の金曜日の夕方に５時間くらいかかりそうな資料作成を頼むのは、「それほど負担にならないこと」には当てはまりません。

あくまで自分が頼まれても「まあいいかな」と思える範囲のお願いごとにしましょう。

そして、**やってもらったときは必ず「ありがとう」を伝えること。すると、助けてくれた人はあなたを好きになってくれます。**

効果

対人関係がうまくいく。コミュニケーション能力、判断力が高まる。

330

自分にみんなに「お疲れさま」

私たちは「どこかに所属していたい」という本質的な所属欲求があります。それは仕事でも同じです。

職場に自分の居場所を見出している人は、モチベーションが高まります。しかし、実際には職場に愛着がもてず、孤立感を抱く人も少なくありません。

そこで、**大事にしたいのが「お疲れさま」「調子はどう？」「ありがとう」という声かけ**です。

あなたが職場のリーダー役であれば確実に、一メンバーであってもまわりに「お疲れさま」と声をかけることは、プラスに働きます。

ほんのひと言、ふた言であってもポジティブな印象の残るやりとりは、お互いの所属欲求を満たすからです。

効果

モチベーションが高まる。安心できる。主体性が高まる。

331

温かい飲みものを飲みながら話し合う

人間関係は複雑です。

「この人、苦手だな」と思うと、その瞬間から苦手意識が芽生え、距離が生まれてしまいます。そうならないために、**第一印象をポジティブなものに変えるのに役立つテクニック**があります。

それは**お互いに温かい飲みものを飲みながら、話をすること**です。

じつは、人の心と行動は温度に影響されます。温かいと温かく、冷たいと冷たくなるのです。

コロラド大学とエール大学の研究者が行った実験があります。

研究チームは、「人物評価の実験」というウソの実験で参加者を集めました。そして、入り口で被験者にアイスコーヒーか、ホットコーヒーを渡し、もってもらいます。

その後、別室で「架空のＡさん」について書かれた調査票を読んでもらい、人物評価をしてもらいました。

すると、ホットコーヒーをもっていた人は、Ａさんについて「やさしい」「配慮がある」など、好意的な評価を下したのです。

別の研究では、**温かいものに触れているとき、コミュニケーション力や考える力などを向上させる前頭前野が活性化される**ことがわかっています。つまり、コーヒーや紅茶の入ったカップなど、温かい飲みものをもちながら話をすると、お互いの印象がよくなり、温かい雰囲気になるのです。

効果

印象がよくなる。プラス思考になる。コミュニケーション能力が高くなる。

332

怒っていたらそっとする、笑っていたら一緒に笑う

「メラビアンの法則」を知っていますか？ これは、感情を伝えるコミュニケーションの場で、言語情報と聴覚情報と視覚情報が矛盾した場合、相手が重視するのはどの情報かという研究です。結果は以下のとおり。

- 言語情報：メッセージの内容が７％
- 聴覚情報：声のトーンや口調が38％
- 視覚情報：ボディランゲージや見た目が55％

ポイントは、非言語情報の割合の大きさ。**相手が重視するのは７％の言語情報ではなく、93％の非言語情報**なのです。とくに初対面では55％を占める「視覚情報：ボディランゲージや見た目」が大切です。また、相手に合わせたボディランゲージや雰囲気をつくることで、ミラーニューロン（149ページ）が働き、コミュニケーションが深まります。

相手が怒っていて不機嫌そうだったら、こちらも静かに。笑っていたら一緒に笑いましょう。合わせることで好印象が残ります。

効果

印象がよくなる。思考が柔軟になる。状況把握力が高まる。

333

仕事の人間関係は うまくいかないことが前提だと思う

あなたには、心許せる親しい人が何人いますか？

もし、仕事関係の人間関係で悩んでいるとしたら、これから紹介する**「5-15-50-150-500の法則」**を思い出してください。これはソーシャルメディアの研究者ポール・アダムスが著作『ウェブはグループで進化する』のなかで提唱した法則。人がスムーズかつ安定的に関係を維持することができる人数「ダンパー数」など、過去の研究を踏まえたうえで、私たちがうまくつき合える人間関係の幅を示したものです。

「5」は家族や親友など、精神的支えや困ったときの助けを求めることのできる相手の平均的な人数。「15」はその人が亡くなれば大きな悲しみを経験するような人たち。「50」は比較的頻繁にコミュニケーションをとる人の数。「150」は人間の頭脳の大きさで決まる、一人ひとりの名前を覚えていてはっきり認識できる人の数（ダンパー数）。「500」は弱いつながりと呼ばれる、会ったことはあるけれどそれほど親しくない、名前くらいは覚えている人の数です。

職種にもよりますが、仕事でつながっている人の数は15人よりも大きいことがほとんどではないでしょうか。だとすると、それは無条件で親しみを感じる人のグループを超えています。

つまり、**努力なしに人間関係が円満でスムーズな職場はほぼない**ということです。**苦労があるのが当たり前。その認識をもって淡々とマイペースに臨むのが、職場の人間関係をうまく泳いでいくコツ**なのです。

効果

人間関係がよくなる。ストレスコントロール力、問題解決力が高まる。

334

怒りが湧いたら
とりあえず6秒待つ

「怒り」は人にダメージを与える感情です。

私たちは怒りを覚えると、神経伝達物質のアドレナリンやノルアドレナリンが分泌されます。顔が赤くなったり、血圧が高くなったり、心臓の鼓動が早くなったりするのは、これらの神経伝達物質の働きです。

一方、**怒りを理性的に抑えるのは前頭葉ですが、こちらが働き出すには4～6秒かかります。**

このタイムラグをやり過ごせば、理性的に判断できるようになり、「キレる」といった行為を回避できるのです。ですから、**怒りが湧いたら、とりあえず6秒待ちましょう。**

そして、嫌な人ほど、「お元気で、さようなら」と唱えて、許せない相手への気もちを手放しましょう。

恨みや怒りの感情にとらわれている状態と、許し、手放した後の健康状態を比較した研究によると、手放した後は**ストレス症状が改善し、血圧が下がり、免疫力が上がり、睡眠の質が向上し、心と体の健康レベルが確実に高まる**ということがわかっています。

一度手放した後もまた、恨み、許せないという気もちが生じそうになったら、次の質問を自分に投げかけてみてください。

「執着することで、自分は幸せなの？」

「ネガティブな感情に引っ張られる状態は、自分に合っているの？」

たったこれだけでも、スーッと心の重荷がとれるはずです。

自己有用感

効果

怒りを抑える。ストレスコントロール力、コミュニケーション力が高まる。

335

「○○さん、こんにちは！」と名前を呼ぶ

［ネームコーリング］

相手をどう呼ぶかで、人間関係は大きく変わります。

街で知人とばったり会ったとき、あなたは「あ、○○さん！ お久しぶりです」と相手の名前を呼んで話しかけるでしょうか？

それとも、「あ、どうも。お久しぶりです」と相手の名前を呼んだりせずにあいさつするでしょうか？

差は名前のあるなしだけですが、声をかけられた側が受ける印象は大きく違ってきます。

初対面でも、親しい仲でも、そこそこの関係でも、**相手から自分の名前を呼ばれることはうれしいもの**です。これは**個人として認めてくれていると感じ、人間が本能的にもっている「承認欲求」が満たされるから**です。

実際、アメリカで行われた心理学の研究で、「相手の名前を呼ばないで会話したグループ」と「相手の名前を呼んで会話をしたグループ」に、会話の後、相手に対する印象を聞きとった調査があります。

その結果、**「名前を呼んだグループ」は「名前を呼ばなかったグループ」よりも相手をフレンドリーで、社交的で、もう一度会いたい人だという印象をもった**のです。

相手の名前を呼ぶこと。やろうと思えば、今日すぐに始められる自己有用感を高める習慣です。

効果

人間関係がよくなる。働きかけ力、コミュニケーション能力が高まる。

336

相手の持ちものを
ほめる

「お世辞を言っているように聞こえたら……」と思ってしまい、うまく相手のことをほめることができないことがありませんか？

そんなときは、まず自分のいいところを見つけるところから始めてください。自分自身の長所に目を向けることで、自己を認められると、他者承認の欲求が出てきて、周囲の人のいいところにも気がつくようになるからです。

とはいえ、相手の容姿や性格についてほめるのはなかなか難しいもの。そこで、持ちものに目を向けてみましょう。

かわいいアクセサリー、似合っているジャケット、風格のあるバッグ、きれいに磨かれた靴、センスのいい小物など、**あなたが「いいな」と感じた持ちものについてほめましょう。**

「ステキですね」
「どこで買ったんですか？ すごく使いやすそう」
「かわいいアクセサリーですね。似合っています」

そんなふうに伝えれば、相手は笑顔になってくれるはずです。

というのも、持ちものには本人の好みが反映されていて、それを選んだという自己決定感も関わっているから。**持ちものをほめられる＝自分の価値観が認められたと感じる**のです。

効果

人間関係がよくなる。発信力、幸福感が高まる。

337

相手の得意なことに アドバイスを求める

何か疑問に思うことがあるとき、手順ややり方がわからないとき、あなたはどうしていますか？ ネット検索はお手軽ですが、もし、身近に詳しい人がいるなら、親しいかどうかは別にしてアドバイスを求めてみましょう。

その問いかけをきっかけにして、２人の距離はグッと縮まり、その人はあなたにとって大切なアドバイザーになってくれるはずです。

というのも、**私たちは自分の得意な分野についてアドバイスを求め、頼ってきた相手に好感をもつ**からです。

その背景には、太古の昔から厳しい自然と戦い、集団をつくって暮らしてきた記憶があります。命の危険を感じたら「逃げろ！」と反応するように、誰かの役に立つと「うれしさ」を感じるのです。

これは「相手から感謝される」→「自分に自信をもつ」→「自分を肯定できる」→「幸せを感じる」という本能が備わっているから。つまり、**アドバイスした側は、アドバイスすることで自己肯定感が高まる**のです。

また、**アドバイスを求める側は相手に、自分のできない部分「弱み」を見せることになります。弱みを見せるのは強い「自己開示」になるので、２人のあいだには親近感も生まれる**のです。

得意なことについてアドバイスを求めるのは、相手の喜びを引き出し、親しい人を増やすことにつながります。遠慮せず、聞いてしまいましょう。

自己有用感

効果

人間関係がよくなる。働きかける力が高まる。思考が柔軟になる。

338

相手の考えに「いいですね！」と同意する
［ミラーリング］

あなたのまわりに、どちらかと言うと物静かで自己主張が強いタイプではないのに、まわりから頼りにされ、ムードメーカー的な存在になっている人はいませんか？

もし、思い当たる人がいたら少し観察してみてください。次のようなコミュニケーションのとり方をしているのに気づくはずです。

- 相手の話をよく聞き、「いいね」「いいですね」と同意している
- 相手の話を聞くとき、よくうなずく
- 話している相手の表情に合わせて、自分の表情も変化させている

じつはこれ、心理学で**「ミラーリング」**と呼ばれるテクニックです。

私たちは、自分の価値観に寄り添い、同意してくれて、表情や話し方に共感を感じると、相手に好意をもち、親近感を抱きます。

「いいですね」と同意し、笑顔のときは笑顔で、つらいときはつらそうな表情で話を聞いてくれる人を信頼し、いつしか頼れる存在として認めてしまうのです。

ちなみに、性格的に**共感性の高い人は自然とミラーリングを行うことができます。逆にミラーリングを意識するうち、共感性が高まっていくことも。**もし、対人関係で悩んでいるなら、相手の話をよく聞き、「いいね」「いいですね」と同意することを意識してみましょう。

効果

対人関係がよくなる。信頼される。共感力、実行力、発信力が高まる。

公園で
ブランコに乗る

公園でゆっくり過ごすと、自己肯定感が回復します。

アラバマ大学の研究では、**近所の公園で毎日20分過ごす人は、その習慣のない人に比べ、幸福度が高く、前向きな気分である**ことがわかっています。

その理由は、日中に公園で過ごすことがストレス緩和や精神的疲労からの回復など、身体的にも精神的にもメリットがあるからです。ベンチに腰掛けてボーッとする、園内をぶらぶら散歩するといった単純なことに大きな効果があります。

加えて、脳に刺激を与えてモチベーションを高めたいなら、ブランコに乗るのがいいでしょう。前後に揺れるときにかかる適度な負荷、無心になって空を見上げる感覚が、マインドフルネスに近いモードにあなたを導いてくれます。

自己有用感

効果

ストレス緩和。幸福感アップ。想像力が高まる。

帰るときは さわやかな笑顔で

［ピーク・エンド効果］

「終わりよければすべてよし」と言われるように、私たちの脳は出来事や会話、物語のピークとエンドに注意を向け、記憶に残す傾向があります。

これは**「ピーク・エンドの法則」**と呼ばれ、**人に会って別れた後も会話のピークや別れ際の印象が強く残るというもの。**ですから、誰かと会って帰るときは、さわやかな笑顔と感謝の言葉を贈るよう心がけましょう。

「今日は時間をつくってくれて、ありがとう。本当に楽しかった！」
「久しぶりに会えてうれしかった。またごはんに行こうね」
「本当に学ぶことが多い時間でした。ありがとうございます」

もし、「今日はちょっと口論みたいになっちゃったな……」と心配なときも、最後に「本音で話せる時間ってすごく楽しいですね。また会いましょう」と伝えれば、最後に気もちのピークができ、好印象が残ります。

すると、**相手はあなたと過ごした時間を思い返し、「いい時間だった」と感じ、また会いたいと思ってくれます。**その積み重ねが良好な人間関係につながり、あなたの自己有用感を高めてくれるのです。

効果

印象がよくなる。働きかける力が身につく。

341

見返りを考えず、どんな親切ができるかを考える

自己肯定感が下がってくると、自分のことで手一杯になり、誰かに親切にすること、手を差し伸べることがおっくうになってきます。そんなとき、私が思い出すようにしているのが、アメリカの思想家ラルフ・ウォルド・エマソンの次の言葉です。

「誰であれ他人を心の底から助けようとすれば、必ず自分自身をも助けることになります。それは人生のもっとも美しい報酬の１つなのです」

「必ず自分自身をも助けることになります」は、科学的にも証明されています。

たとえば、ピッツバーグ大学における脳神経科学と行動心理学に関する調査では、**自分がサポートを受けるよりも他人をサポートするほうが、よりストレスが軽減した**という結果が。また、**人助けや利他的なことをすると、心理状態が改善され、自己肯定感が高まり、健康長寿につながる**ということがわかっています。

ほかにも、人は自分の仕事が人助けに関わっているときほど、自分のとり組みにやりがいや意義を見出せる、という調査結果もあります。

こうした誰かを助けることで得られる「ごほうび」のような幸福感は、何にも代え難いものです。見返りを考えず、どんな親切ができるかを考えてみましょう。それだけ気もちが上向きになるのを感じるはずです。

効果

ストレス緩和。主体性が高まる。

342

競争と協力のバランスを大切にする

私は自己肯定感に関するものをはじめ、たくさんの講座を開催してきました。内容によって受講生の方々に何人かに分かれてもらい、チームをつくり、ゲームをしてもらうことがあります。

すると、とくに競争するゲームではなく、何の指示も出していないのになんとなく「あっちのチームよりうまくやりたい」「向こうのチームより早く仕上げたい」といった雰囲気が漂い始めます。

私たちはどうも競い合う本能が備わっているようです。

もちろん、競争は悪いことではありません。

がんばっていい成績を上げたい、高い評価を得たい、昇進したい、ライバルよりもうまくなりたい……競争心がモチベーションとなり、人を成長させます。

しかし、競い合う人ばかりが集まると、そのコミュニティがギスギスし、関わる人たちの幸福度が下がっていきます。目の前の相手に勝ちたい思いだけが強くなると、自己有用感も失われていきます。

必要なのは、競争しつつ協力する関係性です。

私たちには元来、協力や助け合いの本能が備わっています。

誰かを助けるとき、オキシトシンという幸福ホルモンが分泌されることがわかっています。さらに、**助け合いを間近に見ている周囲の人にもオキシトシンが出る**のです。競争と協力のバランスを大切にしながら人とのつながりを築いていきましょう。

効果

モチベーションが高まる。幸福感が高まる。状況把握力が高まる。

343

1日1回
感謝する

過去にうまくいった経験にこだわり、若い人の新たな考え方を否定する大人がいます。一方で、十分な実績がありながら、自己有用感が高く人の意見に耳を傾け、誰とでも意見交換できる大人もいます。

過去に軸足を置いたまま、そこで立ち止まっている人と、そうではない人の差はどこにあるのでしょうか。

それは、まわりへの感謝の気もちがあるかどうかです。

自分だけの力で何かを成し遂げたつもりになっている人には、周囲の人や自分を成功に導いてくれた運命に感謝する気もちが欠けています。

人より立場が上か下か、強いか弱いか、有能か無能かにこだわっていて、自分のことしか見ておらず、視野が狭くなってしまうのです。

そんな**心を閉ざした大人にならないためにも、1日1回、協力してくれた人たちの顔、そこに導いてくれた運命の流れを思い出し、感謝する習慣をもちましょう。**

すると、謙虚な気もちが生まれます。

過去の連続が現在をつくり、現在の連続が未来をつくります。

過去にやってきたことを振り返り、感謝の気もちを感じれば感じるほど、現在、自分が生きていることを謙虚な気もちで受け止めることができます。そして、その謙虚な気もちが自己肯定感を高め、未来に向かって進む原動力となるのです。

効果

謙虚になれる。前向きになる。発信力が身につく。思考が柔軟になる。

344

「そうだ、やってみよう！」と自分の背中をポンと押す

- おいしいと噂のお店の近くまで来たけど、敷居が高くて入れない……
- 初めて参加した趣味の会、友だちになれそうな人がいるけど、話しかけていいのかな……
- 講演会などで「質問がある人は手を挙げて」と言われるけど、いつも勇気が出なくて挙げたことがない

そんなふうに、もう一歩を踏み出す勇気が欲しい場面がありますよね？ 誰かに背中を押してもらいたいとき、167ページでも紹介した「If-then プランニング」のテクニックが役立ちます。

「勇気が出なくて尻込みしている自分に気づいたら、『そうだ、やってみよう！』と背中をポンと押す」

前もってそう決めておくことで、状況を客観視し、不安から行動を躊躇してしまう自分に勇気を与えることができます。

効果

勇気が出る。行動できる。主体性、実行力が高まる。

345

手をつなぐ

あなたも心を許している相手に手を握ってもらうことで不安が消え、安心感を得られた経験がありませんか？ また、恋人と手をつないだだけで気もちが通じ合ったような感覚になったことはありませんか？

体に触れる行為（タッチング）が精神的・肉体的な痛みを緩和すること、共感を高めることは経験的によく知られています。

そして、コロンビア大学の研究ではその感覚が気のせいではなく、脳内で起こっている神経活動の結果であることも明らかになっています。

手をつなぐとストレスホルモンのコルチゾールが減少する一方で、愛情のホルモンであるオキシトシンが分泌されるので、ストレスや不安の軽減、血圧低下などの効果があるのです。

もし、今、あなたが恋人とギクシャクしているなら、言葉を交わす前にそっと手をつなぎましょう。それだけでその後の話し合いはお互いを気遣った温かなものになるはずです。

効果

不安、ストレス緩和。共感性アップ。安心感を得られる。

346

動物の動画を観る

392ページの「手をつなぐ」を読んで、「手をつなぐ相手がいないかも」と思ったとしても、安心してください。

あなたが**「癒やされるなー」と感じる動物の動画を観るだけで、手をつなぐのと同じような効果が得られます。**

というのも、愛情のホルモンであるオキシトシンが分泌されるためには、「心地よい」と感じることが重要。たとえ直接触れ合わなくても、「癒やされる」「心地よい」動物の動画を観るだけで脳は反応してくれます。

ですから、会社で仕事中にモヤモヤ、イライラしたとき、休憩中に動物のモフモフかわいい動画を見れば、ストレスホルモンのコルチゾールが減り、オキシトシンも分泌され、リフレッシュできるということ。これはある意味、パートナーと手をつなぐよりも便利で、うれしい選択肢ではないでしょうか。

効果

不安、ストレス緩和。安心感を得られる。幸福感アップ。

347

日曜日の朝、靴を磨く

休日の朝、無心になって自分の好きなことに向き合い、手を動かすと精神的な疲労が大きく回復します。

たとえば、革靴が好きな人なら、愛用の靴磨きセットをとり出し、一足一足手入れをしていきましょう。あるいは、コーヒーが好きな人なら道具をセットし、豆から挽いて、ゆっくりと淹れていきます。

脳内では「靴を磨く」「コーヒーを淹れる」（好きなことをしよう！ と準備をしている）ときにもっとも多くのドーパミンが分泌され、ワクワクした気分が高まります。

その後、好きなことにとり組み始めるとドーパミンの量は徐々に減っていき、手を動かすうちにβ-エンドルフィンの量が増加。β-エンドルフィンはドーパミンの効果を持続させる働きをするので、ワクワクした気分が続き、日頃の精神的な疲労を癒やしてくれるのです。

効果

疲労回復。幸福感アップ。

348

観葉植物に声をかけながら水をあげる

観葉植物は、あなたを見守るパートナーです。

植物に声をかけながら水をあげることで、生育状態がよくなっていくのは広く知られています。でも、じつは植物に話しかけているとき、私たち人間側にも大きなメリットを得ているのです。

まずは、癒やし効果。植物を育て、日々眺めていると充実感が得られ、幸福度が増していきます。こうしたメンタル面への好影響は、欧米で行われた複数の研究で裏づけられています。

そして、もう1つのメリットは目標達成のサポートになることです。

私たちは何か新しい目標にとり組むとき、「毎日、1時間勉強する」「半年で5キロ体重を落とす」など、条件やゴールを設定します。その際、**家族や友人に宣言することで達成率を高める「パブリック・コミットメント」という心理テクニック**が知られています。

その宣言をする対象を観葉植物にして、日々の進捗を水やりとともに報告します。ときには愚痴を聞いてもらうのもいいでしょう。ものを言わず、批判もしない植物は、よき聞き手となって、あなたの気もちを受け止めてくれます。

植物は私たちの心身を満たすだけでなく、目標の達成率も高めてくれるのです。

効果

メンタル安定。幸福感、充実感アップ。目標の達成率を高める。

349

寝る前に今日のポジティブな出来事を3つ書く

166ページで紹介した、「スリーグッドシングス」の効果をもっと活用しましょう。寝る前に、その日にあった「ポジティブな出来事」を3つ挙げて書き出していきます。すると次のような効果が期待できます。

- **ポジティブな出来事を振り返ることで、幸福感が高まる**
- **よいことを積極的に見つけるようになり、ものごとを前向きに捉えられるようになる**
- **寝る前に決まった習慣をもつことで、カラダが自然と入眠状態に入りやすくなる**

どんな小さなことでもかまいません。

- 書店でおもしろそうな本を見つけて、買ってきた
- 気難しいと思っていた上司と雑談をしたら、距離が縮まった
- 夜、満月がめちゃくちゃきれいで癒やされた

このワークを続けていると、だんだんポジティブなものごとに気づく頻度が増えていきます。それが1日1日への期待感を高め、自分にはいいことが起きるはずだと思えるようになります。それはまさに、アフォメーションが日常化している状態。自己肯定感がキープされるのです。

効果

毎日が楽しくなる。ものごとをポジティブに捉えられるようになる。

350

自分のやりたいことに あれこれ言う人の話はスルーする

- できない理由を先に挙げてくる人
- 結果に向かっている過程の努力を認めない人
- あなたのやりたいと思っていることについてネガティブな話ばかりする人

世のなかには、人のモチベーションを下げるのが生きがいのようになってしまっている人がいます。運悪くそういうタイプの人に出会ってしまったら、できるだけスルーするようにしてください。

「この人にもいいところがあるかも」「私のことを心配して言ってくれるにちがいない」など、前向きに解釈してもいいことはありません。

というのも、私たちにはものごとの悪い面に注目してしまう「ネガティビティ・バイアス」が備わっているので、人から伝えられたネガティブな情報は深く記憶に刻まれてしまいます。

ある集団内での感情の伝わり方を調べた研究でも、人はネガティブな発言に対してポジティブな発言よりも7倍強く反応することがわかっています。

ですから、**あなたが何かを成し遂げたいとがんばっている途中であればあるほど、足を引っ張る話をする人はスルーする**べきです。相手と自分とのあいだに線を引き、距離をとりましょう。

効果

ネガティブになるのを防ぐ。モチベーションを保つ。

351

その時期たくさん出回っている旬のものを食べる

おいしいと感じることは、自己肯定感を高めるのに最高のエッセンスです。その点、四季がはっきりと分かれている日本は、とても恵まれています。四季それぞれに旬の食材があり、色があり、香りがあり、味わいがあります。

たとえば、カツオ。カツオの旬は年に2度あります。春から初夏にかけ、黒潮にのって太平洋岸を北上するカツオは「初鰹」。秋の水温の低下に伴い、三陸あたりの海から関東以南へ南下してくるカツオが「戻り鰹」です。

エサをたっぷり食べている「戻り鰹」は脂がのっていて、「初鰹」はさっぱりしています。江戸っ子が我先にと買い求めた旬の走りの「初鰹」は今も昔も人気の初夏の味覚です。

そんなふうに旬の食材の背景にも好奇心をもちながら、積極的に食べましょう。**旬の食材を、旬を感じながらありがたくいただくことで確実に五感が刺激され、体にいいだけでなく心も弾んでいく**からです。

初春のイチゴ、夏のスイカ、秋のキノコ、冬のダイコンなどなど。旬の食材はみずみずしく、栄養価にあふれています。目で見て楽しいし、口にしたときの食感も心地よい。そして、たとえばサクッ！ という歯ごたえは、聴覚も刺激します。それを意識して感じ、楽しむことで、心が潤い、自己肯定感も高まるのです。

効果

元気になる。幸福感が高まる。リラックスする。プラス思考になる。

352

ベランダで
ミニ菜園を楽しむ

庭の小さな菜園、ベランダ菜園、もちろん、菜園というには本格的過ぎる畑のような家庭菜園でも、土いじりに没頭することは、私たちを幸せにしてくれます。

医療系の学術誌に発表された調査結果では、土いじりに没頭することで心配事から気をそらすことができ、自分が抱えている問題に執着しなくなることが示されていました。

しかも、研究に参加した人たちは12週間の調査期間中、**うつの症状が改善したうえ、調査終了3ヵ月後にもメンタル面が改善**していると報告されています。土いじりをしていると、ストレスホルモンのコルチゾールが減少し、気分が向上することが確認されています。

土に触れ、植物に囲まれて過ごすことで体や心、健康全般に大きな効果があるのです。

もちろん、育てた食物はおいしく食べることもできます。食生活改善のため、野菜や果物をもっとたくさん食べようと思っているなら、家庭菜園を楽しみましょう。

食生活だけでなく、心の健康も改善してくれるはずです。

効果

ストレス緩和。健康になる。幸福感アップ。達成感がある。

353

毎月1回、お気に入りの文房具とお気に入りの葉書で感謝の言葉を贈る

周囲の人に感謝の気もちを伝えることが幸福度のアップにつながるのは、ここまで何度も触れてきたとおりです。

なかでも効果の高い方法をもう１つ紹介します。それは感謝の葉書を書いて、送ること。

これは、ポジティブ心理学という分野を切り開いた心理学者マーティン・セリグマンが行った、**「感謝の手紙」**という有名な実験に基づくものです。

実験では、うつ病の患者さんに、以前に親切にしてくれたものの、感謝を伝えられなかった人に向けて手紙を書いてもらいます。そして、実際に相手のところへ行き、感謝の手紙を読んでもらうというもの。

すると、**通常よりも幸福感が高まり、抑うつ状態が減少。しかも、それが１ヵ月続いた**というのです。

この強い効果にあやかり、私たちもお世話になった人に向けて、月に１回、感謝の葉書を書いてみましょう。

お気に入りの文房具と葉書を用意すると、ワクワク感が増し、書くことのハードルの高さを下げてくれます。

そして、書き記すことには、インプット効果があります。感謝の気もちを葉書に記すと、書かれた内容を目で見て確認することができますよね。すると、**感謝の思いが記憶に深く定着し、あなたの脳や存在意識に強く働きかけ、その後の行動や考え方を変えるきっかけとなる**のです。

効果

幸福感アップ。安心感が高まる。心が温かくなる。人への信頼が高まる。

354

季節ごとに、
玄関とトイレの模様替えをする

室内のインテリアがかもし出す雰囲気は、私たちのメンタルに大きな影響を与えます。対象的なレイアウトの部屋で、どんな変化が出るかを比較した心理学の実験があります。

- 白い壁に白い天井、灰色のカーペットに白い机という殺風景なインテリアの部屋で学習する
- 前方と側面の壁はキャメルブラウン、後方は明るい金色、側面に11枚の絵画ポスターが飾られ、前方には観葉植物を置き、蛍光灯も暖色系にとり替え、温かくなごやかなムードのインテリアの部屋で学習する

結果は如実に表れ、後者のインテリアで学んだ学生は成績もよくなり、ポジティブな気もちで学習できたとアンケートで答えました。

自宅でここまで大掛かりなレイアウトの変更は難しいですが、**季節ごとに玄関やトイレの模様替えをすると、生活に変化と刺激が生じ、モチベーションがアップ**します。

効果

モチベーションアップ。気分転換。視野が広がる。

355

だれかに手みやげをあげることを想像しながらデパ地下を回る

「これを買っていったら、喜んでくれるかな」
「このスイーツをもっていったら、おいしいって食べてくれるかも」
「あの丸焼きのお肉を差し入れたら、みんなびっくりするよね」

そんなふうに誰かにおみやげをもっていくシチュエーションを想像しながら、デパ地下をぐるぐる歩き回るのは、楽しいものです。あれもいいかな、これもいいかなと想像がふくらみ、幸せな気分になってきます。

じつはこのワクワク感、心理学的にも証明されたもの。カナダのブリティッシュ・コロンビア大学の心理学部准教授エリザベス・ダン博士の研究によると、私たちは次のようなお金の使い方ができたとき、幸せを感じるのだそうです。

- **モノではなく経験を買う**
- **自分ではなく他人の利益のために使う**
- **少数の大きな喜びではなく多数の小さな喜びに使う**
- **他人の幸福に細心の注意を払う**

“デパ地下ぐるぐる”は、まさにこの４つに当てはまります。

もらってくれる人の喜びを想像しながら、贈る側も幸せな気もちになっていくのです。

効果

幸福感、想像力アップ。感謝できる。

356

どんな小さなことでもいいので寄付をしてみる

「寄付をすると、幸せになれる」と言われたら、なんだか怪しいと思いますか？ たしかに、そう言って寄付を迫る人がいたら警戒したほうがいいかもしれません。

でも、**人のためにお金を使うと、自分のために使うよりも幸福度を高めてくれることは、さまざまな研究によって実証**されています。

たとえば、ハーバード大学の研究によると、プレゼントを買ったり、慈善事業に寄付したりした人は、１日の終わりに幸福度が大きく高まることがわかっています。

また、世界136カ国のうちの120カ国では、**前の月にチャリティーに寄付した人は、人生により多くの満足を感じていた**という調査結果もあります。感じる幸福度は、調査対象の国が貧しくても豊かでも変わらず、個人の収入の差を考慮したあとでも変わりませんでした。

しかも、調査対象となったすべての国で「チャリティーに寄付することは、家庭の所得を２倍にするのと同じくらい幸福度に貢献していた」という数値が出たそうです。

もちろん、自宅を売って、その代金をすべて寄付するべきか？ なんて悩む必要はありません。１週間に100円でも200円でも、お金の使い道を変えれば幸せな気もちが膨らみます。ちょっとだけ寄付してみるところから始めてみましょう。社会とつながっていると感じ、自己有用感が満たされていきます。

効果

幸福感アップ。ポジティブ思考になる。

357

たまには差し入れを買って会社に行く

402ページの「だれかに手みやげをあげることを想像しながらデパ地下を回る」で触れたように、誰かにおみやげを買っていく行為は、買いものをしようと歩き回っている段階から、あなたを幸せな気分にしてくれます。

誰かのためにお金を使うこと。そのメリットはすでに紹介したとおりです。じつは、誰かを思っておみやげや差し入れを買う行為には、もう1つ大きなギフトがついてきます。**時間感覚が豊かになる**のです。

ペンシルベニア大学ウォートンスクールの研究によると、**余暇時間を他人のために使うと、結果的に自分の時間が増えた感覚になる**のだとか。研究では、次の2つのグループに行動後の感想を聞いています。

- 10〜30分を使って「自分自身のために、何か今日予定していなかったことをしてください」と依頼されたグループ
- 10〜30分を使って、「ほかの誰かのために、今日予定していなかったことをしてください」と依頼されたグループ

後者の他人のために時間を使ったグループは、時間を有意義に使えたと話し、いつもより多くのことができたと1日を長く感じていました。

もちろん、実際に時間は増えないので感覚的な話ですが、他人のために何かをすることで、大きな充実感が得られるのです。

効果

幸福感アップ。充実感が得られる。人間関係がよくなる。

358

近くにいる人を 1日1回思いっきりほめる

たとえば、こんなシーンを思い浮かべてみてください。

朝、通勤中のこと。今日のあなたは、買ったばかりの服を着ています。途中駅で偶然、会社の同僚と乗り合わせました。すると、「そのスーツ、素敵ですね。すごく似合っていますよ」とほめてくれました。

うれしくなる一方で、自然と同僚のいいところを探している自分に気がつきます。

「ありがとう。○○さんの髪型も爽やかでいいですよね」と。

このように誰かにほめられたとき、ほめてくれた人を直接ほめ返す関係を**「直接的互恵性（ごけいせい）」**と言います。この直接的互恵性のやりとりがあった後、人はハッピーな気分になりますから、その後に会ったほかの誰かにもその輪を広げていきます。

「今日、一段と元気だね」「この企画書すごくいいと思う」と。

ちなみに、このようにほめてくれた人ではない他の誰かをほめて返す関係は**「間接的互恵性」**と言います。

つまり、**1つのほめがどんどん幸せを伝播させていく**のです。ですから、近くにいる人を1日1回思いっきりほめましょう。幸せが伝播して、あなたがいる場所がどんどん居心地のいいところに変わっていきます。

効果

人間関係がよくなる。幸福感、想像力アップ。ポジティブ思考になる。

359

1人だけでいいので
職場に心を許せる人をつくっておく

あなたは職場に同僚、先輩、後輩以上の感覚でおつき合いしている、心許せる人はいますか？ もし、いるのなら基本的には仕事に行くのが楽しいと感じているのではないでしょうか？

これはアメリカの調査ですが、ギャラップ社という有名なリサーチ会社が「友人の存在が個人の幸福度にどのくらいの影響を与えているか」をアンケートしたデータがあります。調査対象はなんと500万人。

その調査のなかで、**職場に最高の友人がいる場合、仕事に対するモチベーションが最大700％もアップする**と指摘されています。その結果、作業のスピードが上がり、トラブルが減り、よりよいアイデアが出るようになるそうです。

また、この調査では職場に友人が３人いると、受けとっている給料の価値を３倍多く感じるというデータも出ています。

つまり、**職場に心を許せる友人がいる人は、それだけかなり幸せになれる**ということ。もし、そんな友人の顔がすぐに浮かぶなら、あなたは成果を出しやすい、とても恵まれた環境で仕事をしているといえるわけです。

効果

モチベーション、幸福感アップ。安心感が高まる。

360

誰かにお花をプレゼントする

アメリカのラトガーズ州立大学の研究チームが行った「感情と花の関係性の研究」は、花のすばらしさを再確認させてくれます。
研究チームは調査の一環として、「キャンドル」「かご入りのフルーツ」「花束」という3種類のギフトを過去の研究に携わった総勢147人の女性たちに贈る実験を実施。受けとった人たちの表情を分析したところ、**花束を受けとった全員が、心理学者が「真の喜びの証」と考えるデュシェンヌ・スマイルを浮かべた**のだそうです。
改めて、**お花は幸せを届けるプレゼント**です。

効果

笑顔になる。幸福度アップ。充実感、達成感アップ。

361

親に電話をして「いつもありがとう」と言う

なんだか疲れてしまった、人から裏切られた、努力してきたけど、成果が出なかった……。誰しもたまには立ち止まりたくなる気もちになることがあります。そういうときは、いったんすべてを手放して立ち止まってください。できれば、ただ時間が過ぎていくことを後悔しながら立ち止まるのではなく、「未来に向かうために、今は思い切り休んでしまおう」と、前向きな気もちで休んでみましょう。

そして、**未来に後悔をなるべく残さないために、今という時をどうやって生かすかも、考えてみましょう。**ポイントは３つです。

１つ目は、目先の利益にとらわれないこと。

２つ目は、自分をカテゴライズしないこと。

３つ目は、何のために生きているのか忘れないこと。

過去を振り返り、協力してくれた人たちの顔や、そこに導いてくれた運命の流れを思い出し、感謝をします。

そこで、ご両親に電話をして「いつもありがとう」と伝えてみてください。あなたの**感謝の言葉は親御さんを幸せな気もちにし、あなたもまた温かい気もちに包まれる**はずです。

親御さんは現在のあなたを応援してくれる心強い存在です。その励ましを受けながら、体と心を休め、未来へ向かっていきましょう。

効果

一歩踏み出せる。つながる。幸福感、安心感アップ。プラス思考になる。

362

しばらく連絡していなかった友だちに連絡する

新型コロナウイルスの広がりで、働き方、暮らし方が大きく変わった人も多いと思います。テレワーク、リモートワークが増え、会社員の人も１人で仕事をする時間が増えたのではないでしょうか。

そして、フリーランスとしてさまざまな業種で働く人も年々増加しています。ある程度、自分のペースで働くことのできる環境は自由で心地よいものです。

ただ、出社すれば同僚のいるオフィスワークと比べると、どうしても人とのつながりは少なくなります。406ページの「１人だけでいいので職場に心を許せる人をつくっておく」で触れたギャラップ社の調査では、職場に友人が３人いると人生の満足度が96％上昇するという結果が出ています。

この傾向はオフィスを離れた場でも同様です。**仕事以外でも３人、一緒に遊べて、楽しめる、心が許せる友人とのつながりを感じられれば、人生の満足度が約２倍になります。**テレワーク、リモートワーク中なら、同じ環境の人とコミュニティをつくっていくのもいいでしょう。

まずは、しばらく連絡してなかった友だちに連絡するところから始めてみてください。仲間の存在は、あなたの自己有用感を満たし、自己肯定感も高めてくれます。

効果

人生の満足度が上がる。つながりを感じられる。安心感アップ。

近所の人に あいさつをする

私は家の近所、事務所の近所で顔を合わせる人には、明るく少し高めの声で「おはようございます」「こんにちは」「こんばんは」とあいさつをしています。

すると、初めて会う人でも大抵はあいさつを返してくれます。不思議なもので、「おはようございます」「おはようございます」と言葉が行き交うだけで、心がぽっと明るくなります。

ある自治体の調査によると、単身世帯の人は幸福度が低い傾向がある一方、**日常的に近所づき合いをしている人は幸福度が高く、あいさつすらしない人は低い**という結果も出ました。

幸せを感じる最初の一歩として、「あいさつ」をしてみることをオススメします。マンションのエレベーターで乗り合わせた人、毎朝、犬を散歩させている近所の人など、近所の人にあなたから声をかけてみましょう。

自己有用感

効果

幸福度、満足度アップ。コミュニケーション能力が高まる。

何かのプロジェクトを応援する

クラウドファンディングやふるさと納税、あるいはスポーツの応援など、何かのプロジェクト、誰かのがんばりを後押しする行動は、人を幸せにします。

幸福学の研究によると、**私たちが幸せを感じるためのキーワードは「やりがい」「生きがい」「つながり」**です。

日々の生活のなかで、自分から「応援したい！」と行動を起こすとワクワクし、心がときめいていきます。

応援していると、選手やプロジェクトとの一体感を感じ「同一視」が起こります。選手のがんばり、プロジェクトの進捗とともに、応援する側の気力が充実し、悔しさに落ち込んだり、**心地よい達成感や満足感を得たりすることができる**のです。

また、自分の人生を選手やプロジェクトに投影することもあります。

がんばっているメンバーの姿を見て、「自分もがんばろう」と思ったり、勇気をもったり、希望が湧いてきたり、ときには感動的な試合やプロジェクトの成功を見て、人生観が変わってしまうこともあります。

毎日にどこか充実感が足りないと感じているなら、できる範囲のお金と時間を使って、何かを応援してみましょう。きっと得られるものがあるはずです。

効果

幸せを感じる。達成感、充実感アップ。コミュニケーション能力、実行力が高まる。

365

自分が住んでいる 地域のイベントに参加する

「海をきれいにしよう！」「河川敷をゴミゼロに！」など、ゴミ拾いの地域イベントは全国あちこちで定期的に開催されています。

大抵は朝早く、なんだか大変そうです。でも、実際に活動している人、参加したことがある人に話を聞くと、なぜか表情は晴れやか。ゴミを拾っていると、すがすがしい気もちになってくると言います。

これは**ほかの誰かのために行動し、感謝されると、愛情ホルモンと呼ばれるオキシトシン、幸せのホルモンであるセロトニンが分泌され、幸福度が高まる**からです。

実際、さまざまな研究でも、**地域の活動やボランティアなど、利他的な活動に定期的に参加する人は幸福度が高く、興味のない人は低い**ことがわかっています。

「誰かのために役立つ活動をするのは、自分の時間が奪われて損だ」と考える人もいますが、じつは自分中心でわがままな人ほど、心理的にはもの足りなさに苦しむ傾向があります。

ゴミ拾いに限らず、近所のお祭りのボランティアスタッフなど、地域のイベントに参加してみましょう。

新たな人とのつながりによって自己有用感が高まるだけでなく、晴れやかな気もちになれるはずです。義務感ではなく、ちょっとやってみる。それくらいの感覚を大切にしましょう。

効果

つながりを感じられる。コミュニケーション能力が高まる。

あ

- アイデアが湧く……156,208,302,352
- 安心できる／安心感が得られる……56,74,89,117,144,211,253,254,303,305,312,317,320,362,377,392,393,400,406,408,409
- 安眠できる／質のいい睡眠がとれる……59,77,132,134
- 怒りを抑える……281,381
- 生きがい(やりがい)が生まれる／天職が見つかる……46,62,324
- 意志力が高まる……330
- 痛手からの回復……86,348
- 痛みの緩和……148
- 1日のよいスタートが切れる／1日を快適に始められる……38,42,79,216,257
- 1日の質が向上する……243
- 癒やされる……117,146
- 嫌なことを忘れられる……53
- イライラの解消／イライラの緩和……35,48,113,214
- 印象がよくなる……67,68,217,378,379,387
- 運がよくなる／いいことが起きる……45,247,262,355
- 笑顔になる……45,407
- エネルギーが湧いてくる……44
- 落ち込みの緩和／落ち込みの回避……35,220
- 落ち着く……55,106,108
- 思い込みが減る／思い込みの解消……73,222
- オンとオフを切り替える……80

か

- 過去を手放せる……111
- 課題発見力が身につく……111,116,136,140,147,179,185,187,202,275,297,308,314,324,343
- 課題を整理できる……232
- 価値観を知る／価値観を再発見できる……62,157,223
- 可能性に気づく／可能性を広げる……166,223
- 感謝できるようになる……402
- 感情を整理できる／負の感情を整理できる……103,147,196,208
- 感情をコントロールできる……110,127,150,151,188,190,210,292
- 期待感が高まる……166
- 気分がよくなる／気分が上昇する／気もちが上向く……75,92,93,164,207,333
- 気分転換できる……47,58,173,199,275,300,364,374,401
- 気分の浮き沈みの緩和……36
- 希望が生まれる／希望が湧いてくる……44,63
- 気もちが軽くなる／気もちがほぐれる／気もちが解放される……82,95,135,334
- 気もちの切り替え／感情の切り替え……47,48,53,81,91,103,122,124,130,171,185,209,227,228,231,236,264,293,299,303,321,358
- 客観視できる……36,110,115,119,129,133,297,363
- 共感力が高まる……149,276,348,349,367,385,392
- 恐怖心の緩和……227
- 緊張の緩和……107,128,146,228
- 計画力が高まる……109,123,137,145,148,156,167,175,187,189,195,204,221,232,241,243,246,248,251,252,263,266,280,295,297,301,304,308,319,322,323,336,340,342,344,347,350,351,352,359
- 継続力が高まる……168,241,340
- 決断力が高まる……170,240,256,278,291,296,297,314,325,328,329,332,347,371
- 血流改善……82,108,129,257
- 元気になる……70,202,268,273,294,398
- 謙虚になれる……390
- 健康になる／健康でいられる……282,337,350,399
- 好奇心を刺激する……256
- 行動力が高まる……35,149,167,192,205,221,230,247,250,273,298,304,310,323,333,391
- 幸福感が高まる……39,40,42,53,61,68,70,78,79,83,109,112,134,135,136,158,205,248,267,280,283,301,313,345,349,357,360,365,366,368,369,370,372,383,386,389,393,394,395,398,399,400,402,403,404,405,406,407,408,410,411
- 心に余裕をもてる……39,275,284,293
- 心が温まる……400
- コミュニケーション能力が高まる……69,181,190,191,365,367,376,378,381,382,410,411,412
- これが私と思える……114,127

さ

- 再スタートを切る……86,228
- 才能を発揮できる……101
- 思考を整理できる／思考がクリアになる／思考力が高まる……62,152,155,208,235,328
- 自己否定・自己嫌悪の緩和……37
- 自信がつく／自信が湧く／自信が回復する……63,76,85,88,100,163,164,172,186,199,241,258,259,286,326,373

- 実行力が高まる …… 78,100,101,102,106,121,141,149,151,156,170,172,175,180,188,193,195,200,210,212,218,219,229,234,239,246,250,252,255,258,262,267,271,272,277,282,283,291,295,305,313,316,318,322,323,324,330,332,349,350,356,360,371,385,391,411
- 視点が変わる／視野が広がる …… 119,125,136,145,222,339,401
- 自分軸がわかる／自分軸が強くなる …… 49,50,51,52,84,119
- 自分が好きになる …… 41,71,72,75,88,279
- 自分には価値があると思える …… 73,76,87,92
- 自分を受け入れる／自分を認める …… 41,101,105,111,113,120,135,334
- 自分を解放する …… 74,85,91,93
- 自分を知る／自分を見つめ直す／自己認知する …… 49,50,51,52,85,103,115,137,155,165,172,324
- 自分を信じられる …… 42,70,229
- 自分を大切にできる／自分に優しくなれる …… 39,64,74,77,81,86,87,89,92,124,127,129
- 自分をとり戻す …… 102,104,153,362
- 自分を励ます …… 37
- 自分らしくいられる／自分らしさを発揮できる …… 63,101,169
- 充実感が高まる／満足感を得られる …… 163,327,395,404,407,409,410,411
- 執着しなくなる …… 111
- 習慣力が高まる …… 241,243
- 集中力が高まる …… 40,43,120,147,159,183,189,206,208,235,238,250,300,308,328,331,343
- 柔軟になる／柔軟性が身につく／柔軟性が高まる …… 104,105,108,115,138,141,144,154,168,171,178,196,201,210,213,217,222,223,232,236,237,253,259,261,266,279,282,284,300,307,311,317,340,346,362,364,368,370,374,379,384,390
- 主体性が身につく／主体性が高まる …… 78,102,137,140,147,151,152,158,163,164,174,182,189,192,196,199,200,211,228,229,238,240,245,247,251,253,262,268,271,277,280,283,288,292,310,312,316,326,338,339,340,342,344,345,352,356,359,361,364,367,369,377,388,391
- 状況把握力が身につく／状況把握力が高まる …… 99,110,148,155,165,184,194,206,217,222,230,240,242,251,255,265,274,279,285,287,298,304,305,318,321,325,331,338,346,350,359,371,375,379,389
- 食欲増進 …… 57
- 自律神経が整う …… 55,56,66,108,112,117,121,156,159,177,178,270,302,329
- 人生が好転する …… 72,100
- 人生をグレードアップできる …… 49,50,51,52
- 人生を自分でコントロールできる …… 79
- 心配事が減る／心配事を手放す …… 227,265
- 信頼される／信頼関係が増す …… 68,385
- スッキリする …… 43,113,203,204,269,278,298,368
- ストレスの緩和／ストレス解消／ストレス発散 …… 54,55,58,61,66,72,83,84,88,107,116,121,128,130,131,132,134,143,159,173,176,184,201,216,219,239,244,274,285,303,315,320,331,345,375,386,388,392,393,399
- ストレスをコントロールできる …… 103,114,122,139,142,146,150,154,169,173,176,183,193,194,197,198,201,211,214,218,227,231,233,235,236,238,249,253,254,264,265,269,270,273,275,281,287,293,307,309,333,335,336,337,341,343,344,346,348,357,358,362,372,373,380,381
- 正解がみつかる …… 248
- 成長できる …… 347
- セルフイメージが高まる …… 284,342,351
- セルフコントロール力が高まる／フラットな状態を保つ …… 36,209,369,375
- 爽快感が高まる …… 80
- 想像力が高まる …… 118,125,145,152,157,186,193,207,213,219,223,234,244,255,260,274,294,299,316,325,339,347,351,368,369,374,386,402,405

た

- ダイエットできる …… 187,195,350
- 体調管理ができる …… 187,195
- 達成感が高まる …… 399,407,411
- 楽しくなる／ハッピーな感情になる／テンションが高まる …… 68,82,214,215,294
- 楽しみが増える／毎日が楽しくなる …… 71,94,257,339,396
- 知的に見える …… 206
- チャレンジできる／挑戦できる …… 181,188
- 直感力が高まる／直感力が鋭くなる …… 60,177,229
- つながる／つながりを感じられる …… 367,408,409,412
- 出会いがやってくる／出会いが増える …… 194,263
- デトックスできる …… 121,237,268
- トゲトゲしさがなくなる …… 70

な

- 悩みが解消する …… 60,95,149,230,261
- 苦手意識の克服 …… 126
- 日常に刺激を与える／非日常感を味わえる …… 213,314

・人間関係がよくなる …… 67,69,90,118,149,154,169,179,217,245,260,292,318,355,363,376,380,382,383,384,385,404,405
・ネガティブ感情の緩和／ネガティブ思考が減る／負の感情を遠ざける …… 48,103,139,174,231,397
・ネガティブ感情の解消／ネガティブ感情を手放す …… 110,126,140,196,197
・脳を活性化 …… 81,256

は

・発信力が高まる …… 188,191,202,248,260,272,284,286,306,338,348,383,385,390
・判断力が高まる …… 141,205,232,329,335,345,352,359,373,376
・冷え・むくみの解消 …… 54,268
・人と比べなくなる …… 102,242
・人の評価が気にならなくなる …… 105,242
・人に好かれる／好感度が高まる …… 75,191
・人に働きかけ巻き込む力が高まる …… 259,263,306,319,361,382,384,387
・人に振り回されなくなる …… 64
・人に優しくなれる …… 39,73,75,90,91
・人を動かす …… 319
・人を信頼できる／人を認められる …… 158,400
・人を許せる …… 118
・疲労回復 …… 78,131,156,218,233,235,238,249,311,341,394
・不安の緩和／不安の解消 …… 35,48,55,56,66,84,116,152,227,253,265,302,346,373,392,393
・プラス思考になる／マイナス思考がなくなる …… 59,60,83,99,109,116,122,133,164,181,199,207,215,220,252,257,286,313,332,356,357,366,370,378,398,408
・プレッシャーから解放される …… 138
・ポジティブになる／ポジティブ思考になる …… 38,43,45,47,59,61,69,80,82,99,106,113,114,125,133,166,175,180,182,186,198,200,203,212,216,221,230,234,239,244,247,267,280,286,288,294,301,317,326,333,337,339,345,351,360,361,365,372,396,403,405
・ホルモンバランスアップ …… 57

ま

・マインドセットできる …… 128,130
・マインドフルネス …… 159,201,219,315,327
・前向きになる …… 60,174,197,198,390
・迷いがなくなる …… 141,291,296,371
・まわりに流されなくなる …… 63
・未来を信じられる／未来に希望をもてる …… 35,109,125,139
・ムダな時間が減る／効率が上がる …… 62,170,311
・目の疲れをとる …… 182,203,235
・目を引く …… 272
・メンタルが安定する／メンタルを守る …… 83,89,99,119,142,154,155,184,193,200,202,237,287,288,344,364,395
・目標が明確になる／やりたいことが明確になる …… 65,123,124,165,246,278,296,371
・目標が達成しやすくなる …… 163,167,212,221,308,322,323,395
・モチベーションアップ …… 46,57,87,94,123,138,152,171,189,258,277,295,299,309,377,389,397,401,406
・ものをていねいに扱える …… 90
・モヤモヤの緩和／モヤモヤがはれる …… 56,269
・問題解決力が高まる／解決の糸口が見つかる／対策が見つかる …… 95,204,209,214,215,220,245,276,281,283,285,298,303,306,307,320,321,358,363,380

や

・やる気になる／意欲が湧く …… 40,186,239,250,272,310
・勇気が湧く／一歩踏み出せる …… 192,250,261,326,391,408
・優先順位がわかる …… 304
・夢が叶いやすくなる／夢が叶う …… 65,71,94,251

ら

・ラッキー体質になる …… 180,255
・リズムが整う …… 40
・リフレッシュできる …… 54,58,76,107,120,123,142,143,153,157,240,244,266,270,271,274,276,309,349
・リラックスできる …… 56,58,61,66,77,78,104,107,112,128,129,131,132,144,146,148,153,177,183,233,288,302,315,398
・冷静になれる …… 179,281
・レジリエンスが高まる …… 168,185

わ

・ワーキングメモリの回復 …… 176
・ワクワクしてくる／ワクワクが見つかる …… 44,93,200,252,356

著者略歴

中島 輝（なかしま・てる）

自己肯定感の第一人者/心理カウンセラー/自己肯定感アカデミー代表/トリエ代表。困難な家庭状況による複数の疾患に悩まされるなか、独学で学んだセラピー・カウンセリング・コーチングを実践し続ける。30年間の人体実験と独学で習得した技法を用いたカウンセリングとコーチングを24時間365日10年間実践。自殺未遂の現場にも立ち会うような重度の方、Jリーガー、上場企業の経営者など15,000名を超えるクライアントにカウンセリングを行い、回復率95%、6ヵ月800人以上の予約待ちに。「奇跡の心理カウンセラー」と呼ばれメディア出演オファーも殺到。現在は自己肯定感をすべての人に伝え、自立した生き方を推奨する自己肯定感アカデミーを設立し、「自己肯定感カウンセラー講座」「自己肯定感ノート講座」「自己肯定感コーチング講座」「HSPカウンセラー講座」などを主催し、週末の講座は毎回満席。インスタグラムフォロワー7万人。ラインブログは文化人6位とSNSでも話題沸騰中。著書はこれまで、『自己肯定感の教科書』『書くだけで人生が変わる自己肯定感ノート』『自己肯定感diary』（SBクリエイティブ）、『1分自己肯定感』（マガジンハウス）などを発刊し、海外でも翻訳されている。

「中島輝オフィシャルサイト」
https://www.teru-nakashima.com

「自己肯定感アカデミー」
https://ac-jikokoutei.com

「趣味・資格・副業/取り柄を活かすなら torie」
https://toriestyle.com

毎日（まいにち）みるだけ！
自己肯定感（じここうていかん）365日（にち）BOOK

2021年11月30日　初版第1刷発行
2024年1月16日　初版第4刷発行

著　者　中島 輝
発行者　小川 淳
発行所　SBクリエイティブ株式会社
〒106-0032　東京都港区六本木2-4-5
電話：03-5549-1201（営業部）

ブックデザイン　小口翔平＋奈良岡菜摘＋三沢 稜（tobufune）
編集協力　佐口賢作
イラスト　中沢 朋
D T P　荒木香樹
コーディネーター　久保田知子（コミュニケーションデザイン）
編集担当　杉本かの子（SBクリエイティブ）
印刷・製本　三松堂株式会社

本書をお読みになったご意見・ご感想を
下記URL、またはQRコードよりお寄せください。

https://isbn2.sbcr.jp/12207/

ISBN978-4-8156-1220-7